ИРОНИЧЕСКИЙ
ДЕТЕКТИВ

Людмила Милевская

или Летняя форма надежды

Москва
ЭКСМО
2002

ИРОНИЧЕСКИЙ ДЕТЕКТИВ

УДК 882
ББК 84(2Рос-Рус)6-4
М 60

Разработка серийного оформления
художника *В. Щербакова*

Милевская Л. И.

М 60 Жених со знаком качества, или Летняя форма надежды: Роман. — М.: Изд-во Эксмо, 2002. — 384 с. (Серия «Иронический детектив»)

ISBN 5-699-01406-3

Еще недавно Роберт — надежда фундаментальной науки — собирался наложить на себя руки из-за грандиозного провала на международной конференции. Но судьба распорядилась иначе — и все понеслось кувырком. Яд, который Роберт припас для себя, выпила неизвестная дамочка, родная мама в авральном порядке подыскивает великовозрастному сыночку невесту, а в квартиру Робика то и дело кто-то подкидывает труп... Какие уж тут невесты... И вот тогда ситуацию берет в свои руки Сонька Мархалева, которой всегда и до всего есть дело...

УДК 882
ББК 84(2Рос-Рус)6-4

ISBN 5-699-01406-3

Наши мужчины все делают неправильно. Они истребляют себя прямо у нас на глазах: бегут на рыбалку, на работу, на войну, в науку, в пивную, в гастроном, в политику и... к другим женщинам — что опасней всего. Мы, женщины, недоумеваем: зачем они бегут куда-то, когда мы так в них нуждаемся? Зачем они суетятся, когда рождены любить нас, оберегать, холить, лелеять и восхищаться. Восхищаться, разумеется, только нами, своими женщинами...

Почему они, эти мужчины, так плохо выполняют свое предназначение?

Нераскрытая тайна, вечная загадка...

Мои каждодневные упражнения по изучению мужчины доказали: пока жив на планете хоть один подопытный экземпляр, надежда познать мужчину не умрет.

Предлагаю вам летнюю форму надежды.

Вместо пролога

Тому, кто считает жизнь прекрасной, скажу: так будет не всегда. На самом деле жизнь невыносима. Особенно, когда страдаешь от одиночества, страха и тоски. И уж совсем она злодейская штука, когда видишь перед собой бездыханное тело человека близкого и нужного как воздух. Вот когда реальность превращается в пытку: еще недавно хмурились эти брови, еще недавно пристально смотрели эти насмешливые глаза, и губы шевелились, выплевывая безжалостные фразы... и вот перед тобой труп. С незнакомым лицом. С деревянными руками и ногами.

Труп!!! Безжизненное тело, равнодушное и чужое... Только что оно по-дружески ненавидело тебя, а теперь лежит безразличное и немое. И карой небесной именно в этот момент осознаешь то, чего не понимал раньше: тело это... Да-да, тело — человек, разве это не одно и то же? Это тело всегда было (было!) родным. Легкое подрагивание бровей, кривая улыбочка, нервные движения длинных и тонких пальцев, падающая на лоб прядь волос — все, на что я так безучастно взирал совсем недавно, сейчас, в эту трагическую минуту, составляет для меня наивысшую потребность. Разум сатанеет от горя, сердце заходится от боли, от жестокого осознания безобразной истины: губ этих и бровей не увижу уже никогда.

Никогда!!! Никогда... Невозможно вдохнуть в бездыханное тело жизнь.

Но есть истина и пострашней: виной тому я сам... Я, смирный, ленивый, законопослушный...

Уму непостижимо, как со мной могло такое случиться? Совсем недавно жил (как все) обычной скучной жизнью: ел, спал, работал, изредка веселился, искал удовольствий, мог предсказать каждый свой шаг, лениво строил планы...

Планы. Планы, планы, планы... Воистину золотые слова: расскажи господу о своих планах, пусть всевышний посмеется...

Глава 1

Из Парижа я вернулся в том самом настроении, в каком с оптимизмом взираешь лишь на веревку, желательно уже намыленную. Это был провал. Абсолютный провал. Абсолютный и позорный. Насмешил весь научный мир. Столп, заваленный мальчишкой.

Я страдал. Душа — разрытая траншея, которую неизвестно когда зароют, потому что трубы все еще не подвезли и подвезут ли, никто не знает. Что вдохновило меня на такое затейливое сравнение, понятия не имею, но «душа — траншея» сказано очень точно. На конференции душу мою разворотили очень глубоко. Жить совсем не хотелось.

Хотелось запереться в квартире, упасть на диван, на голову — подушку и забыться... Хотя бы на сутки.

Однако отгородиться от внешнего мира диваном и подушкой не удалось. Первой позвонила мать. Непостижимым образом она всегда чует мою беду и, надо отметить, всегда не вовремя дает о себе знать. Мать, как пчела на мед, летит на мои проблемы, чтобы лишний раз констатировать, какое я ничтожество и как умна она, да заодно дать дельный совет, которым невозможно воспользоваться. Иными словами, мать никогда не упустит случая, чтобы окончательно отравить мою жизнь. Я очень ее люблю, но за это порой ненавижу.

— Роби, это ты?

Боже, какой напор! А голос! Сколько в нем превосходства! Всего три слова, а собеседник буквально стерт с лица земли, но перед этим оскорблен и унижен. Так может разговаривать только моя мать.

— Роби! Это ты?

— Да, мама, это я.

Безграничное удивление:

— Ты?!! Роби!!! Ты?!! Неужели?!!

Я вспылил:

— Да, мама, это я! Кто еще может отвечать из моей квартиры? Ты не забыла, твой сын живет один.

— Не по моей вине, — мгновенно парировала мать. — Если бы ты слушал умных людей...

(То есть ее.)

— ... то давно уже был бы счастлив, как это делает твоя сестра Кристина.

Я испугался и поспешил сообщить:

— Да-да, знаю, Кристя живет припеваючи со своим бизнесменом. Как сыр в масле катается. Просто устала от счастья, истомилась, о чем ты непрестанно поешь, не за этим ли ты и сейчас позвонила?

— Звоню тебе, чтобы сказать: Роби, ты глупец и неотесанный мужлан, весь в своего папочку.

Мать никогда не лезла за словом в карман; я

решил помолчать. Тем более что говорить вдвоем бесполезно.

— Слава богу, Кристина удалась в меня, — тем временем уже радовалась мать. — Все в ней комильфо. Образованна...

(Будто я неуч. Или доктор наук для нее мало?)

— ... красавица...

(Будто я урод.)

— ... умница...

(Будто я дурак.)

— ... никогда своего не упустит...

(Да-а, здесь мне до нее далеко. И всем далеко. Кроме матушки, разумеется. Эти две особы — мои ближайшие родственницы — даже Иисуса Христа считают своим. Весь мир — их собственность, им же остается только прикидывать, как всем этим выгодней распорядиться. Как подумаю откуда я взял свои гены... Нет, кажется, я точно повешусь.)

— Поэтому, Роби, я за Кристину спокойна, чего не могу сказать о тебе. Никогда и ни в чем не добьешься успеха. Господи, ну почему ты у меня такой пентюх? — трагическим вопросом задалась мать и тут же огорошила меня ответом: — А все потому, что плохо соображаешь. Просто удивительно, как с такими дрянными мозгами ты угодил в науку. Кстати, почему ты не хвастаешь? Как прошла конференция?

Мне сразу расхотелось вешаться — захотелось застрелиться, так намного быстрей.

— Роби, как прошла научная конференция? Отвечай! Почему ты молчишь?

— Конференция прошла нормально, мама.

Сказать о провале у меня не хватило духу, но если она начнет расспрашивать, придется признаться. Даже представить не могу, что тут начнется, я этого не переживу. Вот когда я порадовался, что матери (если зрить в корень) нет дела до меня, — она с энтузиазмом продолжила петь дифирамбы Кристине.

— Девочка младше тебя на десять лет, но уже добилась всего: дача в Переделкине, вилла в Испании, квартира в Лондоне, квартира в Москве... Да нет, уже три квартиры в Москве и в Нью-Йорке квартира, в придачу яхта, автомобили...

Мать вдохновенно перечисляла, а я окончательно затосковал. Поскольку муж сестры и в самом деле даром время не терял, то Кристина добилась многого. Перечислять можно долго; я с тоской оглянулся на подушку, понимая, что если не застрелиться, то вздремнуть вполне успею. Но как бы не так: неожиданно мать оставила в покое Кристину и переключилась на меня.

— Роби! — изумленно закричала она. — А почему ты дома? Ты же должен быть в Париже!

Мне снова срочно захотелось застрелиться.

— Если я должен быть в Париже, то почему ты мне звонишь? — оттягивая ответ, поинтересовался я.

Мать не стала выходить за пределы своей логики.

— Потому что я всегда тебе звоню, — сказала она и прикрикнула: — Роби, ты мне зубы не заговаривай! Отвечай, почему ты не в Париже?

— Мама, я вернулся.

— Вернулся? На целых три дня раньше? Из Парижа?

В ее понимании это непростительная глупость.

— Да, мама, да, — подтвердил я.

Приговор последовал незамедлительно:

— Роби, ты сошел с ума! Все нормальные люди под любым предлогом стараются затянуть загранкомандировку. Чем плохо разгуливать по Парижу за счет государства? Что может быть прекрасней? Ты же, рохля, мчишься домой, будто здесь тебя ждут радости: жена и дети. Толпа детей... И это мой сын! Нет, это невыносимо! А все твой папочка! Будь проклят день, когда я...

— Мама, я привез тебе подарки.

— Что?!

— Подарки.

— Роби, — ее голос стал слаще патоки. — Роби, мальчик мой, иногда ты бываешь трогательным. Нам надо срочно увидеться. Ах, как жаль, что у меня массажистка. И маникюрша вот-вот явится. Никак не могу приехать. Роби, сынок, ты не мог бы заглянуть к своей бедной мамочке?

— Когда?

— Разумеется, сегодня. Понимаю, ты занят, но я так соскучилась. Загляни, золотко, хоть ненадолго. Твоя мамочка так одинока.

Осознавая неизбежность, я по привычке впал в сомнения:

— Не знаю, только вошел в квартиру...

— Роби, милый... Кстати, в вашем доме нет воды. Ты уже видел траншею?

Ах, вот откуда взялось это сравнение: душа —

траншея! Оказывается, я заметил это безобразие под окном. Еще бы, разрыли всю улицу.

— Роби, тебе необходимо помыться с дороги. Приезжай, сынок, примешь ванну, выпьешь кофе...

Спорить было бесполезно. Я обреченно вздохнул:

— Ну хорошо, мама, так и быть, чуть позже приеду.

— Когда?

— Ближе к вечеру.

— Ах, молодчина! Роби, дорогой, жду тебя через двадцать минут.

— Мама, я не успею...

— Никаких возражений, слышишь, уже ухожу, как думаешь, куда?

Господи, о чем она спрашивает: знает сама, что может уйти куда угодно, невзирая на болячки и возраст.

— Понятия не имею, — избегая проблем, ответил я.

— Так знай: пошла набирать тебе ванну и варить кофе, мой неблагодарный сын. Да, Роби, смотри не забудь подарки.

— Я не самоубийца.

Хотя жить окончательно расхотелось. В сорок пять лет не уметь совладать с мамочкой! Как она меня воспитала? Как ей это удалось? Ей бы работать дрессировщицей в цирке, если бы она вообще когда-нибудь хотела работать.

Я начал собираться. Воды действительно не было. Выглянул в окно — черт, перед домом траншея. Тогда я еще не знал, какую необычную роль она сыграет в моей жизни. Тогда я переживал лишь о том, что теперь в доме долго не будет воды. От этих мыслей меня отвлек телефонный звонок.

— Ну че, попал, козел? — интересовался противный голос с блатнецой. — Или ще не понял?

— Ошиблись номером, — сказал я и бросил трубку.

И телефон опять зазвонил. Но это был уже мой старый друг и коллега Виктор Заславский — щеголь, бабник, гурман и отчасти профессор. Баловень судьбы, счастливчик, у которого все самое-самое: самая красивая жена, самая умная дочь, самые высокие доходы, самая трехэтажная дача и самая блестящая карьера. К таким обычно тянутся. Таким обычно завидуют. Все, кроме меня. Нет, вру: я тоже завидую. У него есть то, что мне необходимо и чего нет у меня: прекрасная жена. Мария дивная женщина: красивая и добрая. Согласитесь, редкое сочетание.

Судя по всему, Заславский уже знал о моем провале. Великодушно начал успокаивать — настоящий друг.

— Роб, ерунда, не принимай близко к сердцу, ты ни в чем не виноват.

— А кто виноват? — сухо поинтересовался я, достойно собираясь ограничиться одной этой фразой, но как бы не так. Меня прорвало. — Столько лет биться! — с чувством закричал я на Заславского, будто он в чем-то проштрафился. — Тебе этого не понять, ты себя ничего не лишал. У тебя есть все, ты везде баловень, даже в науке. Ты жил. А я бросался грудью на амбразуру. Что у меня за судьба? Столько лет лишать себя отдыха, нормальной жизни, жены, детей... Открою тебе секрет: я мечтаю о сыне. Да-да, еще мечтаю, хотя в моем возрасте сына давно пора бы воспитывать, свой опыт передавать, свою мудрость. Впрочем, мудростью от меня и не пахнет. Я дебил! Не возражай! Настоящий дебил! А кто же еще? Подумай сам: столько лет всецело отдаваться делу, чтобы потом узнать: кто-то решил эту проблему раньше тебя. Решил мимоходом. Какой-то мальчишка. Легко. Играя.

В общем, я был не в себе, разошелся как баба. Заславский (настоящий друг) не обижался, молчал, понимал, как мне горько. Мне вдруг стало стыдно, я взял себя в руки и печально спросил:

— Знаешь, сколько ему лет?

— Знаю, двадцать шесть, — виновато пробубнил Заславский.

— Виктор, а мне сорок пять. И весь мой труд полетел к черту. Все кончено. Я бездарь. Я бросаю науку.

Виктор испугался:

— Роб, ты что там задумал? Не дури! Сейчас же еду к тебе!

— Не трудись, уже исчезаю.

— Куда?!!

— Везу матушке подарки.

Заславский вздохнул с облегчением, буркнул «созвонимся» и повесил трубку.

Я обхватил голову руками и, сколько так просидел, не знаю. До позора на конференции никогда о жизни своей не задумывался: просто делал дело и был вполне доволен. Да и времени на раздумья не хватало: работы непочатый край. Теперь же, когда выяснилось: весь труд в песок, вся жизнь — даром, поневоле задумался. Окинув мысленным взором прожитые годы, я ужаснулся. Как бесцветен, как скучен мой быт и как бесперспективен. Мне сорок пять, а за плечами одни неудачи. Развод с любимой женой, тоска. Я до сих пор ее люблю, но всегда был так занят, что осознать это времени не нашел. Люблю ее, а сплю с другой. Светлана, конечно, хорошая женщина, но...

Вспомнив Светлану, я поморщился. Наши встречи давно обязаловка...

На самом деле я одинок: нет семьи, нет детей. О, господи, как я хочу сына! Еще успел бы его воспитать. Нет, я не могу так бездарно тратить свое личное время... Но как пойти на разрыв? Не хватает духу... Что же делать? Влачить это жалкое существование?

К тому же у меня с ней уже проблемы, обычные мужские трудности, естественные для моего возраста. Из отношений исчезла новизна, появилась обыденность. Обыденность без любви страшная штука. Тем более что я давно утратил юношескую гиперсексуальность. Теперь каждый раз задаешься вопросом: а буду ли я на высоте?

Женщины вообще не подозревают о мужских бедах, о нашей зависимости от здоровья, от настроя, эмоционального состояния. Им кажется, что мы всегда готовы. Чуть что не так, сразу приговор: не мужик. Или еще хуже: импотент. Женщины так поверхностны потому, что им все легко достается. У них одна забота: найти путевого мужика, остальное — его проблемы. Было бы проще, встречайся мы реже, но Светлана настойчива.

Обижается. Наши встречи давно не приносят радости, так зачем же...

А что мне приносит радость?

Неужели только работа?

А результат?

Я пришел к выводу, что удар был бы меньшим, имей я личную жизнь, а не только науку. Слишком уныло и спокойно живу, без праздников и эмоциональных всплесков, без событий. Моя четырехкомнатная квартира, рассчитанная на большую семью, превратилась в монашескую келью. Она месяцами не видит людей. Я тенью брожу по огромным комнатам и дичаю. Телефон молчит. Я одинок и, похоже, уже полюбил свое одиночество. Видимо, это в моей натуре. Я сухарь, потому и ушел с головой в работу. Надо же чем-то себя, унылого, занять. Чем так жить, лучше действительно застрелиться...

Бог знает до чего я додумался бы, но раздался звонок. Это была мать.

— Роби! Ты еще там? Это безобразие!

Я подскочил как ужаленный:

— Иду, мама, точно иду.

Уже собрался покинуть квартиру, уже взялся за дверную ручку — и снова звонок. На этот раз Варвара Заславская — дочь Виктора и Марии, восемнадцатилетняя симпатичная особа...

Как я завидую им, этим Заславским! Будь у меня такая дочь... Да-да, я согласен на дочь, на прелестную милую крошку. Еще успею ее воспитать. До возраста Вари. С Варей мы очень дружны, изредка она ко мне заходит, доверяет свои девичьи секреты, просит у меня, дебила, советов.

Учитывая, какой в моей жизни бардак, очень рискует. Впрочем, я для нее не авторитет, а скорее подруга. Отношения наши весьма демократичны: мы всегда были на «ты»...

На этот раз Варвара рыдала:

— Роб, я не переживу! Это конец! Конец! Он меня бросил! Бросил! Я еду к тебе!

Ей нетерпелось поплакать на моем плече.

— Варя, очень жаль, но я ухожу.

— Куда?

— К матушке.

— А-а-а, — разочарованно протянула Варвара.

У нее сразу отпали вопросы.

Едва нас разъединили, как снова раздался звонок. «Мать меня убьет», — подумал я и поднял трубку. Это была Мария Заславская — жена Виктора. Я думал, она начнет соболезновать мне по поводу провала или начнет жаловаться на горе Варвары, но Мария заговорила о другом.

— Роберт, — очень странным голосом сказала она, — нам срочно надо встретиться. Я еду к тебе.

— Что случилось? — взволновался я. — Что-то с Виктором?

— Нет.

— С Варей?

— Нет.

Я растерялся:

— А с кем?

— Со мной.

Я вздохнул с облегчением. Что может случиться с разумной, опытной, обстоятельной и правильной сорокалетней женщиной? Учитывая, что Мария никогда нигде не работала и всецело посвятила себя семье, члены которой мне только что досаждали, я успокоился вдвойне и сказал:

— А нельзя ли перенести твой визит на вечер? Я еду к маме.

— Да, конечно, — сразу согласилась Мария и, не прощаясь, повесила трубку.

Но телефон тут же зазвонил опять. «Ну теперь мать точно меня убьет!» — подумал я и ошибся, это была Светлана. Видимо, Заславский ее уже известил о моем провале, по-дружески взял самое неприятное на себя. Светлана начала с напором:

— Роберт, я понимаю, как тебе сейчас нелегко, но вынуждена сказать... — и она замолчала.

«Просто дурдом какой-то, — подивился я. — Неужели это мне каких-то полчаса назад так не хватало эмоций и событий?»

— Света, может, скажешь потом?

— Почему?

— Я вообще-то спешу.

— Куда?

— К матери. Она меня ждет давно.

— Очень хорошо, — почему-то обрадовалась Светлана. — Значит, надо сказать прямо сейчас, пока тебе тяжело. Потом будет еще хуже.

Я испугался. Что за странные речи? Что она там придумала? И как всегда не вовремя. Не хватало мне дополнительных проблем. Ох уж эти женщины!

— Хорошо, Света, раз собралась, то говори, не тяни резину. У меня уже сердце не на месте. Кстати, сегодня мы не сможем с тобой увидеться, — пользуясь моментом, на всякий случай решил предупредить я.

— Да-да, конечно, — согласилась она и замолчала.

Мне стало стыдно, по обычаю начал подлизываться:

— Светик, не обижайся. Если бы в Париже все прошло удачно... Ты уже знаешь о моем провале?

— Увы, да, мне Заславский сказал.

— Как видишь, я не на коне, хвастать нечем. Будь я героем, то, конечно же, сразу бросился бы к тебе, но сейчас, когда... С таким настроением... Разрушилось дело моей жизни... Я растерян... Но подарки тебе привез. Если хочешь, можешь забрать, пока я буду у матери. Только прошу, меня не дожидайся. Я устал, скверно настроен, зол, грязный к тому же. Кстати, в доме нет воды. Под окном разрыли траншею...

Вдруг я с удивлением заметил, что уже довольно долго говорю и никто меня не перебивает. Случай невиданный. Не могла же она так сильно обидеться. Или связь прервалась? О, как я был прав насчет нашей связи.

— Алло, Света, ты где?

— Я здесь, Роберт.

— А почему молчишь?

— Слушаю.

— Нет, ты сегодня удивительная. Она слушает. Слушает и ничего не хочет сказать. Что ты обо всем этом думаешь?

— О чем?

— О том, что я только что тебе говорил!

— Ты прав...

Я похолодел:

— Прав?

— Ну да.

— Прав, да и только? И никаких комментариев не появилось у тебя?

— А какие здесь могут быть комментарии? Ты подавлен, устал, хочешь побыть один. Это нормально.

— Конечно, но ненормально это слышать от тебя. Ты не заболела?

В трубке раздались всхлипывания.

— Света! Ты плачешь?

— Нет, — сказала она и разразилась рыданиями.

Я занервничал: мать меня убьет. Ну почему так всегда: как только дам ей слово, на пути его исполнения сразу вырастают непреодолимые препятствия? Я буду последним негодяем, если не увижусь теперь со Светланой. Я представил ее, убитую горем, маленькую, беззащитную, с детски оттопыренной губой. Она всегда ее оттопыривает, когда плачет. Вдруг вспомнил, что благодаря мне она плачет часто...

Какая же я скотина!

Хм, скотина? Пожалуй, да, но не надо ей знать об этом. Женщин это портит. О чем — об этом?

О том, что я скотина, и о моем прозрении. Да, надо прятать чувство вины. Посыпать голову пеплом— это не в моих интересах.

— Ну хорошо, — вздохнул я, — терпеть не могу женских слез, поэтому перестань плакать. А еще лучше, приезжай ко мне, я тебя утешу.

То, что услышал в ответ, казалось невероятным. Клянусь, не поверил своим ушам.

— Роберт, я не приеду, — пропищала Светлана и снова горько-горько заплакала.

— Да почему ты плачешь, черт побери! — завопил я, приходя в ярость.

— Мне тебя жалко.

— Ах вот ты о чем, — смягчился я и принялся ее успокаивать. — Не горюй, ерунда. Этот юнец случайно нащупал то, над чем я бился всю жизнь. Я считал себя выше Эйнштейна, и бог меня наказал. А юнцу повезло. В науке иногда так бывает, но я не сдамся. Теперь жалею, что не остался до конца конференции и не прослушал все доклады. Но ничего, дождусь публикаций, и тогда станет ясно...

— Роберт, родной, мы больше не увидимся.

— Да-да, конечно, дорогая, как хочешь, всем станет ясно, что рано меня списывать. То, что там изображал этот выскочка, этот сопляк, лишь начало проблемы, вершина айсберга. Я уверен, он сам не подозревает, о чем идет речь...

— Роберт, ты не понял, я от тебя ухожу. Ты меня слышишь?

Я слышал только себя, я был в запале, что случалось всегда, когда речь заходила о моей работе.

— Да понял я, все понял, ты куда-то уходишь, но, Света, это еще не все. Я уязвлен, но не думай, что сломлен. Я не бездарь и докажу это. Все брошу, отправлюсь в деревню и вот тогда в тишиуединении закончу свой труд. Вот тогда и посмотрим. Кстати, ты поедешь со мной в деревню?

Она вновь зарыдала:

— Роберт, прости меня, прости...

«Не поедет», — с облегчением констатировал я и решил ее успокоить:

— Ну-у, не стоит так убиваться. Если ты не

можешь, я отправлюсь один, а ты будешь меня навещать, привозить мне новости и продукты.

Она вдруг разозлилась:

— Роберт! Что ты за мужчина? От тебя даже уйти по-человечески невозможно! Битый час тебе твержу, что у меня другой, а ты даже слушать не хочешь. Так увлечен собой!

— Что-о-о?!! Другой? Кто другой?

Светлана почему-то расхохоталась. Нервно и зло.

— У меня другой мужчина, болван. И пошел ты к черту со своими продуктами. Пускай их возит другая дура! Если такую найдешь!

И она бросила трубку. И, конечно же, телефон зазвонил опять.

— Бегу, мама, бегу! — в ужасе закричал я, но это была не мама.

— Роб, это снова я, — грустно поведал Заславский. — Может, все же встретимся? Тебе Светлана звонила?

— Да, — на автопилоте, не осознавая происходящего, ответил я. — Виктор, она только что звонила.

— И что говорила?

— Что у нее другой мужчина. Болван.

— Кто? — удивился Виктор.

— У нее болван, — свирепея, пояснил я. — Разве Светка может найти другого?

Заславский смущенно усмехнулся:

— Ну-у, болван, все же, наверное, ты. Во всяком случае, она-то уж точно тебя в виду имела, но ты, Роб, не переживай. Я в курсе. Мне кажется, там все несерьезно. Нет, она-то как раз думает, что все очень серьезно, мы с ней разговаривали, она на подъеме, но мой опыт... Короче, Светлана скоро к тебе вернется, я уверен.

— Что-о-о-о?! — взревел я так, что сам не узнал своего голоса. — Вернется? Да на кой ляд она мне нужна такая?

Заславский, похоже, не слушал меня.

— Вернется-вернется, — продолжал заверять он. — Вероятность: сто процентов. Роб, не возражай, ты оторвался от жизни с этой наукой, но я знаю женщин. Светка любит тебя, только тебя...

— Но я ее не люблю! — завопил я.

— Это ты так думаешь, — просветил меня Заславский. — А на самом деле все по-другому. На самом деле ты к ней привык. Привычка — страшная сила. Да это и хорошо. Сам понимаешь, в твоем возрасте...

— Мы ровесники, — напомнил я.

— В общем да, но я — дело другое, — не согласился Заславский. — В сексе главное — не потерять форму, а для этого надо чаще тренироваться. Все как в спорте.

— Иди ты к черту! — взорвался я и, чтобы поставить точку, признался: — Я люблю свою жену. Понимаешь, до сих пор люблю.

— Похвально, но жены-то как раз и нет под рукой, уже лет двадцать, поэтому придется ограничиться Светланой. Ты мужчина, тебе нужен регулярный секс, даже в твоем возрасте...

— Мы ровесники.

— Ничего, Роб, я не обижаюсь, сейчас главное, не наделать глупостей. Ты остынь и подумай, она классная баба, лично мне нравится ее фигура. А грудь... Ты хоть заметил, какая у нее грудь?

«Он что, издевается? — удивился я. — Сватает мне Светлану, которая только что сбежала!»

Захотелось съездить по его гладкой холеной физиономии. Но физиономия была далеко, и я с жаром начал его убеждать, как давно мечтал о разрыве, и как мне в тягость эта Светлана, и как я хочу жениться, хочу ребенка: мальчика или девочку — все равно... Но чем больше я его убеждал, тем меньше он в это верил. Я и сам уже не верил, но не отступал. Так продолжалось до тех пор, пока не зазвонил мой мобильный, который совсем нечасто звонит.

— Роби, ты сошел с ума! — разъяренно констатировала мать.

— Еду, мама, уже еду.

— Если ты в довершение забудешь подарки, — прошипела она, — то сам черт тебе не позавидует!

Что можно противопоставить такой угрозе? Счастлив тот, кого не знает моя мама.

Прихватив подарки, я помчался с одной только мыслью: в деревню! В деревню! Сегодня же закажу билеты!

Глава 2

Мать, как обычно, была страшно занята. Чем? Известно чем: в ее доме с утра до вечера толкутся косметички, педикюрши, массажистки... и, конечно же, подруги. Разговоры только о теле. Все о теле. Как его лечить, разминать, умащать, ублажать, одевать...

Не хочу показаться жестоким, но когда человек живет ради своего тела — это странно. И уж совсем удивительно, если речь идет о теле немолодом, даже пожилом. Единственное, что следует сделать для такого тела: как можно реже на него смотреть. Лучше совсем не обращать внимания. Шестьдесят пять лет — именно столько моей матери — как раз тот возраст, когда пора бы уже вспомнить и о душе, о которой все предыдущие годы как-то не думалось. Согласен, если женщина молода, красива и зовуща, то ей не до души: занимают другие проблемы. Но не для того ли господь старит наши тела, чтобы мы могли вспомнить о душах?

Только не надо делать вывод, что все то время, пока я сидел на кухне в ожидании матушки, меня занимали именно эти мысли. Нет, я горевал не о теле и не о душе, а о Светлане. Мне вдруг открылось, что Заславский прав: я люблю, люблю Светлану, уже давно люблю. Во всяком случае, представить, что ее тело и особенно груди (Заславский и здесь прав) ласкает другой болван, а не я...

Нет, этого представить я не мог...

Но представлял ежесекундно, ругая себя за глупость и мазохизм. Кровь приливала к моему лицу, с зубов летела крошка, сжимались кулаки...

«Как коварны женщины», — зверея, думал я.

Не скрою: испытывал острое желание поколотить соперника и убить Светлану. Да-да, даже убить! Мысли мои все время обращались к прошлому.

«Эти женщины, — страдал я, — безжалостные твари. Мужчины в их руках игрушка. Заманят в сети, приучат к ласкам, к вниманию, а потом, когда ты уже не можешь жить без их восторгов, их восхищения, обязательно предадут, бросят на произвол судьбы. Как я не хотел встречаться с ней, с этой лживой бабенкой, попусту тратить время. Она же меня буквально силком в отношения затащила. А как она заставляла клясться в любви! «Ах, Робик, ты меня любишь? Скажи, что любишь». И я, как последний дурак, заверял, что люблю, терпел ее издевательства! Я же ненавижу, когда меня называют Робиком. Когда Робертом, и то не очень...

Но, с другой стороны, у нее такие красивые ноги... И круглый упругий живот... И такой милый шрамик на руке от оспы... И эти пресловутые груди...

Да-да, груди! А ее забота! Она всегда лечила меня, если я начинал хандрить. Звонила перед сном, называла своим котиком. Своим самым умненьким в мире Барсиком. А как она меня слушала! Так не умеет слушать никто. Кстати, она-то как раз и могла мне родить сына. Или дочь. Ну и что, что я был Робиком. Подумаешь, эка беда. Должна же она была как-то обращаться к любимому мужчине, раз мне дали такое дурацкое имя...

Но с другой стороны, я всегда чувствовал, что женщинам доверять нельзя. Они тиранят нас до тех пор, пока мы им не сдадимся, после же теряют к нам интерес. Так и произошло со Светланой: как только я стал шелковым, она сразу меня бросила. Кстати, почему я ее так долго терпел? Целых пять лет! Почему?

Как — почему? Уверен был, что она меня любит. Но сам-то я ее не любил. Так в чем проблема? Она ушла. Что и требовалось доказать. Я свободен! Я счастлив! И для материнства она стара. К черту! К черту эту Светлану!»

Я так решил, но сердце было не согласно. Мне было плохо, очень плохо. Единственная польза от ухода Светланы: я забыл о своем позоре, о провале на конференции. Но что толку? На душе было невыносимо скверно: хотелось напиться и совсем уже расхотелось жить. Незаметно для себя я начал на полном серьезе обдумывать варианты ухода из жизни.

Увы, их было немного. Можно выброситься из окна — это просто, но я боюсь высоты. Можно выпустить из себя кровь. Говорят, это даже приятный способ: лег в ванну, перерезал вены и — на встречу с господом. Но я боюсь крови. Можно застрелиться, кстати, я неплохо стреляю. Во всяком случае, уж в себя не промажу, но у меня нет пистолета. Можно повеситься, но здесь совершенно не имею опыта. Как это делается? Даже не представляю. К тому же, это ненадежный способ. Слишком часто этих висельников-самоубийц из петли вынимают. Статистика настораживает. Нет, мне это не подходит. К тому же не эстетично висеть с черным вываленным языком. Да и не достойно для меня, доктора наук, уважаемого человека... Надо поискать что-нибудь поприличней.

А что тут найдешь? Все. Нет больше вариантов...

Я вдруг вспомнил студенческие годы, наши пикники в лесу, вспомнил безобидного крота, которого Заславский, почему-то испугавшись, прибил лопатой. Тогда на меня это произвело самое тягостное впечатление, но теперь я принял во внимание и этот способ отъединения души от тела и начал рассматривать как очередной вариант. Но, поразмыслив, подумал, что мне и это не подходит.

«Неужели придется жить? — расстроился я. — Не убивать же себя лопатой, как какого-то крота?»

За этими горькими мыслями и застала меня матушка. Она со своими подругами уже рассмотрела подарки и, судя по всему, как обычно, была недовольна.

— Ну? — грозно поинтересовалась она. — Что ты тут сидишь истуканом?

— Жду тебя, ванну и кофе. Желательно в вышеупомянутой последовательности.

Словно не слыша, мать повторила вопрос, уснастив его оскорбительными деталями:

— Что ты тут сидишь истуканом? Весь в своего папочку, тот всю жизнь истуканом просидел. Даже спал сидя. Лег лишь тогда, когда его в гроб положили. Роби, слышишь меня, не сиди!

— А что я должен делать? — рассердился я. — Идти развлекать твоих гостей?

— Было бы неплохо, — мгновенно успокаиваясь, заметила мать.

— Но у меня совсем неподходящее настроение.

— У меня такое же после того, как я увидела, на что ты выбросил деньги, — посетовала она, явно имея в виду подарки. — Кстати, а у тебя-то что за горе?

— Я доверился рекламе.

Мать изумилась:

— Рекламе? Какой?

— «Сделай паузу — скушай «Твикс»!»

— И что?

— Пока я делал паузу, кто-то скушал мой «Твикс».

Она рассердилась:

— О чем ты, Роби? Ничего не понимаю! Хватит говорить загадками!

Мне вдруг захотелось материнского тепла. И сочувствия.

— От меня ушла Светлана, — скорбно признался я.

Мать обомлела. Несколько секунд она сидела с открытым ртом, а потом схватилась за сердце и прошептала:

— Боже! Какой... подарок! Какое счастье!

— Для Светланы — возможно, а мне очень плохо.

— Глупости, — решительно возразила мать. — Теперь у тебя появился шанс стать человеком. Такую тебе невесту найду. Жанна! Жанна! — восторженно закричала она. — Беги скорей сюда! У меня жених завелся! Мне срочно нужна твоя помощь!

Прибежала Жанна Леонидовна — старая подруга моей матери. Двадцать лет она проработала судьей, а потому имела завидные связи.

— Что? Где? Куда? — завопила она, по тону матери догадываясь, что речь идет о чем-то сногсшибательном, но не понимая, о чем.

Дело в том, что Жанна давно глуховата. И подслеповата. Согласитесь, качества бесценные для судьи.

Увидев Жанну, мать завопила изо всех сил:

— Мне нужна невеста! Мой сын теперь жених!

— Поздравляю, поздравляю! — обрадовалась та.

— Что — поздравляю! — рассердилась мать. — Ты мне невесту скорей подавай!

Жанна задумалась.

— Тут любая не подойдет, — озабоченно отметила она.

— Еще бы! — торжествуя, гаркнула мать. — Речь идет о моем сыне! Видишь, какой он у меня: моя гордость! Мужественный, молодой, стройный, высокий, спортивный, красивый, интеллигентный, а умница какой! Целый доктор наук! Светило!

Думаю, никто не удивится моему признанию: о себе из уст матери я услышал такое впервые и был потрясен — на какой-то миг даже забыл о своих несчастьях. Вообще-то она права: я действительно совсем не глуп и далеко не урод. Но что заставило ее признать все эти истины после стольких лет сопротивления? Загадка.

Настроение мое слегка приподнялось, конечно, насколько позволяли обстоятельства. Мать же вдохновенно продолжила:

— Дорогая моя, знай, мой Роби не мужчина...

— Как не мужчина? — испугалась Жанна, всплескивая руками.

— Ах, что за привычка у тебя: перебивать и забегать вперед? — рассердилась мать. — Мой Роби не мужчина, а мечта любой бабы, вот что я хотела сказать. Он настоящая драгоценность! Уж я-то знаю, сама растила! Заметь, Жанна, без вредных привычек: не пьет, не курит и не храпит. И спортом, как проклятый, занимается. А какой эстет! А как преуспел в науке! Только что из Парижа с научной конференции вернулся!

Услышав это, я опять погрузился в пучину печали. Не замечая моей печали, мать заключила:

— Короче, перечислять его добродетели можно долго, но время поджимает. Срочно нужно невесту искать. Жанна, что в невесте самое главное?

— Что? — озадачилась та.

— В невесте главное то, чего нет в моем сыне. Они должны дополнять друг друга, как мы с моим покойным супругом — ангел был, не человек. Роби вылитый отец, следовательно, жена ему нужна точь-в-точь, как я.

Думаю, вы уже поняли, что меня охватил ужас. Однако мать этого не поняла и назидательно продолжила:

— Запомни, Жанна, повторяю специально для тебя: супруги должны друг друга дополнять. Только на этом держится брак: мой муж был молчун, а я любила поговорить, и мы прекрасно уживались. Молчать и слушать — почти одно и то же. Короче, Жанна, раз в моем сыне столько образования, красоты и ума, что хватит на двоих, так и не будем непомерных требований предъявлять к невесте. Видишь сама: у Роби есть все, даже маленький недостаток.

— Какой? — с обидой поинтересовался я.

— Отсутствие денег, — с осуждением заявила мать.

Я вспылил:

— Во-первых, не считаю это недостатком, а во-вторых, деньги у меня тоже есть. Во всяком случае, мне хватает.

— А мне нет! — воскликнула мать и обратилась к Жанне. — Невеста должна быть богата. Желательно, очень богата.

— Я тоже так считаю, — согласилась Жанна. — Будем искать. У меня уже есть на примете две кандидатуры. Одна очень богата, просто Крез, но косая.

— Что? Совсем косая? — озабоченно поинтересовалась мать.

— Самую малость, — успокоила ее Жанна. — Левый глаз немного смотрит вправо.

Мать вздохнула с облегчением:

— А-а-а, это ерунда, вправо — это неплохо, вот если бы наоборот: правый — налево. Терпеть не могу, когда девушки смотрят налево.

Жанна возразила:

— Ну-у, девушкой ее не назовешь, разве с большим натягом. Ей лет пятьдесят, — заметив мой ужас, она поспешно добавила: — От силы сорок, а может, и все тридцать пять. Я точно не знаю. Внешность бывает обманчива. Возраст лучше по паспорту определять.

Мать отрезала:

— Зачем нам паспорт? Мы не в суде. Брось свои штучки, Жанна. Женщине столько, сколько она скажет. К тому же возраст не важен. Чем старше, тем лучше: больше жизненного опыта, да и мой сын не имеет привычки тереться возле женской юбки. Он весь в науке, поэтому какая разница, сколько лет жене? Она все равно его не увидит. Если у нее есть капитал, так пусть будет хоть пенсионеркой. Мне так легче тратить ее деньги.

— Почему это? — заинтересовалась Жанна.

— К зрелому возрасту женщины обзаводятся жизненной философией и становятся щедрыми. Да, моему сыну нужна молодая пенсионерка!

— Мама! — в отчаянии воскликнул я. — Ты не забыла? Я мечтаю о сыне!

— Теперь будете вдвоем мечтать, — успокоила меня мама и обратилась к подруге: — Точно, Жанна, пенсионерки, если они еще молоды и симпатичны, самые предпочтительные невесты. Они уже понимают, что не в деньгах счастье.

— Что-то ты, мамочка, этой истины до сих пор не поняла! — взорвался я.

Она в долгу не осталась и закричала:

— Я-то поняла, но речь идет о тебе. Ты совсем не берешь пример с Кристины! Кристина...

Но я уже не слушал. Очень обиделся и разозлился. Мать совсем со мной не считается. Ее не интересует мое мнение даже при выборе моей же невесты. Кого она мне тут сватает? Косая пенсионерка, похожая на нее? Что смерть в сравнении с этим кошмаром? Блаженство. Только блаженство.

Я уже хотел встать и уйти, но вдруг мать как закричит:

— Роби! Что у тебя в руках?!

— Флакон, — испуганно дернувшись, ответил я, — обычный флакон.

Я действительно все это время рассеянно крутил в руках флакон с какой-то жидкостью, но что за паника?

— Боже! — испугалась и Жанна. — У него в руках флакон! Тот флакон! Отбери сейчас же!

— Роби! Поставь флакон на стол! — решительно приказала мать.

— Да в чем дело? — рассердился я. — Флакон и флакон. Держу его в руках полчаса, не меньше, что за переполох?

— Роби, это не просто флакон! Это яд! — делая страшные глаза, сообщила мать.

Меня словно молнией пронзило:

— Яд?!! Ах вот оно что...

Я был спасен! Вот что мне нужно! Вот чего мучительно не хватало мне все эти ужасные последние часы!

— Что за яд, мама? — осторожно поинтересовался я.

— Яд жуткий! Яд смертельный! Против него нет никакого противоядия. Тот, кто отравится — обречен. Сейчас же отправляйся в ванную и вымой руки.

Я беспрекословно отправился.

— Три раза, — донеслось мне вслед. — Вымой три раза с мылом.

Я так и сделал. Когда вернулся в кухню, яда уже не было, но предательски подрагивала дверца шкафчика, в котором мать хранила чистящие и моющие средства. Я приступил к допросу:

— Зачем ты притащила в дом яд?

Мать усмехнулась:

— Хочу отравить соседку. Буду понемногу в кофе ей добавлять, а то повадилась ко мне по утрам шастать, просто лишила покоя.

Заметив мой серьезный взгляд, мать спохватилась:

— Шучу. Шутка. Конечно, шучу.

Но я ей поверил, она может. Она может и не такое.

— Шутишь не шутишь, — сказал я, — но для чего-то ты яд в свой дом притащила.

— Для борьбы с мышами и тараканами, — заверила мать.

— У меня полно мышей и тараканов, — незамедлительно признался я.

— Ну нет, этот яд я доверить тебе не могу, он слишком концентрированный. Одной капли хватит, чтобы отравить всю Москву, — заявила мать, поджимая губы, и шепотом добавила, закатывая глаза: — Такой есть только у меня. Если бы ФСБ знала...

Можно представить, как захотелось мне иметь такой яд. Раз он столь ядовит, значит, долго мучиться не придется — мгновенно умру. Я решил дождаться, пока мать с Жанной покинут кухню, и незамедлительно яд из шкафчика умыкнуть. Но не тут-то было, мать, словно прочитав мои мысли, возмутилась:

— Ты почему сидишь?

— А что делать? — удивился я.

— Как — что? Иди домой!

— А кофе? А ванна? Ты не забыла? У меня нет воды.

Мать вздохнула и выдала скороговоркой:

— Ах, вот оно что, ну ладно, иди, купайся, устраивай из моего дома городскую баню, чего еще от тебя ждать, на что еще ты способен, на старости лет я уже ко всему готова, такое мне горе...

С этим бурчанием она удалилась. Жанна мне подмигнула и поплелась за ней. Как только я остался один, сразу метнулся к шкафчику: яд оказался там. Я отправил его в карман и крикнул:

— Мама, я пошел!

— А ванна? — удивилась она.

— В другой раз, — ответил я.

— Но ты же грязный!

«Какая разница, каким помирать? Грязным даже логичней — все ж ближе к земле», — подумал я, покидая квартиру матери.

— Роби, как бы там ни было, готовься к встрече с богатой невестой, — донеслось мне вслед.

«Бери пример с Кристины», — мысленно продолжил я, практически прощаясь с жизнью.

Глава 3

Первой мыслью было: принять яд сразу, тут же, в подъезде. Или в лифте.

«Но это же дом моей матери», — вдруг одумался я.

Представив ее, убивающуюся над моим телом...

Нет, не могу я нанести ей такой страшный удар. Особенно сейчас, когда Светлана (наконец) покинула меня и жизнь матери заиграла новыми красками. Старушка полна надежд найти сыну богатую невесту, пустить меня по стопам счастливицы Кристины...

Я нащупал в кармане флакон, однако отвага меня покинула. Я сообразил, что не смогу сделать этого на трезвую голову, и тут же решил напиться. Тем более что с утра об этом мечтал. Если бы не мать, то давно бы уже не стоял на...

Не подумайте, что я трус. Легко иду на риск и не раз подвергал свою жизнь опасности. Самым легкомысленным образом. Как делают все мужчины. Во всяком случае, большинство. Безразлично отношусь к колотым и резаным ранам — просто на них плюю, не обращаю внимания. Когда мне на ногу свалилась гипсовая плита, даже не поморщился. Конечно, раздался трехэтажный мат, что мне совсем не присуще, но это уже другое дело. Так поступил бы любой — плита весила килограммов десять, не меньше. Я не хвастаюсь. Это естественно. То, от чего женщина падает в обморок, мужчина просто не замечает...

Здесь предвижу возражения моей бывшей жены, которая частенько меня упрекала за жалобы и нытье. Ей я, конечно, перечил, но признаю ради справедливости: да, мы, мужчины, любим поныть, когда расхвораемся. Таким образом мы ищем женского тепла, ласки и сочувствия.

И снова слышу возражения своей бывшей жены. «А почему вы тогда при этом так злы и раздражительны?» — наверняка спросит она.

Мой ответ прост: потому что привыкли чувствовать себя сильными и здоровыми, в отличие от женщин, которые с рождения недомогают. С этим недомоганием они обычно и укладывают в могилу своих здоровых мужей. А все потому, что совсем мужчин не понимают. Особенно мужей. Женщинам неплохо бы знать, что душевные переживания для мужчины мучительны, а мучения непереносимы. Для мужчины самый маломальский конфликт — кратчайший путь к бутылке, будь он хоть сто раз трезвенник. Об иных не стоит и поминать.

В общем, я решил напиться и таким принять яд.

Но где это сделать? Дома? А потом умирать в одиночестве? Нет, одиночество у меня в печенке уже сидит. «Хоть умру на глазах у людей, раз жил затворником», — решил я и завернул в ближайший ресторан.

Меня совершенно не волновало то, что я за рулем. Был уверен: из ресторана меня вынесут только вперед ногами. Поэтому набирался алкоголем с легким сердцем. Но к делу подошел посерьезному, не стал спешить: медленно, постепенно надирался, пристально вглядываясь в прожитую жизнь. Чаще всего мой мысленный взор останавливался на последних годах, щедро украшенных Светланой.

Светлана... Нет, она, конечно, далеко не моя жена. Это такой же факт, как и тот, что моя жена далеко не та девчонка с разбитыми коленками, в которую я влюбился на школьной вечеринке и которую до сих пор люблю. Вот с кем растил бы сына... Да-да, я некоторым образом лгал. Лгал своему лучшему другу: я не люблю свою жену. То есть я ее люблю, но не так, как он думает. Точнее, вообще не ее люблю. Черт, запутался...

Неужели надрался? Рановато что-то, травиться пока не хочется: еще недостаточно жизнь свою разобрал. Что же, так ни с того ни с сего и уйти, когда господь дал мне время для осознания всего, что я на этой земле натворил? Или не натворил, а должен был... Нет, я обязан хотя бы понять, если уже не могу исправить.

Так что там произошло с той девчонкой?

А ничего не произошло. Она сидела на диване, поджав под себя длинные тонкие ноги. Сидела и покусывала прядь волос. Своих пшеничных... Нет, золотистых волос. Я не видел ее лица — только губы, пухлые малиновые губы. Они шевелились, обсасывая эту прядь... Я остолбенел, с ног до головы охваченный желанием. Больше всего почему-то заводили ее разодранные коленки.

Уж не знаю, как женщины воспринимают нас, мужчин, но мы их воспринимаем только через свое желание. Даже если этого не осознаем. Ту девчонку я желал, не осознавая. Сначала. Это уж потом... Ну, сами знаете, юношеские фантазии и все такое... Девчонка-то была что надо: Мэрилин Монро до нее далеко. Мэрилин против нее просто болонка...

Кстати, Светлана совсем на нее не похожа. На девчонку, разумеется, а не на Мэрилин. На Мэрилин-то она похожа, а вот на девчонку ту — ну ни капли, зато жена моя похожа и очень. Поэтому я на ней и женился. И, разумеется, ошибся. Та девчонка никогда не стала бы устраивать мне сцен по самому ничтожному поводу. Та девчонка на это просто неспособна...

Между прочим, Светлана почти не устраивала мне сцен...

Черт, почему-то вспоминается о ней только хорошее, а надо бы вспомнить и плохое — сразу легче станет.

Я вспомнил и плохое, но легче не стало: рука потянулась к яду, точнее к флакону.

«Нет, — сказал я себе, — рано. Надо повспоминать еще, вдруг передумаю. Все-таки ценная штука жизнь — нельзя так безответственно с ней расставаться».

И я начал думать и пришел к выводу, что правильно сделал, заказав по дороге к матери билет на автобус — все равно опаздывал безнадежно, а тут хоть одно полезное дело. Да-да, страдания — страданиями, а дело — делом. Завтра утром мне принесут билет, и я отправлюсь в деревню. Нет-нет, не так уж все безнадежно, совсем неплохо обстоят дела с моей теорией. На конференции была перевернута лишь первая страница, главного-то юнец не сказал, потому что не знает. Не дошел он до этого, не дошел, а я дошел, я знаю. Следовательно, нет смысла мне погибать. Осиротеет наука. Надо ехать в деревню и работать, работать, работать...

Но как я могу работать, когда Светлана выбила из меня все мозги? Жить действительно не хочется!

Это потому, что я один. Веду себя не по-мужски: у меня никогда не было запасного варианта. Моя верность до добра не доведет. Уже не довела. Пора бы мне влюбиться. Светлана, при всех ее достоинствах, не такая уж и красавица. Замену ей я легко найду. Кстати, что мешает мне тут же заняться этим?

Я оглянулся по сторонам и обнаружил, что зал полон женщин. Правда, почти все они были с мужчинами, но какое это имеет значение. Мне же надо влюбиться, а не жениться.

«Пройдусь», — решил я и отправился на прогулку по залу.

Открытие меня потрясло: все женщины были уродины. Во всяком случае, образно выражаясь, моей Светлане они не доставали и до колен. И это при том, что я уже достаточно много выпил. Или пословица «не бывает некрасивых женщин, бывает мало водки» не распространяется на сорокапятилетних мужчин?

Как бы там ни было, за свой стол я вернулся абсолютно убитый. «Да-а, — подумал я, — бабы все шлюхи, а их мужики ворюги, что совсем не удивительно: приличные люди по ресторанам не ходят. Особенно в будний день и днем».

На этой трагической ноте я открутил крышку флакона и накапал пятьдесят капель в бокал с коньяком. Разум говорил, что надо жить, а сердце возражало: «Зачем?» Слишком отвратителен мир, беспросветно будущее... Я не знал, как пережить эту муку. Провал в Париже и предательство Светки — гремучая смесь.

«Нет, мне не выжить, не выжить, — подумал я, капая еще пятьдесят капель, а потом и вовсе опустошая флакон в свой бокал. — Да и к чему так страдать? Сейчас жахну, и все трын-трава. Нет этого мира, нет страданий, нет меня. Красота! И черт с ней, с наукой...»

Я засунул пустой флакон в карман и решительно взял в руку бокал с отравой. Понюхал: пахнет коньяком. Впрочем, какая разница? Пить буду залпом.

Окинул последним взглядом зал: вдруг не уродины, вдруг ошибся? Да где там: у одной слишком маленькие глаза, у другой нос слишком длинный. И толстый. А что у них за фигуры! Впрочем, с фигурами, может, все и не так плохо, их же не видно. Вон у той, остроносенькой, очень неплохой над столом нависает бюст, многообещающий. Ай, все равно ей далеко до моей Светланы...

Пока я размышлял, остроносенькая оттолкнула сидящего рядом с ней мужчину, вскочила и решительно направилась...

Что? Ко мне? Да нет, я ошибся. Нет-нет, она действительно идет ко мне, несмотря на грозные оклики своего гориллоподобного друга.

«Не хватало еще в конце жизненного пути по физиономии получить, — подумал я, нехотя отставляя в сторону бокал с ядом. — Представляю, как будет ликовать мать, если горилла мне фингал наварит. Мать сразу воскликнет: «Ничтожество, взял и с фингалом откинул коньки. Весь в своего папочку. Все люди как люди, а этот не может даже прилично умереть». Так скажет мать. И будет права. Нет, с фингалом умирать мне негоже».

Остроносенькая тем временем подсела к моему столу и заявила:

— Как он мне надоел!

— Готов войти в ваше положение, — поспешно откликнулся я, — но будет лучше, если вы вернетесь.

— Что?!! К нему?!! Не бывать тому никогда!

Между тем дружок ее даром времени не терял: он бодро разминал кулаки, окидывая нас злобным и многообещающим взглядом.

«Что такое?! — мысленно возмутился я. — Эта

бабенка, говоря языком ее друга, мне портит пейзаж!»

— Послушайте, — вежливо обратился к ней я, — не хочу показаться трусом, но я и ваш жених, мы явно в разных весовых категориях. В нем не меньше ста килограммов.

— Сто двадцать, — просветила меня остроносенькая.

— А во мне только восемьдесят, — холодея, признался я. — Поэтому буду вам очень признателен, если вы пересядете за какой-нибудь другой столик.

Она уничтожила меня взглядом и воскликнула:

— Как вы смеете? Другой бы на вашем месте от счастья умер, подойди я к нему.

— Именно это и собираюсь сделать, — заверил я. — Искренне хочу умереть, а вы мне мешаете. Очень вас прошу, девушка, ведь есть же здесь и другие столики.

— Вы странный, — заключила она. — Вы хоть понимаете, от чего отказываетесь?

Я покосился на кулаки ее друга и сообщил:

— Отдаю себе трезвый отчет, потому и отказываюсь.

Она растерялась и залепетала:

— Впервые такого встречаю, другой был бы счастлив...

— Охотно верю, — воскликнул я, — но вынужден признаться, что вы не в моем вкусе. К тому же, находясь в самом конце жизненного пути, практически у финиша, не хотел бы получить травму черепа и синяк под глаз. Хотелось бы уйти из жизни красивым, конечно, насколько это позволили мне матушка и природа.

Из всей моей речи девица поняла лишь одно: она не в моем вкусе.

— Что за бред? — взбесилась она. — Зачем же вы так на меня смотрели?

— Как?

Она изобразила. Мне стало плохо. Катастрофа! Неужели я так на нее смотрел? Тогда я болван, права Светлана.

— Что-то не припомню. Когда это было? — холодно поинтересовался я.

— Когда вы бродили по залу и позже, непосредственно перед тем, как я к вам подошла, — торжествуя, сообщила девица.

Теперь уже взбесился я:

— Что? На вас? Смотрел? Да на кой вы нужны мне? Особенно сейчас. Поверьте, вы оч-чень не вовремя.

Я глянул на стоящий на столе бокал, полный яда, и уже спокойно добавил:

— Может, и посмотрел в зал в последний раз, может, взглядом на вас и наткнулся, но не советую это близко к сердцу принимать. Я смотрю так на всех женщин.

Остроносенькая отшатнулась:

— Вы что, кобель?

Я безучастно пожал плечами:

— Не знаю, вряд ли...

Она разъярилась:

— Тогда вы болван! Жаль, что об этом не знаете!

— Знаю, сегодня мне это уже говорили. Да, я болван. Тем более, отправляйтесь к своему другу, пока он вас не опередил и не подвалил к нашему столику. Кажется, для этого он уже достаточно размял кулаки.

Сказав такое, я сам ужаснулся:

— Господи! Кулаки? Неужели ЭТО так невинно называется? Кувалды — да, а кулаки — вряд ли.

Остроносенькая удовлетворенно хмыкнула, я же ее просветил:

— Мне совсем не хотелось бы с ним сражаться, как бы красивы вы ни были. Он такой громадный. И неловкий наверняка: еще прольет мой коньяк. Вот это будет трагедия.

Остроносенькая рассмеялась:

— Ах, вот в чем дело! Ну что ж, это легко уладить.

Она вскочила и энергично направилась к своему другу — я вздохнул с облегчением и поднял бокал. Пора! Давно пора! Пора на тот свет! Господь заждался!

Набрав побольше воздуха в легкие, я зажмурил глаза и...

И бокал оказался в руках остроносенькой. Она вернулась, резво выхватила из моей руки бокал, лихо опрокинула его в себя и пояснила:

— Для храбрости!

И убежала.

Я остолбенел.

Сначала остолбенел, а потом уронил голову на стол и заплакал.

Возможно, впервые в жизни.

Плакал я долго и горько. Напасти пошли косяком: одна за другой. Фортуна меня просто возненавидела. Позор, пережитый в Париже, жег хуже огня, предательство Светланы леденило душу, отсутствие сына разрывало сердце. За всем этим маячило унижение в образе косой пенсионерки-невесты! И вот оно, новое поражение: я не сумел уйти из жизни. Не справился с таким несложным делом. Казалось бы, чего проще, налей яду в бокал и выпей, раз так тебе повезло: собственная мать подарила самый легкий способ забвения бед и позора. Так нет же, и здесь я опарафинился. Какая-то дурочка, свиристелка опередила меня...

Остроносенькая (легка на помине) вернулась и жизнерадостно сообщила:

— Дело сделано, он ушел, так что можете быть спокойны: лицо вам никто не набьет.

Тут она заметила, наконец, мою печаль и удивилась:

— Что с вами? Мужчина, неужели вы плачете?

От позора и обиды я замычал, а она рассмеялась:

— Нет, правда, вы плачете, что ли? Не может быть! Ха-ха! Вы плачете? Плачете?

— Да! Да! — взревел я. — Плачу и буду плакать еще и еще, раз вас так это радует!

— Вовсе не радует, — смутилась она. — А то, что хихикаю, так это нервное. Честное слово, никогда не видела плачущего мужчину.

— Поживете с мое и не такое увидите, — заверил я.

Она удивилась:

— С ваше? А сколько вам?

— Сорок пять.

Остроносенькая отшатнулась:

— Надо же, никогда бы не подумала! Сорок

пять, это полный завал! Считай — одна нога в могиле!

И тут же начала меня успокаивать:

— Но не расстраивайтесь, беда, конечно, но... Кстати, давно хочу вам сказать: вы очень красивый мужчина. По таким просто плачет Голливуд!

Я посмотрел на нее, как на врага народа, а она всплеснула руками и затараторила:

— Когда вы прошли мимо нашего столика, я обмерла и глазам своим не поверила. У вас профиль — зашибись! Вам, наверное, надоели такие признания. Нас, красивых, и хвалят, и хвалят, и хвалят, и льстят, и льстят, и льстят. Представляю, сколько вы наслушались за свои сорок пять, если я, в свои двадцать восемь, уже насмотрелась...

— Послушайте, — возмутился я. — Что у вас за рот?

— Рот? А что мой рот?

Она испугалась, извлекла из сумочки зеркальце и начала себя изучать, приговаривая:

— Что у меня за рот? Рот как рот.

— Это вам так кажется, — просветил я ее, — он же у вас не закрывается.

— Ну да, — согласилась она. — Как у любой нормальной женщины.

И тут же меня упрекнула:

— Уж в свои сорок пять могли бы знать. Повидали, наверное, на своем полувеку.

И она игриво подмигнула. Захотелось ее побить, но я сдержался. Остроносенькая же нахмурилась и спросила:

— Почему вы так нелюбезны?

Меня прорвало:

— Потому что у меня одни неприятности от вас. Зачем вам понадобилось пить коньяк? Он же был для меня предназначен. Что мне делать? Не знаю теперь! Где еще я найду себе яду? Так все удачно складывалось, так мне повезло, этот флакон появился в моей жизни фантастически вовремя, словно по заказу. Моя мать... Все же она молодчина! Она меня породила, она же меня и...

Остроносенькая слушала с большим интересом, но в этом месте перебила:

— Я вас не понимаю. Совсем. Вы говорите загадками. Не могли бы выражаться ясней?

— Ясней? — вспылил я. — Куда уж ясней. Бокал пустой видите?

— Вижу, — кивнула она.

— Знаете что там было?

— Коньяк.

— А какой коньяк, знаете?

— Знаю, неплохой. Там был очень неплохой коньяк, — заверила она.

— Ха! Вот она, ваша ветреность! Одним махом выдули! Где я теперь такой возьму?

— О боже, да здесь же и возьмете! — воскликнула она, утомленно закатывая глаза. — Не надо делать трагедию. Если хотите, сама вам куплю.

Я схватился за голову:

— Вы, девушка, не догадываетесь, как бессовестно поступили со мной: отняли у меня то, что достать не так просто. А мне это нужно позарез!

Остроносенькая разволновалась:

— Ничего не понимаю, что вы так разошлись, ведь там был всего лишь коньяк...

— Да-а, — завопил я, — там был коньяк! И не

он один! Не хотел вас огорчать, но вынужден сообщить: вы без спросу выпили мой флакон, единственный...

И тут до меня дошло: она же отравилась! Только что отравилась! Вместо меня!

Катастрофа!

Глава 4

— Катастрофа! — завопил я, вскакивая со своего места.

— Да-да, — озабоченно согласилась остроносенькая, тоже поднимаясь из-за стола и глядя куда-то поверх моей головы глазами, наполненными ужасом. — Именно так: катастрофа! Видите? Он вернулся и не один. Ничего, не бойтесь, он просто хочет, чтобы я отдала ключи, а дружки с ним для понта. Хочет страха на нас напустить. Ничего, я все улажу. Я сейчас. Я быстро.

И она унеслась с немыслимой скоростью.

— Постойте, — закричал я, — постойте! Вам нужно срочно к врачу! Вас еще можно спасти! Наверное...

Но она не слушала, быстро удаляясь. Естественно, я погнался за ней, но официант решительно преградил мне дорогу:

— Прошу вас немедленно заплатить.

Я воскликнул: «Мне некогда!» — собираясь его оттолкнуть и догнать девицу, но не успел: руки мои уже безжалостно крутили.

— Заплачу! Заплачу! — мгновенно согласился я и вынужден был вернуться к столу.

Там вступил в объяснения с администратором

ресторана. Он настойчиво подозревал меня в воровстве и мошенничестве, требовал паспорт, я же настаивал на своей порядочности, осторожно намекая, что воры и мошенники как раз он и его хозяин — цены меню тому подтверждение. В конце концов вмешалась охрана и предъявила неопровержимые доказательства моей вины: свои кулаки. Я вынужден был показать им паспорт. И платить согласился...

Когда было уплачено по счету и сверх него, я вздохнул с облегчение и собрался отправиться в погоню за остроносенькой, но в этот момент зазвонил мой сотовый. Он так редко звонит, что я даже не сразу понял — официант мне подсказал:

— Кажется, это из вашего кармана.

— Это копейки пищат, — ядовито заметил я, — плачут по тем купюрам, которые вы из меня вытряхнули.

С этими словами я прижал трубку к уху, и рот мой раскрылся сам собою. И было от чего: гнусный, с противной блатнецой голос снова изрек:

— Ну ты попал, козлина! Ну ты попал!

— Простите, не понял, — начал было я, но в трубке раздались гудки.

Я растерянно уставился на официанта.

— Похоже, это не ваш день, — сказал он, сочувственно пожимая плечами.

Видимо, все мои неприятности отразились на моем лице. Думаю, выглядел я достаточно жалко, раз даже официант, этот бандит с большой дороги, меня пожалел. От таких, как я, камни стонут: еще со старыми неприятностями не успел разобраться, а уже новые назревают. Интересно, почему я козлина и куда я попал? Или на что? Так, кажется, принято выражаться в наши дни.

Однако ломать голову над абстрактными проблемами было некогда, надо было остроносенькую спасать. Я вылетел из ресторана — она стояла на другой стороне улицы и, оживленно жестикулируя, беседовала со своим гориллоподобным другом, за спиной которого маячили гиганты еще похлеще. Один из них столбенел и держал в руках мобильный, видимо, собираясь отправить его во внутренний карман пиджака. Судя по всему, остроносенькая сообщала нечто ошеломительное, раз так застыл тот, с мобильным.

Одержимый желанием спасти несчастную, я, не раздумывая, бросился под колеса первого попавшегося автомобиля. Это был «Мерседес».

— Куда прешь, козлина! — раздалось, заглушая визг тормозов.

— Простите, — воскликнул я, — очень спешу!

— А-а-а, вот оно что. Тогда помогу.

Мне в лоб нацелилось дуло пистолета.

— Что вы делаете? — ужаснулся я.

— Ты же спешишь, — пояснил владелец «Мерседеса», — так будет быстрей. И верней. Колеса — штука ненадежная, а, как я понял, господь уже ждет.

Он заржал и, довольный своей шуткой, сорвал с места автомобиль. Я глянул на другую сторону улицы и подумал: «Как-то подозрительно оттопыриваются карманы у этих головорезов, дружков остроносенькой. Нет ли у них оружия?»

Мне расхотелось туда идти, но все еще хотелось спасти остроносенькую. Я вернулся в ресторан и обратился к администратору:

— Раз уж я вам трижды заплатил по одному и тому же счету, не могли бы и вы оказать мне любезность?

— В чем дело? — сухо поинтересовался тот.

— Очень хотел бы поговорить с той девушкой, — я кивнул на остроносенькую, которую через стекло ресторана было неплохо видно, — но, боюсь, ее друзьям это не понравится.

Администратор кивнул:

— Нет ничего проще.

Он набрал какой-то номер, и почти мгновенно на той стороне улицы остроносенькая извлекла из сумки телефон и прижала его к уху.

— Говорите. — Администратор быстро протянул мне трубку.

Я услышал ее голос:

— Алле! Алле! Кто это?

— Остроносе... Ой, простите, не знаю вашего имени, но мне срочно нужно с вами увидеться. Дело первостепенной важности. Безотлагательно жду вас там же.

Она изумилась:

— Кто это? Кто?

— Это тот сорокапятилетний мужчина, чей коньяк вы так беспардонно выдули каких-нибудь десять минут назад. Ну, может, чуть раньше... или позже...

Я задумался, подсчитывая.

— А-а-а-а! — обрадовалась остроносенькая. — Люська! Люська! Что ты говоришь, моя прелесть? Боже, как я рада! Не слышала тебя сто лет!

— Возможно, — ответил я, — если у вас секунда идет за год. Впрочем, так оно и есть — время работает не на вас, время ваш враг. Умоляю! — в этом месте я вскрикнул. — Умоляю вас, срочно сверните разговор со своими друзьями и поспешите ко мне, я все еще здесь, в ресторане, иначе быть беде.

— Люсенька, — затараторила остроносенькая, — так срочно я не могу, у меня неприятности: мой любимый на меня наезжает. Ну как обычно, он не прав, а я виновата. А почему бы и нет: он большой, он мужчина, у него кулаки — а что у меня? Одна глупость. Значит, можно меня угнетать...

— Послушайте, — раздраженно прервал я эту дурочку, — вы ведете себя глупо. Я понимаю, пользуясь случаем, вы решили устыдить вашего гориллу. Конечно, я не стал бы внедряться в воспитательный процесс, но тогда выйдет так, что этот горилла вам больше не понадобится...

— Почему? — со смешком удивилась остроносенькая.

— Потому что вас уже не будет. Сейчас же идите ко мне, подробней объясню при встрече, и вы сразу со мной согласитесь.

— Люся, ты меня интригуешь, — игриво пропела она и серьезно добавила: — Буду в кратчайшие сроки.

И не обманула: что-то очень быстро растолковав своему горилле, она чмокнула его в щеку, в другую и, перепорхнув через дорогу, влетела в холл ресторана.

— Что вы ему сказали? — на всякий случай поинтересовался я, с удовлетворением отмечая, что горилла и его друзья спокойненько направляются к навороченному джипу.

— Сказала, что Люська мне предлагает отпадные джинсы.

— И он вас отпустил по такой ничтожной причине? — не поверил я. — Вы же ругались. Он же проходу вам не давал, ревновал. И теперь вы хотите меня убедить, что он отпустил вас? Из-за такой ерунды?

— Сразу отпустил, потому что знает: я не переживу, если джинсы достанутся Аське. И он не переживет, — заверила остроносенькая, энергично увлекая меня в недра ресторана.

И в этот момент меня словно молнией поразило: я услышал голос матушки. «Яд жуткий! Яд смертельный! Против него нет никакого противоядия, — сказала она. — Тот, кто отравится — обречен».

— Так что же это выходит? — в отчаянии воскликнул я. — Вас совершенно нельзя спасти? Катастрофа! Как я забыл? Как я забыл?

Девица насторожилась:

— О чем вы? От чего вы собрались меня спасать?

— Так, ерунда, можете считать, что это шутка, — с напускным равнодушием отмахнулся я, а у самого мысли как челноки засновали: туда-сюда, туда-сюда.

С секунды на минуту эта несчастная богу душу начнет отдавать: мне вдруг захотелось, чтобы произошло это в моем доме.

Я, наверное, очень плохой человек, но выбора

у меня не было. Девицу, конечно же, жаль, но она сама напросилась — никто ее не заставлял...

Так что же мне теперь делать? Не за решетку же из-за нее отправляться. Там мне вряд ли удастся уйти из жизни с достоинством. Учитывая строгости содержания, вообще не удастся...

И что тогда получится, если вспомнить о моих намерениях?

Приговорят меня из-за этой чокнутой к десяти или двадцати годам жизни?

Десять или двадцать лет жизнь эту мерзкую терпеть?!

Даже в мыслях это не-вы-но-си-мо!!!

Между прочим, могу и пожизненное схлопотать, кто знает, сколько дают за отравление дурочек — здесь я совсем несведущ. И это в то время, когда так не терпится умереть. Да и что это за девица? Урод, да и только. Родит еще таких же страшных и глупых детей — какая от них государству польза?

Нет, я не изверг, девицу, конечно, жаль, но что поделаешь? Я не виноват. Ни в чем не виноват: ни в том, что она яд мой выдула, ни в том, что это толпа свидетелей видела — ее горилла глаз с нас не спускал. А уж в том, что администратор тщательно изучил мой паспорт, вовсе нет моей вины. Если сейчас остроносенькая начнет помирать, я пропал. А вот если довезу ее до моего дома да дам ей спокойно отойти в мир иной в моей постели, то шанс еще есть. Ночи дождусь и устрою ей, к примеру, утопление. Она же поругалась со своим гориллой, так почему не может утопиться с горя?

В общем, надо было поскорей увозить ее с глаз людских долой.

— Кстати, — заволновался я, — а почему это ваш горилла не удивился тому, что, направляясь к Люсе, вы вернулись в ресторан?

— Я же забыла там сумочку, — глядя на меня своими огромными наивными глазами, сообщила остроносенькая. — Сумочку от Кардена.

— А что же вы тогда держите в руках? — поразился я.

Она лукаво усмехнулась:

— Не все же так наблюдательны, как вы. Сразу чувствуется, что вы умны и даже мудры, не то, что мой Вован бестолковый.

— Ах, он Вован, ваш горилла, — прозрел я, машинально отмечая, что не такая уж она остроносенькая и глупая, как мне казалось. Вполне симпатичная и разумная девушка. Черт, как жаль, что ей придется умирать!

— Между прочим, он это почувствовал — никогда меня так не ревновал, а тут ну просто взбесился! — сообщила она.

Я насторожился и, холодея, спросил:

— Что? Что он почувствовал?

Кокетничая, она призналась:

— Ну то, что вы мне понравились. Вообще-то он знает, что я балдею от красивых мужчин. Всегда напрягается, если видит рядом такого.

Я растерялся:

— Что-то не пойму, вы о ком? О ком говорите?

— Да о вас, о вас.

— Вы действительно находите меня красивым?

— Даже слишком. Для мужчины чрезмерно,

поэтому так и рассвирепел мой бедный Вован. Чувствует мою слабость. Знаете, у одного смазливое лицо, у другого высокий рост, у третьего какая-то необычайная стать, у четвертого в движениях завораживающая раскованность: не идет, а несет себя, уверенно... Короче, у каждого есть что-то свое, особенное. Так вот, у вас есть сразу все. Глянешь со стороны: супермен, а не просто мужчина. Как тут не обалдеть?! — спросила она, после чего обалдел уже я.

Нет, я знал, что совсем не урод, но за свои сорок пять ни разу не слышал в свой адрес таких дифирамбов. Вообще никаких не слышал, если не считать того бреда, который сегодня несла моя матушка в пароксизме желания женить меня на пенсионерке.

Чувствовал, как в душу закрадываются сомнения. Уж не издевается ли она? Уж не насмехается ли? Кстати, что она мелет? Как мог приревновать ко мне ее горилла Вован, когда против него я старик: мне сорок пять, а он едва ли не вдвое моложе? Нет, она глумится надо мной!

— Послушайте, — рявкнул я, — мне сорок пять, разве вашему Вовану этого не видно?

Она усмехнулась:

— И не ему одному. Никому не видно. Гилям Шоломович! — вдруг крикнула она администратору, кивая на меня. — Как думаете, сколько лет этому мужчине?

И администратор с пристальным взглядом предположил:

— Лет тридцать пять, не больше.

И это при том, что он видел мой паспорт!

Я был потрясен.

— Видите, как вы, оказывается, молоды. Выходит, всего на три года вас младше Вован, — рассмеялась остроносенькая.

Черт! Какая она остроносенькая? Что за слово дурное привязалось ко мне? Просто стыд: чушь какую порю! Где были мои глаза — сам удивляюсь. Да она же красавица! И почти влюблена в меня! Бедный Вован! Как я его понимаю!

— А как вас зовут? — спросил я, любуясь ее тонким изящным носом и пухлыми розовыми губами, очень удачно расположенными под ним.

— Лидия, — смущаясь, ответила она. Видимо, было нечто чертовское в моем взгляде.

— Лидия? Очень красивое имя. И редкое.

Она удивилась:

— Неужели?

— Поверьте моему опыту, — сказал я, отводя ее подальше от ушей администратора и многозначительно ласкаяя глазами.

— Вашему опыту? Надеюсь, он у вас большой? — чувственно прошептала она.

— Никто не жаловался, — ответил я с придыханием.

И ужаснулся своей глупости, и выругался в душе самыми последними словами. Это надо же быть такому дураку: до сорока пяти лет дожил, но так и не научился соблазнять красивых женщин. Никаких не научился.

Однако деваться мне было некуда: время сильно поджимало, поэтому я сразу предложил:

— Может, поедем ко мне?

Лидия удивилась:

— Как? Прямо сейчас?

— А к чему проволочки? — отчаянно изображая плейбоя, ляпнул я.

Лидия призадумалась. Судя по всему, предложение показалось ей заманчивым, но были проблемы.

— Нет, — с горестным вздохом отказала она, — прямо сейчас не могу. Придурок Вован ждет меня в казино. Я ему обещала быть там через час.

— Через час? — обрадовался я. — Мы успеем! Я живу совсем рядом!

Лидия рассердилась:

— Успеем? Что?

Я смутился:

— Простите, веду себя, как болван.

Она смягчилась:

— Не ругайте себя. Сама знаю, что такое настоящая страсть. Ваше поведение простительно, но, к сожалению, я действительно не могу. Вован убьет меня, если узнает, что я уехала с вами. Понимаете, — переходя на шепот, сообщила она, — за нами возможна слежка.

По моей спине прошелся мороз. Только слежки мне не хватало. И что теперь делать? А-а, была не была, я решил идти ва-банк.

— Тогда пройдемте в мою машину, — инфернальным тоном попросил я. — У меня для вас архиважная новость.

— Говорите здесь, — возразила она.

— Нет, будет лучше, если вы перед этим присядете, — заверил я и решительно потащил ее к своему автомобилю.

Она упиралась, но не слишком энергично,

поэтому минуту спустя мы оба оказались на передних сиденьях моего «Вольво». Как только двери закрылись, я повернул ключ в замке зажигания и категорично выжал сцепление.

— Что происходит? — закричала она. — Вы меня похищаете?

— Вынужден это сделать, — искренне сожалея, сознался я.

— Ах вот как! Но это непросто!

И Лидия произвела попытку открыть дверь, но автоматика в моей машине работала исправно.

— Не надо глупостей, — воскликнул я. — Сегодня вы их немало сделали.

— Вы что, маньяк? — закричала она.

Должен отметить, она была в панике. Я сжалился над бедняжкой и сказал правду:

— Я честный и добрый человек, но, увы, напоил вас ядом. Вы обречены.

Глава 5

Мое сообщение не произвело на Лидию должного впечатления.

— Что за чушь? — рассердилась она. — Ничем вы меня не поили. И сейчас же остановите машину, в противном случае разобью стекло...

Она внезапно осеклась и радостно хлопнула себя по лбу:

— Ха! Вот я дура! У меня же есть газовый пистолет!

И Лидия полезла в сумочку. Я резко затормозил, с укоризной взглянул на нее и сказал:

— Вам бы сейчас о душе молиться, а не баловать с оружием. Я не шучу, в моем бокале был яд. Страшный яд.

Она усмехнулась:

— Почему же я до сих пор жива?

Я пожал плечами:

— Яды разные бывают: от одних погибают сей же момент, от других...

— Через сто лет, — закончила она за меня и рассмеялась.

— Напрасно хохочете. Яд концентрированный, им можно отравить всю Москву. Сам удивлен, что он так долго действует, но наука шагнула далеко... Вы и не представляете, что эти химики могут придумать. А если принять во внимание мою теорию, то и вовсе страшно становится. Коль я до такого додумался, то чем же химики хуже? Так что, дорогая, мне не до шуток.

Честное слово, думал, что вот теперь-то Лидия начнет волосы рвать на себе, она же лениво поинтересовалась:

— Вы что, ученый?

— Да, профессор и теоретик, доктор наук. Три месяца в году читаю лекции в Оксфорде, остальное время посвящаю своей теории.

— Я вам не верю, — заявила она.

— Не верите, что я профессор или что я теоретик?

— Да нет, что в бокале был яд. Зачем вам, такому, травиться?

— Какому «такому»?

— Благополучному.

Я снисходительно посмотрел на нее:

— Откуда ты знаешь, девочка, о моих бедах. Причины у меня веские, уж поверь.

Лидия тряхнула челкой и заявила:

— А я не верю!

— Ах, не веришь! Не веришь! — воскликнул я и, горячась, достал из кармана пустой флакон. — Вот! Вот, — потрясая флаконом, вопил я, — не веришь? Не веришь, а здесь был яд, а теперь, видишь, видишь, пусто...

Это смешно. К столь слабому и неубедительному аргументу я прибег от отчаяния, однако подействовал на Лидию именно он. В глазах ее появился испуг.

— Так это правда? Правда? — залепетала она и залилась слезами. — О, боже! Боже!!! Как вы жестоки! За что? За что вы меня отравили?

— Случайно. Мне очень жаль, — оправдывался я, но в конце концов разозлился и закричал: — Никто тебя, девочка, не просил хватать мой бокал! Сплошные у меня от тебя неприятности! Думаешь, счастье большое тебя тут катать?

— Но мы же никуда не едем, — всхлипывая, напомнила она.

— Потому что ты угрожаешь, тратишь зря драгоценное время.

В глазах ее появилась надежда:

— Куда вы меня везли?

Я смутился и, пряча черные мысли, солгал:

— Вез вас спасать. В моем доме есть противоядие...

Лидия ахнула и закричала:

— Так почему мы стоим?! Скорей везите меня туда! Скорей! Скорей! Умоляю!

* * *

В подъезд я влетел как угорелый, волоча ее за собой, — совсем забыл, что надо было для конспирации сначала подняться в квартиру самому, а потом незаметно впустить Лидию. Зачем соседям знать, кто у меня в гостях. Просто чудо, что мы никого не встретили.

Едва мы вошли в квартиру, как Лидия завыла о своей загубленной жизни.

— О, как я несчастна! Как мне не везет! — причитала она.

Я ее попросил:

— Пожалуйста, кричи потише. Соседи могут услышать тебя.

— И что за диво? — изумилась она.

— В моей квартире почти не бывает женщин, а те, которые бывают, не кричат. Соседи подумают черт-те что.

Лидия отмахнулась:

— Да ну, все правильно они подумают.

Я метнулся к холодильнику (там у меня хранятся лекарства), извлек с полки пузырек корвалолу и все содержимое вылил в бокал, добавил туда настойки пустырника, валериановых капель, подумав, налил касторки. Для убедительности.

Когда поднес Лидии эту жуткую смесь, она отшатнулась:

— Что это?

— Противоядие. Пейте быстрей.

Она понюхала и, глядя с подозрением, спросила:

— А почему оно пахнет корвалолом?

— По кочану! — рассердился я. — Откуда мне

знать, что тут фармацевты нахимичили? Пейте скорей, дорога каждая секунда!

Лидия испуганно тряхнула челкой, зажмурилась, брезгливо зажала нос и быстро опорожнила трехсотграммовый бокал. Я был восхищен: сам бы под расстрелом эту гадость не выпил бы.

А Лидия выпила и прилегла на диван помирать.

— Ох, — стонала она, выворачивая наизнанку мне душу, — что-то плохо, совсем плохо, видит бог, все хуже и хуже.

— Девочка моя, потерпи, скоро противоядие начнет действовать, — уговаривал я ее, нервно поглядывая на часы и отмечая, что теперь-то бедняжка скоро умрет: двести граммов касторки, плюс болтушка из корвалола, валерьянки и пустырника — это что-то! Я бы точно не выжил...

Однако умирала Лидия как-то настораживающе долго. Я отнес ее в спальню и рискнул позвонить матери.

— Мама, я насчет яда. Ты не в курсе, он быстродействующий?

Мать поняла меня с полуслова.

— Как раз нет, — охотно пояснила она, — в том-то и дело, что первое время не действует совсем. Как бы не действует, а сам тайно ведет свою разрушительную работу.

Я в панике бросил трубку и помчался в спальню смотреть на Лидию. Она лежала на моей кровати, свернувшись калачиком и держась за живот.

«Бедная девушка, — горестно подумал я, — такая молодая, такая красивая, а внутри нее уже идет разрушительная работа. Катастрофа!»

Лидия заметила меня и сказала:

— Мне кажется, я умру.

Я рассердился:

— Глупости. Ты будешь жить, ты молода и красива.

— Нет-нет, — покачала головой она. — Противоядие не работает. После него мне стало еще хуже.

Вдруг она приподнялась и спросила:

— Вы правда считаете меня красивой?

Я хотел ей ответить, но запищал телефон. Звонили из агентства.

— Билеты заказывали? — спросил механический (то ли женский, то ли мужской) голос.

— Да, да, — заверил я.

— Один билет на автобус?

— Да, один билет на автобус.

— Все. Ждите. Завтра вам принесут.

И голос исчез, вместо него раздались гудки.

Лидия, а она, приподнявшись на локтях, напряженно вслушивалась в разговор, сразу откинулась на подушку и спросила:

— Зачем вам автобус? Вы же хотели умереть?

— Это я позже захотел, после того как заказал билет, понимаете, — начал оправдываться я, но она меня оборвала:

— Да ладно, какая теперь разница. Я умираю. Вместо вас.

Схватившись за голову, я нервно забегал по комнате, приговаривая:

— Как глупо, как глупо все получилось...

Лидия попросила:

— Не надо, не корите себя. Это судьба. Кому суждено утонуть, тот не сгорит. Значит, пришла моя пора, а не ваша. Лучше присядьте на кровать, ко мне поближе.

Я присел и погладил ее по волосам. Она остановила мою руку и спросила:

— Как вас зовут? Мы до сих пор не познакомились.

— Почему же, я знаю как вас зовут, а меня зовут Роберт.

— Вас зовут Роберт? — удивилась она.

— Да, меня мама так назвала.

— В честь Роберта Рождественского?

Я пожал плечами:

— Не знаю. Никогда ее об этом не спрашивал.

— Почему?

— Мама не терпит, когда ее перебивают.

Лидия вздохнула:

— Да, все женщины любят поговорить, но это не всегда плохо.

— Согласен, — кивнул я.

— А зачем вам автобус? — спросила она.

— Хотел уехать в деревню.

— В деревню? Зачем?

— Работать, — ответил я, собираясь этим и ограничиться, но вдруг меня понесло.

Все, накопленное в душе годами, выплеснулось вдруг на эту бедную, умирающую девушку. Уже позже я понял, что так откровенно можно разговаривать только с человеком, не собирающимся задерживаться на этом свете. Я рассказал ей про все: и про свое одиночество, и про то, как оглушающе тихо и убийственно тоскливо в моей квартире. Пожаловался на друзей: они слишком редко ко мне заглядывают. Пожаловался на ту рыжую девчонку, которая испортила мне жизнь: видеть ее в своих снах, а потом бесконечно искать в других женщинах — еще то испытание. Пожаловался на работу: теоретики и философы обречены на затворничество. Они дичают, месяцами не видят людей, если, конечно, крепко работают. Поеду в деревню, там буду не один: там будут петь мне птицы... И там не будет Светланы, исчезнет соблазн ей позвонить...

Когда мой крик души коснулся заветного: желания иметь сына, Лидия притянула меня к себе и прошептала:

— Вы романтик.

— Видимо, да.

— Как жалко, что я не мужчина.

Я опешил:

— Почему?

— У меня был бы шанс что-то оставить после себя, например, маленького человечка.

— По той же самой причине всегда завидовал женщинам, — признался я. — Женщина независима, она сама может родить себе ребенка, ей плевать на мужчину. Мужчина этого не может. У него очень мало прав, здесь он целиком зависим от женщины.

— Многие не жалеют об этом, — заметила Лидия.

— Но я страдаю. Я хочу ребенка, но не уверен, хочу ли жену. Моей женой должна быть только та девчонка с коленками, другой я не вынесу. А ее нет. Поэтому хочу жить холостяком и растить ребенка. Любая женщина может себе это позволить...

— Роберт, ты чудный, чудный человек, — восхищенно прошептала Лидия, медленно расстегивая пуговицы на моей рубашке.

«Что она делает? — столбенея, подумал я. — И как мне себя вести? У нас почти двадцать лет разница...»

И тут меня словно током пронзило: «Черт, девушка умирает! Это же у нее в последний раз, так о чем же я, болван, думаю?»

Руки мои засновали по ее тонкому гибкому телу, отшвыривая в сторону то жилетик, то блузку, то...

В ладонь упала ее тяжелая грудь — горячая волна окатила мое тело. А руки засновали еще быстрей: как много на женщинах одежды... И все на каких-то крючках, кнопочках...

Это было сумасшествие, по-звериному страстное и головокружительное, сладкое, казалось, самое сладкое в моей жизни...

Впервые я занимался любовью с совсем незнакомой женщиной. И впервые мне было так хорошо. А может, и не впервые... Разве все упомнишь?

Но дело не в том. Испытывая острое наслаждение и вслед за ним ощущение бесконечного счастья, я тут же почувствовал невыносимую душевную боль: она умрет! Скоро! Совсем скоро!

Я могу жить, жениться, потрясать мир своими открытиями, завести и воспитывать детей...

Кроме блажи, мне ничто не мешает, а она умрет! Умрет из-за меня, из-за моей слабости, глупости...

О, как я себя ругал.

Еще одна беда на меня свалилась.

Сколько их предстоит пережить за этот день?

Глава 6

Я долго лежал, цепенея, пока она не убрала с моего плеча свою голову. Убрала, откинулась на подушку и простонала:

— А теперь и умереть не страшно.

Это было последней каплей. Я чмокнул ее в щеку, шепнул: «Скоро вернусь» — и вылетел из спальни. Одной рукой накидывая на ходу махровый банный халат, другой схватил трубку радиотелефона, торопливо набрал номер матери и спросил:

— Как долго ведет свою разрушительную работу этот твой яд?

Мать, не задумываясь, выпалила:

— Пока ядоноситель не заразит всех мышей или тараканов.

Я оторопел:

— При чем здесь мыши и тараканы?

— Ну как же, — поразилась мать, — они мне надоели, сволочи. Лезут изо всех щелей и особенно от соседей.

— Мама, я говорю про яд!

— И я про то же. Потравить бы их всех разом: и тараканов, и мышей, и соседей, чтобы не мешали мне жить. Но (какая беда!) ограничусь мышами. И тараканами. Соседей придется исключить. Из гуманности. А жаль.

Кто знает мою мамулю, тот понимает, как далека она от гуманных соображений. Видимо, чувствуя, что в голове моей назрел протест, мать пояснила:

— Понимаешь, Роби, это последнее изобретение науки. Яд со страшной силой влияет на генную структуру всех белковых образований.

— И как он влияет? — спросил я, заподозрив неладное.

— Лишает их этой, как ее... — Она растерялась: — Надо же, забыла...

— Репродукции? — покрываясь гусиной кожей, подсказал я.

— Точно, репродукции! — возликовала мать. — Представляешь, тот, который отравлен, не сразу умирает, а как можно больше заражает своих соплеменников, но те не умирают, а становятся стерильны. Фантастика! — непонятной радостью обрадовалась она. — Просто чудо: мыши и тараканы вмиг перестали плодиться. Коротают свой век бездетными, а живут они недолго, я уже узнала. Мыши — три года, тараканы и того меньше. Так что скоро лишу способности размножаться всю живность в нашем районе!

«Но почему же ты начала именно с меня, своего сына?» — мысленно возопил я, нажимая на кнопку отбоя и бросая трубку на диван.

Непередаваемая боль разрывала грудь: мечтам о сыне конец! Не будет у меня ребенка! Я стерилен! Уже стерилен!

Катастрофа! Опять катастрофа! Сколько еще раз сегодня придется мне повторить это слово?

Я устремился в спальню. Нежности к Лидии как не бывало: душа — выжженная пустыня...

В ярости распахнул дверь и остановился. Замер. Окаменел.

Она лежала в неудобной позе: левая нога неестественно вывернута, рука заломлена за спину.

Умерла!

Но перед этим успела... Да, сына не будет у меня.

Я метнулся к кровати, в нерешительности остановился и позвал (почему-то шепотом):

— Ли-да.

Она молчала. И не дышала.

Я схватил ее руку: пульса не было. Склонился к груди — сердце не стучало.

Умерла!

Тогда я (счастливый) еще не знал, что это только цветочки — ягодки были впереди.

— Та-ак, — прошептал я, — в моей квартире труп, а былой решимости как не бывало. Что же делать? Что мне делать теперь?

И в этот неподходящий момент раздался звонок в дверь. Я заметался: открывать или не открывать? Решил не открывать, но звонили настойчиво. Я хотел одеться, вернулся в спальню, но обнаружил, что рубашка и брюки валяются на кровати, частично на них лежит покойница. Что-то помешало мне к ней подойти и выдернуть свою одежду. К тому же рубашка и брюки безнадежно помяты.

Я плотно прикрыл дверь спальни и отправился в прихожую в банном халате.

— Кто там? — сердито спросил, напряженно всматриваясь в глазок.

— Это я, твоя сестра.

На пороге действительно стояла Кристина. Она, как всегда, была дорого и безупречно одета — этакая благоухающая фарфоровая статуэтка, безжизненно аккуратная. Все в ней комильфо, все согласно приличиям. На костюме ни пятнышка, ни складочки. Туфли блестят. Прическа: волосок к волоску. И лицо — посмертная маска, гладкая и любезная. Уверен, час назад Кристя приняла душ, обновила косметику и поменяла прокладку.

Я открыл дверь и отступил, нехотя пропуская сестру в прихожую, она же входить не спешила. Прижимая полусогнутой рукой к груди сумочку (долларов пятьсот, не меньше), она с легким оттенком брезгливости рассматривала мои волосатые ноги, беспомощно торчащие из-под халата.

Голову на отсечение дать готов: ей сразу захотелось их побрить какой-нибудь разрекламированной дрянью — дорогой и неэффективной.

— Я не вовремя? — наконец спросила она.

«Ты всегда не вовремя», — зло подумал я и нежно ответил:

— Ну что ты, малышка, очень рад тебя видеть.

Лишь после этого Кристина вошла, рыская взглядом по углам в поисках достойного места для своей бесценной сумочки.

— Давай в свой сейф положу, — предложил я, с ужасом отмечая, что Кристина надолго. В противном случае сумочка осталась бы торчать у нее под мышкой.

— Да-да, положи, — согласилась она, протягивая мне и сумочку и щеку для поцелуя.

Как только я ее чмокнул, гладкое фарфоровое лицо начало складываться в отвратительную плаксивую гримасу.

— Ах, Роби! — простонала Кристина, отталкивая меня и решительно проходя в гостиную.

Я уныло поплелся за ней, готовясь бездарно отдать младшей сестрице дюжий кусок своего драгоценного времени. Еще неизвестно, сколько его вообще у меня осталось.

Словно подслушав мои мысли, Кристина истерично взвизгнула:

— Ах, Роби! Я жить не хочу!

Жалея, что поздно узнал об этом, я холодно поинтересовался:

— Надеюсь, у тебя есть веские причины?

Она заломила руки:

— Роби! Я ушла от него! От этого деспота, жмота, кобеля и тирана! Я наконец от него ушла!

Предчувствуя для себя новые травмы и не скрывая ужаса, я осведомился:

— Неужели ко мне?

Она мгновенно прекратила истерику и, грозно сверкая взглядом, рявкнула:

— А куда мне еще уходить?

— При всех твоих квартирах, домах и виллах очень странный вопрос, согласись.

Но Кристина была не согласна. Ее глаза метнули парочку молний, а рот выплюнул:

— Ты что, не понимаешь: Макс бросил меня!

Это называется: «Я ушла от него!»

Катастрофа!

Я где стоял, там и сел: слава богу, подо мной оказалось кресло. Кристина пристроилась на диване напротив и начала реветь. Я смотрел с жалостью и отвращением. Мужчина на женский рев только так и может смотреть. Видеть, как исчезает лицо, как брови, глаза, щеки и губы смешиваются в одну бесформенную массу — невыносимо. В конце концов я не выдержал и, отворачиваясь, спросил:

— И что теперь будет? Как ты собираешься жить?

Всхлипывая, она пожала плечами, но ответила вполне рассудительно:

— Слава богу, в нашей семье есть мужчина, вот ты и думай. Теперь только ты несешь за нас с мамой ответственность. Макс умыл руки.

Язык мой прилип к небу, но не успел я оправиться от одного удара, как последовал новый.

— Роби, я напилась снотворного и хочу спать, проводи меня в спальню, — заявила Кристина, поднимаясь с дивана и сбрасывая на ходу туфли.

Боюсь, мое «нет!!!» прозвучало слишком неистово — Кристина дернулась, словно ее шибануло током, тысяча вольт, не меньше.

— П-почему «нет»? — заикаясь, спросила она.

— П-потому что у меня там беспорядок, — заверил я, не солгав.

Разве это порядок, когда превращается в труп молодая красивая женщина?

— Но я хочу спать, — сказала Кристина, вновь собирая в морщины то, что осталось у нее от лица: разводы косметики.

Я поспешил ее успокоить:

— Спать в кабинете тебя положу. Это самая спокойная комната. Там диван широченный и воздух чистый: окно выходит в сосновый парк.

— Положи хоть куда-нибудь, — проныла Кристина, дефилируя в мой кабинет совершенно дурацкой походкой манекенщицы.

Зачем ей, спрашивается, это нужно? Тем более сейчас. Но с другой стороны, куда денешь старые привычки. Вилять задом — комильфо нашего времени. Раньше приличные женщины не ходили походкой проститутки, а гордо выступали, как королевы.

В кабинете Кристина первым делом потребовала:

— Роби, положи, наконец, в сейф мою сумочку, как обещал. Не держи ее в руках, это единственное, что у меня осталось.

Беспрекословно выполнив просьбу сестры, я начал укладывать ее на диван, но мне помешал телефонный звонок.

— Постели постель сама! — крикнул я и бросился к одному аппарату, в гостиную к другому, но везде слышал только гудки. Я заметался по всей квартире.

— Это мобильный! — крикнула Кристина из кабинета.

Я с ужасом вспомнил, что сунул его в карман брюк, которые лежат под покойной. «К черту! Пусть звонят!» — зло подумал я. Однако кто-то был слишком настойчив, да и Кристина занервничала:

— Что, не можешь трубку найти? А вдруг это Макс? Сейчас тебе помогу!

По звуку шагов я догадался, что она шлепает в гостиную. Как ужаленный, сорвался с места и влетел в спальню. Старательно отворачиваясь от покойной, нащупал брюки, достал телефон и стремительно направился в гостиную. Панически боялся, что Кристина увидит труп, и ругал себя последними словами, что не врезал в дверь спальни замок.

Как я ни спешил, но столкнулся-таки с Кристиной на пороге — ох и резвая у меня сестра. Для ее тридцати пяти даже слишком резвая. Правда, только тогда, когда дело касается ее Максика: лысого и пузатого шпендика. Кому только понадобился такой?

— Что ты медлишь? — истерично взвизгнула Кристина, кивая на сотовый.

— Сейчас, сейчас, — успокоил я сестру, выпихивая ее в гостиную и поспешно прижимая трубку к уху.

И снова услышал голос с отвратительной блатнецой:

— Ну че, козел? Попал? Или ты ще не понял?

— Кто вы? — закричал я, но в трубке уже раздавались гудки.

Кристина, затаив дыхание, стояла рядом. Покосившись на дверь спальни, я сказал:

— Это не Макс.

— А кто? — обиженно прошептала она.

— Не знаю. Ошиблись номером.

Мне было мучительно больно видеть, как угас взгляд сестры. Так больно, что грязный блин ее лица уже не раздражал. Кристина растерянно застыла, скосолапив ноги, жалкая, похожая на воробышка. Она успела снять пиджак, юбку и блузку и стояла в одной комбинации. Сквозь тонкую ткань просвечивались сползшие чулки, врезавшиеся в тело трусики и лифчик с упавшей бретелькой. Все не комильфо. Передо мной была не чванливая светская дама, а моя сестрица, прелестная детка из далекой юности. Детка, слегка постаревшая. Мне было шестнадцать, а ей шесть. Я хватал ее на руки и подбрасывал в небо, а она от восторга и страха визжала...

Как давно я не видел ее, свою детку. Пахнуло родным, давно забытым.

— Кристя, — нежно попросил я, — иди на диван, поспи, малышка, а потом что-нибудь придумаем.

Лучше бы я ее не жалел.

— Ро-оби! — заскулила она, делая шаг ко мне и тычась мокрой щекой в халат. — Ро-оби! Как больно-оо! Я ему отдала лучшие свои годы! Он броси-ил меня-яя! Мама еще не знае-ет! Я боюсь! Я так боюсь ей говорить!

Кристя была такая хрупкая, маленькая, заморенная диетами... Мне стало стыдно, что я большой, но ничем не могу ей помочь.

— Маме мы не скажем, — успокоил я сестру. — Пока не скажем, а там, может, вы помиритесь.

Она потрясла головой:

— Не получится. У Макса баба, она беременная, а я так и не смогла родить ему сына.

«Никто не смог, наш род теперь совсем угаснет», — подумал я, вспоминая генную диверсию, устроенную мне родной матушкой.

Раздавшийся внезапно звонок напугал нас: мы взвились, словно поддетые рогами черта.

— Кто это? Кто? — забормотала Кристина и тут же нашла ответ: — Это Макс! Беги! Скорей! Открой! Господи, в каком я виде!

Я устремился в прихожую, думая, что мой вид не лучше. Успокаивало только одно: Максу вряд ли есть до этого дело.

Заглянув в глазок, обмер: это была Заславская Мария.

Глава 7

Я вернулся к Кристине и виновато сообщил:

— Это не Макс, это Мария, жена Виктора.

— Мария? О, боже! — заметалась она. — Спрячь меня! Роби, спрячь! Заславская ни в коем случае не должна знать о моем горе!

— Никто не должен, — испугался я, хватая сестру за руку и поспешно уводя ее в кабинет.

— Что мне делать? Что делать? — лихорадочно тараторила Кристина.

— Ничего, ложись на диван и спи, как собиралась. Заславская ненадолго, — заверил я, открывая шкаф и пытаясь найти приличный костюм. Не встречать же Марию в халате.

Однако все приличные костюмы были в спальне, куда идти совсем не хотелось. Я слишком долго копался. Мария перестала звонить и начала колотить в дверь, сопровождая грохот громкими криками:

— Роберт! Открой! Я знаю, ты дома!

У Кристины нервы не выдержали.

— Роби, не копошись, иди ей открой, — зашипела она. — Ничего страшного, что ты в халате. Извинишься и переоденешься, она подождет.

Я счел совет сестры разумным и пошел открывать.

Увидев меня в халате, Мария смутилась:

— Роберт, я вытащила тебя из ванны? Извини. Я подумала... Боже, как глупо! Я барабанила, как... Но я так за тебя испугалась! Извини, извини.

— Ничего страшного, проходи в гостиную.

Она прошла, села на диван и каким-то странным глухим голосом сказала:

— Роберт, прости, но я все знаю.

— Знаешь?!!

— Знаю, — трагично тряхнула головой Мария. — Это ужасно.

Я ухнул на дно ада.

— Я в шоке, — зловеще прошептала она.

Я затравленно глянул в сторону спальни, упал в кресло и, облизав пересохшие губы, выпалил:

— Откуда ты знаешь?

— Мне сказала сама Светлана.

Я вздохнул с облегчением:

— Ах, вот ты о чем.

— А ты что подумал? — удивилась Мария.

— Какая разница, — ответил я, поднимаясь из кресла. — Позволишь мне переодеться? Как-то неудобно сидеть перед тобой в этом дурацком халате.

Я с отвращением посмотрел на свои волосатые ноги. Она отмахнулась:

— Ерунда, Роберт, халат тебе очень к лицу, сиди.

Я хотел возразить и уйти, но вдруг увидел на ковре туфли Кристины и передумал. Совершенно очевидно, пока я буду переодеваться, Мария заметит туфли и парализует меня вопросами. Зная ее хватку, я поежился и предложил:

— Пойдем в столовую, покурим.

Она оторопела:

— Ты же не куришь.

— Уже начал.

— Ах да, — согласилась она, — в твоем положение это простительно. Но тогда уж лучше пойдем в кухню: там вытяжка.

Мы отправились в кухню. Мария присела, достала из сумочки мундштук и спросила:

— Ну? Где твои сигареты?

Я растерялся:

— Их нет.

— Как — нет? А что же ты куришь?

— Все выкурил.

Она сочувственно кивнула:

— Еще бы, в твоем положении. Но у меня тоже кончились. Видимо, тебе придется сходить в магазин.

Такая перспектива не радовала. Оставлять Марию в квартире с трупом и Кристиной? Нет! Только не это!

Я вдруг вспомнил, что сигареты могут быть у сестры, и обрадовался:

— Погоди, похоже, кое-что осталось в кабинете.

— Могу сходить, — предложила Мария.

— Нет-нет, — испугался я и опрометью кинулся вон из кухни.

В гостиной я подобрал туфли, спрятал их между диванными подушками и только тогда отправился в кабинет. Просунув голову в дверную щель, я обнаружил, что Кристина не спит: лежит и смотрит в потолок безжизненным взглядом.

— Кристя, — прошептал я, — у тебя есть сигареты?

Она прошелестела:

— В сумочке, а тебе зачем? Неужели ты куришь?

— Нет, для Марии.

Пришлось лезть в сейф...

— Пожалуйста, побыстрей, — протягивая Кристине сумочку, попросил я.

— Ты что так нервничаешь? — удивилась она.

Я разозлился:

— А то не знаешь? Вдруг Заславская увяжется за мной? Вдруг увидит тебя?

На самом деле я больше переживал, что она из женского любопытства забредет в спальню. Вообще-то это абсурд: Мария прекрасно воспитана. Но по закону подлости и не такие чудеса случаются.

Кристина наконец нашла сигареты.

— Вы будете долго шептаться? — спросила она.

— Только покурим и разойдемся, — заверил я и, выхватив пачку, умчался.

Лишь в кухне рассмотрел, что взял: как я забыл? Кристина курит женские сигареты — очень дорогие. К моей досаде Мария это заметила.

— Женские? — удивилась она и, усмехаясь, добавила: — Решил начать с любимых сигарет Кристины?

С деланым равнодушием я отмахнулся:

— Какая разница.

— Хм. Считаешь, тебе это по карману?

— Не говори глупостей, я не беден. Во всяком случае, уж на сигареты найду. На любые.

Она примирительно усмехнулась:

— Не нервничай, Роберт, я пошутила.

Глянув на часы, я смущенно промямлил:

— Прости, Мария, но у меня...

— Да-да, сейчас уйду, — заверила она, закидывая ногу на ногу и поудобней устраиваясь на стуле для продолжительной беседы.

За бесконечные годы дружбы я изучил все ее повадки. Впрочем, дальнейшее показало, что не все.

— Роберт, — сказала она, пристально глядя мне в глаза и прикуривая от изящной золотой зажигалки. — Роберт, это все очень подло. Такое не должно происходить с тобой: ты слишком хороший. Это жестоко. Это несправедливо.

Не зная, что сказать, я пожал плечами и присел к столу, глядя на струйки дыма. Они вытекали из ее сочных красивых губ, скользили по бледной щеке, украшенной симпатичной бархатной родинкой. Эта родинка мне очень нравилась, как и рысьи глаза Марии.

— Роберт, когда я узнала...

Вдруг она осеклась и, уставившись на сигарету, которую я беспомощно крутил в руках, строго спросила:

— Ты почему не куришь?

— Нет огня. Куда-то пропала моя зажигалка, — соврал я.

Мария дала мне прикурить от своей. Чтобы не разочаровывать ее, я затянулся и сильно закашлялся. Слезы брызнули из глаз, горло сдавило тисками...

А что еще могло со мной произойти? Курить я не умею. Мария вскочила и начала колотить меня по спине, окончательно лишая возможности сделать глоток воздуха. Мне показалось, что смерть пришла: в глазах потемнело, я захрипел.

— Роберт! Роберт! — испугалась Мария. — Что с тобой, Роберт? Что с тобой?

В панике она полезла в холодильник, щедро оснащенный лекарствами. (Светлана не зря старалась, хоть я ее и ругал.) Мария нашла пузырек с нашатырем и, не тратя время на ватки, против всех правил сунула мне его прямо под нос. Я дернулся, как ошпаренный, но задышал — нашатырь расплескался.

— Так можно выжечь глаза, — вместо благодарности рассердился я.

— Фу-у, — с облегчением вздохнула Мария, вытирая с пола пролившийся нашатырный спирт своим кружевным платочком. — Как ты меня напугал. Тебе надо срочно менять образ жизни. Нельзя жить одному. Без женщины ты пропадешь, — неожиданно заключила она.

Я был категорически не согласен: все зло от женщин. Если бы Светлана три дня не собирала меня в дорогу, я подготовился бы к конференции и не выглядел там таким ослом. Во всяком случае, изучил бы темы докладов, присланные мне из Парижа накануне. Если бы она не изводила меня всю ночь сексом, я эти темы (на худой конец) прочел бы в дороге и не полез бы на кафедру дураком. Но в дороге я спал, изнуренный Светланой. И в результате позор.

Ха! Я пропаду без женщин! А моя мать? Имей она каплю терпения, в моей спальне сейчас не лежал бы труп. Я остался бы дома, а у матери остался бы яд. Ей же захотелось поскорей получить подарки, и вот результат. Бедная Лидия! Впрочем, и она не лучше других. В голове сплошной ветер. Кто ее просил хватать мой бокал? Теперь я жив, но бесплоден. В прах разбилась моя мечта...

Ха! Я пропаду без женщин! Сколько бед у меня от них! Взять хотя бы Кристю. Голова пухнет от проблем, которые ждут меня в связи с ее разводом...

Нет, к черту чужие проблемы! Завтра же уеду в деревню!

Но эти женщины и там достанут меня. Ха! Я, видите ли, без них пропаду! Так считает Мария. А чем она мне помогла? Пришла незваной, напугала, помешала, едва ли не силой заставила курить, а когда я, благодаря ее непоседливости, чуть не умер, сделала совершенно оскорбительное заключение: без женщин я пропаду. Взять бы да и высказать ей все, что думаю!

Разумеется, я промолчал. Говорила одна Мария.

— Роберт, зря хмуришься. Не сердись. Сердце кровью обливается, не могу смотреть, как ты пропадаешь.

Что?! Я пропадаю? С чего это она взяла?! Да жил бы не тужил, когда бы меньше ко мне приставали.

— Роберт! Почему ты молчишь? Хочу знать, как ты относишься к моим словам. Надеюсь, ты понимаешь, кто ты есть? — спросила Мария, ставя меня в тупик.

Слава богу, она сама дала ответ на свой странный вопрос:

— Роберт, ты гений! Гений! Но, как все великие, абсолютно беспомощен в быту. Ты весь там, — она воздела руки и закатила глаза. — Ты в грандиозном, в высоком! Разве пристало тебе заниматься ничтожным? Ах, Роберт, дорогой, согласись, тебе нужна женская помощь, ласка, ненавязчивая забота.

«А она где-то как-то права!» — мысленно согласился я.

— Но брак для тебя хуже концлагеря. Хуже газовой камеры, Роберт!

Я оживился:

— Не могу с тобой не согласиться. В браке любой мужчина гибнет от удушья.

— Вот видишь, Роберт, — торжествовала Мария, — я одна знаю, что тебе нужно. Ты не создан для брака. Брак — это похороны твоего таланта...

«О, как она права!»

— Роберт, жена потребует внимания, отнимет все твое свободное время, измотает тебе все нервы. Наука осиротеет!

«Как сходятся наши мысли!» — поразился я.

— Да что наука, Роберт, осиротеет мир! Мир потеряет тебя! Ты запутаешься в женской юбке... Это будет конец. Я готова тебе помочь. Хочешь, буду к тебе приходить?

Я спустился с небес:

— Зачем?

Мария встала рядом, прижала мою голову к своему животу и, матерински чмокнув меня в макушку, воскликнула:

— Ах, Роберт, ты словно ребенок. Неужели не видишь, кто ты есть для меня? Неужели не чувствуешь? Это странно. Знаешь, почему я вышла замуж за Виктора, а не за тебя?

«Что-то не помню, чтобы так стоял вопрос», — подумал я и признался:

— Не знаю.

— Да потому, что стать твоей женой не решилась! — с патетикой воскликнула она. — И до сих пор за это себя ругаю!

Пока я цепенел и таращил глаза, она, нацеловывая мою макушку, пояснила:

— Ах, Роберт, уже тогда ты был неземной. Весь в науке. Ты на ангела был похож: витал в облаках, вокруг себя ничего не замечая, а Виктор... Он такой хваткий, такой рациональный. Это меня и сгубило. Я устала от его командировок, от его измен... Но больше всего я устала, Роберт, смотреть на то, как плохо тебе. Меня мучает чувство вины. Это я! — вдохновенно воскликнула она. — Я тебя погубила! Я отдалась Виктору, этому бездарю, этому ничтожеству с регалиями, этому...

Не найдя нужных слов, Мария с досады топнула ногой, опять чмокнула меня в макушку и, проводя по себе руками, простонала:

— Ах, Роберт! Ведь все это принадлежало тебе!

Я вышел из ступора и закричал:

— Да что? Что принадлежало мне, черт возьми?

— Все! Моя нежность, моя любовь, моя ласка, забота, восхищение! Всегда только тобой восхищалась. Но забота, она досталась Заславскому. Пришло время исправить ошибку. Роберт, тебе не нужна жена — тебе нужна...

— Любовница?

— Нет, Роберт, нет! Тебе нужна я. Буду к тебе приходить, но лишь тогда, когда ты в этом действительно будешь нуждаться. Нимфой проскользну по квартире и все приберу. Захвачу на стирку белье, приготовлю обед или ужин. Роберт! Ты должен работать! Только работать — остальное беру на себя.

Я едва не прослезился:

— Мария... Ты идешь на такие жертвы? Прости, но принять их никак не могу.

Она присела на корточки, положила руки на мои колени (в брюках они смотрелись бы лучше) и, ласково глядя в глаза, прошептала:

— Роберт, позволь мне тебя опекать. Клянусь, ты этого почти не заметишь, никак тебя не обременю. Ты же меня знаешь.

Я ее знал: никогда Мария не была занудой, не зря я завидовал Виктору.

— Но, дорогая, я растерян, а как на это посмотрит Виктор?

— Мы не скажем ему. Это будет наша тайна. Маленькая тайна, от которой нет никому вреда. Мы же не собираемся делать ничего плохого...

— Да, конечно, Мария, на плохое ты не способна, но я ничего не могу понять. Откуда на меня такая благодать свалилась?

Она покачала головой:

— Ах, Роберт, Роберт, неужели ты не понимаешь? У меня нет никого родней. Я страшно одинока. К тому же, жизнь бездарно прожита, без плодов, без толку. Дай мне хоть так восполнить потери. Хочу быть твоей служанкой, твоей рабыней. Это единственный шанс принести пользу людям. К тому же чувства мои к тебе не угасли, а с годами стали еще сильней...

Она по-прежнему сидела на корточках, отчего

юбка на ее крутых бедрах натянулась, казалось, вот-вот лопнет — это было очень соблазнительно. Пышная грудь Марии вздымалась, влажный рот манил...

В голове моей был сумбур: «О чем она говорит? О каких чувствах?»

Я вдруг припомнил, как на юбилее у Виктора случайно легла на мое колено ее нога. Решил, что она перепутала, Виктор сидел рядом. Выходит, я ошибался... А на моей докторской защите, когда все напились, и мы остались с Марией одни... Она положила голову мне на грудь и сказала:

— Роберт, любимый...

Тогда я не придал этому значения... А на пикнике, несколько лет спустя, она затащила меня в море и вдруг начала целовать. По-настоящему, в губы! Я решил, что она хочет позлить Виктора, он за секретаршей ухлестывал. Выходит, я был не прав...

— Мария... — Я заглянул в ее прекрасные, слегка раскосые глаза: — Мария...

Неожиданно она взобралась ко мне на колени и лихорадочно зашептала:

— Роберт, миленький, позволь мне, позволь, я не буду тебе в тягость, я ничтожество, я твоя раба, ты даже меня не заметишь...

Я уже не понимал, о чем она говорит: лицо мое горело. Ее полные груди я чувствовал даже через махровый халат. Впрочем, он вскоре был развязан. Мария извивалась, все сильней и сильней прижимаясь ко мне своим упругим горячим телом. Не помню, как мы оказались на столе.

Пришел в себя, лишь когда Мария шепнула:

— Роберт, может, лучше в спальне?

Я слегка протрезвел:

— Нет, в спальне нельзя. Хочу в столовой.

— В столовой?

— Там шире стол.

— Ах, Роберт, какой ты! — с восхищением простонала Мария.

Схватив ее на руки, я устремился в столовую и...

Глава 8

И в этот драматический момент раздался звонок в дверь. Нас с Марией словно ледяной водой окатили. Она слетела с моих рук и бросилась лихорадочно поправлять прическу, хотя ей и без того было что поправлять: юбка задрана, блузка расстегнута, одна грудь выпростана из бюстгальтера... Впрочем, я был ничуть не лучше.

— Кто это? — тараща глаза, прошептала Мария. — Роберт, ты можешь не открывать?

Я ее успокоил:

— Конечно, могу.

С нервной торопливостью оправляя себе юбку, она глянула в зеркало и ужаснулась:

— Кошмар, на кого я похожа! Губная помада размазана по лицу! Роберт! И ты весь в помаде! Халат, халат завяжи!

— Зачем? Мы же открывать не собираемся.

— Нет-нет, ни в коем случае, но все же иди посмотри, кто там.

Я на цыпочках прокрался в прихожую и заглянул в глазок: у порога топталась Варвара.

— Там твоя дочь, — сообщил я Марии.

— Бог ты мой! — Она схватилась за голову.

— Не волнуйся, позвонит и уйдет, — попытался я ее успокоить.

— Ах, ты не знаешь Варю! — рассердилась Мария. — Будет до посинения здесь торчать. Если не дозвонится, сядет на лавку перед подъездом и будет ждать. Неужели не понимаешь? Ее бросил жених, ей надо поплакаться. Разве ты не в курсе?

— Да, что-то Варя мне говорила.

— Роберт, милый, не стой столбом. Иди открой, но только спрячь меня, спрячь. Ах, надо было сразу открывать, уж я бы ее отчитала и домой отправила.

Я удивился:

— А что мешает тебе теперь?

— Роберт, какой ты ребенок. Теперь, когда мы с тобой так долго копались и не открывали, она подумает бог знает что.

— Ах да, — согласился я, — нехорошо получилось.

— Не страшно, — успокоила меня Мария. — Открой этой дурочке и скажи, что очень занят. Пускай домой отправляется. Только перед этим спрячь меня, спрячь. Можно, пойду в спальню?

— Нет-нет, — испугался я, — лучше посиди в столовой.

— Да, ты прав, — согласилась она. — Мало ли что. Вдруг эта оглашенная в спальню ворвется. Там балкон. Никогда нельзя точно знать, что ей в голову стукнет. Ужасно невоспитанный ребенок. Вся в своего отца. Ах, лучше бы я родила от тебя, Роберт, пойду в столовую, в столовой как-то приличней.

Мария скрылась в столовой, а я поспешил открыть дверь Варваре. Она сразу упала мне на грудь и заплакала, приговаривая:

— Роб, какое счастье, что ты дома, Роб, мне так повезло, что хоть ты у меня остался.

Конечно, после таких слов я уже не мог заявить ей, что страшно занят.

Выплакавшись, Варвара устремилась в гостиную; я проследовал за ней.

— Роб! — воскликнула она, усаживаясь на диван, на котором совсем недавно сидела Мария. — Роб! Он меня бросил! Я этого не переживу! Не поверишь: только что примерялась повеситься в твоем подъезде. На своем поясе. Если бы ты не открыл...

— Как хорошо, что я открыл! — обрадовался я.

Варвара пристально на меня посмотрела:

— Ты так думаешь?

— Конечно, — заверил я.

Она погрузила палец в рот и принялась покусывать его маленькими ровными зубками. Варвара таким образом задумывалась.

— Нет, Роб, я не переживу, — наконец вынесла себе приговор она и тяжело вздохнула.

Я удивился и позавидовал ее другу:

— Так сильно любишь его?

Варвара пришла в ярость:

— Что-о?!! Его?!! Эту скотину?!! Терпеть ненавижу! Нет, он прикольный и все такое, — спохватилась она, — но разве можно в него влюбиться? Я не смогла.

— Тогда в чем же дело?

— Мне больно! Больно! У-у, как больно! —

взвыла Варвара. — Чувствую себя опущенной ниже плинтуса! Роб, как ты не поймешь? Когда бросают, это так оскорбительно! Так унизительно!

«Уж мне ли не понять?» — подумал я, но промолчал.

Варвара вдруг с опаской глянула в мою сторону и неожиданно спросила:

— Роб, можно джинсы сниму?

Я опешил:

— С кого?

— Да с себя, — рассердилась она. — На тебе же халат и ноги. Ха! Роб, не обижайся, ноги у тебя такие прикольные, волосатые! Но не кривые. Мне они нравятся. Настоящие мужские ноги — большая редкость.

Хихикая, Варвара вскочила с дивана и начала извиваться змеей, стаскивая с себя невероятно узкие джинсы. В ужасе я закричал:

— Что ты делаешь?

— Роб, я замучилась. Понимаешь, эти критические дни... Как я вам, мужикам, завидую. Тампоны, конечно, вещь, но зря их так рекламируют. Роб, знай и всем скажи: надевать узкие брюки в критические дни — самоубийство.

Я рассердился:

— Зачем мне это знать?

— Ну как же, ты взрослый мужчина, ты все должен знать. Ох, как эти джинсы врезаются, у меня там все отваливается уже.

Она положила ладонь между ног; я испуганно отвернулся.

— Роб, ну не будь, как мои родители, — попросила Варвара. — Ты же клевый мужик, самый мой лучший кент, к чему церемонии? Уф, как хорошо, будто пояс верности сняла! — воскликнула она, откидывая джинсы в сторону и снова усаживаясь на диван. — Посижу так немного, отдохну, а потом надену опять.

Я нервно покосился на дверь столовой и предложил:

— Может, дать тебе мой спортивный костюм?

Варвара усмехнулась:

— Роб, расслабься. А как же на пляже? — начала воспитывать меня она. — Нет, Роб, ты удивительный. Что с тобою творится? Ты стал хуже моей маман. Она старуха, сама уже не может себе ничего позволить и бесится, бесится...

— Варя, прекрати! — воскликнул я, затравленно оглядываясь на дверь столовой.

— Роб, что с тобой? — удивилась она. — Ты защищаешь мою мамочку? Эту зануду? Эту климактеричку?

Я холодно заявил:

— Твоя мать — образец для подражания.

Варвара взвилась:

— Что? Роб, ну ты даешь! Да она мегера! Слышал бы, как она час назад вопила! Как оскорбляла меня! Кем только не обзывала! Ха! Образец!

Не знаю, как далеко зашел бы наш разговор, если бы не зазвонил мобильный. За трубку я схватился, как утопающий за соломинку, и опять услышал голос с блатнецой:

— Ну че, козел? Ты ще не понял?

— Послушайте... — начал я, но в трубке уже раздавались гудки.

— Кто это цонькал? — презрительно поинтересовалась Варвара.

Но ответить ей я не успел: раздался новый звонок, на этот раз в дверь. Заглянув в глазок, я отшатнулся: на пороге стоял Заславский.

«Вся семейка в сборе!» — ахнул я и, вернувшись на цыпочках в гостиную, строго сказал:

— Детка, пришел твой отец. Боюсь, он не поймет моего либерализма.

Варвара была в шоке: она тупо смотрела на меня и молчала.

— Быстро джинсы надевай! — прикрикнул я.

Она очнулась и испуганно затараторила:

— По-быстрому не получится, их надо с мылом натягивать. Ой, Роб, давай я лучше спрячусь. Не хочу видеть отца. Они с матерью всегда ругаются, когда узнают, что я мешаю тебе работать и лезу со своими дурацкими проблемами. Роб, умоляю, спрячь меня, спрячь!

Я вспылил:

— С какой стати я должен тебя прятать? Что за чушь? Хоть сама соображаешь, что говоришь? Подумаешь, отец ругает ее. Правильно делает...

Не слушая меня, Варвара схватила свои джинсы в охапку и помчалась к спальне.

— Не-ет! — завопил я.

— Тогда в кабинет, — сказала она, и мое «нет» прозвучало чуть глуше.

— Ладно, пойду в столовую, — успокоила меня Варвара, после чего я лишь чудом не получил апоплексический удар.

— Иди в кухню, — приказал я, выталкивая ее

из гостиной. — И джинсы, джинсы надеть не забудь!

— Ладно, так и быть, только ради тебя, — недовольно пробубнила Варвара.

Отправляясь открывать Виктору, я уже радовался, что на мне махровый халат. Он избавлял от лишних расспросов и объяснений. Виктор только глянул на мои волосатые ноги и сразу сделал заключение:

— Роб, я тебя из ванны извлек. Прости, дружище, не знал, прости...

— Да хватит тебе извиняться, — рассердился я. — Проходи в гостиную.

Однако, он не сразу прошел: остановился, потянул носом воздух в прихожей и присвистнул:

— Неужели женские духи?

Я отмахнулся:

— Да брось ты, мылом, наверное, пахнет или моим новым средством от пота.

— Вот и я думаю, откуда в твоей квартире взяться женским духам? Роб, знаешь, о чем я жалею?

— О чем? — спросил я, настораживаясь.

— О том, что ты не кобель. Мужчина всегда должен иметь запасной вариант, так легче переживаются невзгоды. Ты слишком правильный, Роб, слишком порядочный, слишком честный. Так нельзя, надо бы крепко тебе развлечься, — пожурил он меня, повторяя: — Очень жалею, что ты не кобель.

А вот я жалел лишь о том, что у меня такая маленькая квартира: всего четыре комнаты. Если Заславский сейчас закричит: «Спрячь меня, спрячь!», то хоть убейте, не знаю, куда его прятать, разве что в туалет. Или в ванную.

— Ладно, не разглагольствуй, — буркнул я, увлекая друга в гостиную.

Заславский уселся на диван, где только что сидела Варвара, и, придирчиво оглядывая комнату, начал меня поучать:

— Роб, как ты живешь? Словно импотент... Хуже, словно монах. Один, всегда один. В твоей квартире даже не пахнет бабой. Светлана не зря от тебя ушла. От меня, Роб, бабы к другим не бегают.

Я вжал голову в плечи и покосился в сторону столовой, Заславский же, не замечая моего смущения, продолжил с самовлюбленным пафосом:

— А все потому, что я, Роб, знаю, за какое место их надо держать, баб этих! Иной раз по пять-шесть штук одновременно держу. И все от меня без ума, ты же не смог совладать с одной Светланой. И не удивительно. Ты ею пренебрегал, вспомни, вы месяцами не виделись. Наука наукой, но так нельзя. Прошу, дружище, встряхнись. Ты же с тоски помираешь.

— Да, помираю с тоски, — не очень уверенно подтвердил я. — Поэтому завтра поеду в деревню.

Заславский удивился:

— В деревню? Зачем?

— Чтобы одиночества своего не чувствовать. Там хоть птицы мне будут петь. И займусь наконец, по-настоящему наукой.

Он был потрясен:

— Роб! Неужели считаешь, что до этого занимался недостаточно?

— Конференция показала, что да, недостаточно. Уеду в деревню и вот тогда...

Заславский поерзал и озабоченно уставился на диван:

— Роб, а мы как же?

Он снова поерзал. «Черт, — подумал я, — туфли Кристи мешают ему. Я же запихнул их как раз между теми подушками, на которые он уселся».

Заславский, между тем, продолжал переживать:

— Роб, неужели ты нас бросаешь?

— Вы и не заметите этого, — ответил я, гадая, куда он клонит. — У вас у всех есть свои дела, вам наплевать на меня. Редко видимся. Почти не видимся совсем. Вот спрашивается, Виктор, зачем ты заставил меня приобрести мобильный?

Он растерялся:

— Ну-у, Роб, что за вопрос...

— Пустая трата денег. Он мне не нужен, он месяцами молчит...

Едва я вымолвил это, как мобильный зазвонил. Заславский усмехнулся, а я испуганно прижал трубку к уху и услышал категоричное:

— Роберт, сейчас же иди ко мне! И молчи! Ничего не говори!

— Кто это? — не сразу понял я. — Куда мне идти?

— В столовую, это я, Мария.

Виновато глянув на Заславского, я буркнул: «Секунду погоди» — и скрылся в столовой.

Мария рвала и метала.

— Какая дрянь! — прошипела она. — Я все слышала! Почему ты не выгнал эту сумасбродную девчонку, мою дочь? Ах, мать, оказывается, у нее старуха!

Видимо, это больше всего взбесило Марию.

— Зачем ты меня звала? — прошептал я, нервно озираясь на дверь. — Пришел твой муж, он сидит в гостиной.

— Да знаю, потому и звала. Ты вот что, Роб, ты с ним поаккуратней.

— В смысле?

— Ты же совсем как ребенок. Не дай бог, проболтаешься, а он не должен знать...

Я рассердился:

— Думаешь, не понимаю?

Она встала на цыпочки и с нежностью погладила меня по голове:

— Понимаешь, ты умный, ты все понимаешь, но зачастую ведешь себя, как ребенок. Виктор хитрый, он в два счета расколет тебя. Я боюсь. Выпроводи его, сейчас же выпроводи.

— Но как я сделаю это, когда ты мешаешь мне?

Мария посмотрела на меня с мольбой:

— Роб, я твоя рабыня, помни об этом.

— Хорошо, — смягчился я, устремляясь в гостиную, — пойду, постараюсь спровадить твоего муженька.

Заславский встретил меня ехидной улыбочкой.

— Роб, страшно даже предположить, но я рискну: у тебя там что, женщина? — спросил он, кивая в сторону столовой.

Я разозлился и покраснел:

— Не болтай глупостей. Ты пришел шпионить?

Заславский поерзал на диване:

— Нет, я пришел тебе сказать... Роб, только не падай в обморок и не суетись... Черт, да что там у тебя торчит? Зад мой уже не выдерживает!

Он сунул руку между подушками и вытащил туфли Кристины.

— Ха! Роб, и еще будешь мне говорить, что у тебя здесь нет женщины? — подмигивая, воскликнул Заславский. — Ну ты, оказывается, и фрукт!

Я испуганно покосился на дверь столовой и взмолился:

— Тише, не кричи. Там женщины нет...

И в этот момент из кабинета раздался вопль Кристины:

— Роби! Роби! Ты где?

— Так женщина там? — Заславский изумленно глянул в сторону кабинета.

— Нет, — попытался возразить я.

— Но голос-то женский, я не оглох.

— Виктор, это совсем не то, что ты думаешь, — начал оправдываться я.

Он с пониманием усмехнулся:

— Да ладно, дружище, иди, она зовет. Если бы знал, что такое дело, то к тебе и не сунулся бы.

— Виктор, уверяю, ты ошибаешься...

— Еще бы, — осклабился он, — теперь вижу и сам, как ошибался: оказывается, ты кобель, только подпольный. А я, дурак, еще пытался тебя учить. Ученого учить, только время даром тратить. Ну, беги-беги, не заставляй даму ждать.

Я помчался к Кристине. Пока я (одного за другим) принимал гостей, она, похоже, неплохо выспалась и, проснувшись, удивилась, что нет рядом меня.

— Роби, куда ты пропал? Мне так плохо одной, — напустилась на меня Кристина.

Я показал ей кулак и зло прошептал:

— Что ты вопишь? У меня Виктор!

— А-а-а! — испугалась она и тут же меня успокоила: — Ничего страшного, скажешь, что у тебя женщина.

— Какая женщина?

— Любовница, скажешь. Ты холостяк, можешь себе позволить. Виктор только похвалит за это.

— Конечно, скажу, уже сказал, и он уже похвалил, но прошу тебя больше меня не беспокоить. Сиди тише мыши. Когда гостей провожу, сам приду к тебе.

Глаза Кристины расширились:

— Каких гостей? Их что, много? Кто там еще? Кто?

— Оставь, пожалуйста, меня в покое, — отмахнулся я и пошел в гостиную.

На этот раз Заславский давился от смеха.

— В чем дело? — свирепо поинтересовался я.

— Прости, дружище, это не мое дело, но, по-моему, та, что сидит в столовой... Ха-ха, она скребется. Оттуда только что доносился скрип. Может, она спешит к мужу? Ты бы выпустил ее...

Спина моя взмокла от страха; я взорвался:

— Там нет никого! Там никого нет!

— Что ты злишься? Сразу это понял, — успокоил меня Заславский, очень похабно ухмыляясь.

— Понял? Да? Тогда, может, скажешь, зачем пришел?

— Скажу и охотно... Впрочем... — Он замялся: — Роб, почему ты стоишь? Присядь, лучше присядь. Неровен час упадешь от моего сообщения.

Мне бы насторожиться, но я был слишком обеспокоен своими женщинами, рассованными по комнатам. Больше всего я боялся за Варвару и Марию. Вдруг они сочтут ненадежным свое убежище и захотят перепрятаться? Самая подходящая для этого комната — спальня. Там есть балкон, громадный платяной шкаф и чуланчик...

И труп!

Труп!!!

Если Варя или Мария... Мария уже скребется...

Катастрофа!

Если кто-то из них решит поменять дислокацию, я пропал. Представляю, какой здесь поднимется крик. Заславский прибежит обязательно и увидит труп. Все увидят. Даже Кристя.

Катастрофа!

Труп, между прочим, женский. Заславский умрет от зависти. Уж он-то, сексуальный маньяк, подумает, что я ее до смерти... Безусловно, Заславский умрет от зависти, а я от стыда.

С этими мыслями я присел в кресло, но устроился таким образом, чтобы, беседуя с Виктором, контролировать дверь. Я нарочно оставил ее открытой, чтобы видеть все двери своей квартиры, отражающиеся в зеркале, висящем над диваном. Таким образом я глядел на друга, а видел и его и то, что творится в коридоре. Заславский видел только меня и не переставал дивиться.

— Роб! Ну, Роб, ты даешь! Это надо же, не зря

говорят: в тихом омуте черти водятся. Вот у кого надо учиться! Даже не знаю теперь, как тебе и сказать, с чем пришел. Тут такое дело...

Он снова замялся и хлопнул себя по колену кулаком:

— Ах, черт! Я тебе завидую! Как хорошо, когда живешь один. И после этого всего ты еще жалуешься на свое одиночество? Скука заела тебя?

К ужасу моему из кухни донесся громкий чих Варвары. Можно было бы его не заметить, но, как назло, она чихнула еще и еще раз. Заславский сначала окаменел, а потом восторженно закричал:

— Так и там кто-то есть?!!

И следом зазвонил мобильный. Взвившись, словно ужаленный, я рухнул обратно в кресло и дрожащей рукой прижал трубку к уху. Это была Варвара:

— Роб, прости, я держалась из последних сил. Что нашло на меня, сама не знаю: чихаю и чихаю. Это нервное. Он услышал?

— И не только он, — ответил я.

— А кто еще? — пугаясь, спросила Варвара, но я ей не стал отвечать.

Пожалел Заславского. Он, презрев приличия, сидел с вытянутой шеей. Как гусак. Я положил мобильный в карман халата и беспомощно развел руками, не находя объяснений.

— Молчи, Роб, молчи, — поощрил мой жест Заславский. — Ты настоящий мужик. Уважаю. В том же духе и продолжай, но...

Я, наконец, насторожился:

— Что — но?

Заславский озадаченно поскреб в затылке.

— Черт, даже не знаю, как поступить, — с виноватым видом признался он. — Не свалял ли я дурака? Кстати, сколько ей лет?

— Кого ты имеешь ввиду? — попытался удивиться я.

Заславский на секунду растерялся: и в самом деле, кого? Выбор большой.

Он решил начать по порядку:

— Да хотя бы ту, что в кабинете. Сколько ей лет?

Здесь я честно признался:

— Тридцать пять.

— Ах, ты черт возьми! — одобрил Заславский. — Блондинка?

Я задумался: Кристина красила волосы едва ли не каждый день. Если присовокупить сюда же ее многочисленные парики, то действительно есть над чем задуматься. Не найдя ответа, я раздраженно отмахнулся:

— Не помню, какой у нее цвет волос.

Заславский мне посочувствовал:

— Еще бы, как тут их всех упомнишь. А та, что в столовой, блондинка?

— Нет, та брюнетка, и ей сорок лет, — упреждая вопрос, ответил я.

— Ага, тоже неплохо. В этом возрасте у женщин бешеный темперамент. Красивая?

— Необыкновенно.

Заславский с досады ударил кулаком в ладонь:

— Черт! Как тебе повезло, что ты не женат. А я, как дурак, прозябаю. Работа, дом, семья, изредка жалкая интрижка... Скука. То ли дело у тебя: сама жизнь! Сплошной оргазм!

Я не выдержал и, нервно глянув на дверь столовой, попросил:

— Виктор, пожалуйста, перестань болтать сальности...

Он опешил:

— Ты что, чудак? Я же тебе, как другу...

— Тогда, умоляю, говори тише.

Но тише Заславский уже не мог.

— Что-о-о? — завопил он во все горло. — Тише? Ха! Живешь тут, тихушник, наслаждаешься жизнью, берешь от нее все, а про друга забыл? Уступи мне хотя бы ту, что чихала. Сколько ей лет?

Я уныло промямлил:

— Восемнадцать.

Заславский закатил глаза и простонал:

— Фан-тассстика! Девочка в самом соку!

Слава богу, опять зазвонил мобильный. Я с радостью прервал этот опасный разговор. Звонила Кристина:

— Роби, ты скоро?

— Не знаю, а в чем дело? — сухо осведомился я.

— Хочу пи-пи.

— О, горе мне! Терпи, поскорей постараюсь, но не все зависит от меня. Не могу же коллегу взашей гнать, — пояснил я сестре, со слабой надеждой глядя на Заславский: вдруг поймет и уйдет?

Но он еще больше заинтересовался происходящим и спросил:

— Что случилось?

Я не стал таиться:

— Одна из них захотела пи-пи.

Заславский почему-то пришел в восторг:

— Фантастика!

«Это ты еще не знаешь про труп в спальне», — горестно подумал я.

— Фантастика! Роб! Фантастика! И ты еще утверждал, что раз в год звонит твой мобильный? Нет, Роб, я только сейчас узнал, что ты за фрукт! Совсем иными глазами посмотрел на своего лучшего друга! Думал, так не бывает...

Но договорить он не успел. Помешал я, завопив дурным голосом.

— А-а-а-а! — орал я, испытывая мистический ужас.

Заславский лишился дара речи; волосы зашевелились на моей голове; в зеркале отразилась Лидия. В том виде, в котором я ее оставил, то есть совершенно голая. Она испуганно застыла в дверях. Я уже не вопил, как резаный, теперь я остолбенел с открытым ртом: никак не мог сообразить — явь это или галлюцинации. Лидия мертва. Она мертва. Или...

Заславский ее не видел, но зато он видел меня, а потому испуганно закричал:

— Роб, что с тобой? Что случилось?

Кажется, и у него на голове зашевелились волосы. На секунду оцепенев, он проследил за моим сумасшедшим взглядом и добрался до обнаженной Лидии.

— О, пардон! — смущенно воскликнул Заславский и, поспешно отворачиваясь, прикрыл ладонью глаза.

Вид у него был сконфуженный и чрезвычайно довольный.

Его восклицание окончательно вернуло Лидию к жизни: она очнулась, крикнула: «Простите!» — и выбежала из комнаты.

Глава 9

Пока Заславский восхищенно таращил глаза, не в силах подобрать слова, я постигал, что произошло. Выходит, Лидия не умерла, следовательно, случиться это может с минуты на минуту. Когда же начнет действовать этот чертов яд? Как узнать? Между прочим, все осложнилось: появился свидетель. Виктор видел ее. Видел пока живой, но что будет дальше, одному богу известно...

Я поежился, беспомощно глянул на Заславского... Он был чрезвычайно доволен.

— Ну, Роб, ты даешь! — восторженно прошептал он, поднимая вверх сразу оба больших пальца и устремляясь ко мне. — Какая куколка! Сколько ей лет?

— Кажется, двадцать восемь, — не очень уверенно ответил я.

— Потрясная фигура! Попка, сиськи — все на месте! — Заславский игриво толкнул меня в бок: — Роб, неужели ты групповичок здесь устроил?

Я был полон желания его разубедить. Немедленно! Но зазвонил телефон. На этот раз не мобильный. Заславский поспешно снял с аппарата трубку и передал ее мне. Он снова был заинтригован и лихорадочно шептал:

— Кто это? Теперь-то кто?

Я оттолкнул его и прижал трубку к уху.

— Роберт, срочно идите ко мне! — звала меня Лидия.

Ее голос я почему-то сразу узнал.

Беспомощно глянув на Заславского, я пояснил:

— Она зовет меня.

И тут же получил отеческое благословение:

— Иди, дружище, иди и, если что, помни: у тебя есть друг, то есть я. Помни, дружба превыше всего.

После такого заявления пришлось пообещать:

— Постараюсь не забыть.

Едва я вошел в спальню, Лидия захохотала. Я уставился на нее с недоумением.

— Ой, прости, Роберт, прости, — выдавила сквозь смех она, — но вышло очень забавно. Проснулась и... Клянусь, не знала, что у тебя гости...

— У меня полный дом гостей, — просветил я ее. — Кстати, как твое самочувствие?

— Превосходное, но... — Она смутилась.

— Что — но?

— Страшно хочется в туалет. Ты меня не проводишь?

— Провожу, но сначала оденься.

— Да-да, конечно, — ответила она, набрасывая блузку и выбегая из комнаты.

Пришлось плестись за ней — не поднимать же шум, когда повсюду уши, вся квартира набита ушами.

Проводив ее, я остался под туалетом.

— Ты что, так и будешь здесь стоять? — испугалась Лидия.

— Да, — ответил я, опасаясь, что она не найдет обратной дороги и забредет к Марии или Кристине.

— Нет, уходи, — шепнула она.

Я сделал вид, что ушел, а сам остался. Вскоре раздался шум воды из сливного бачка, Лидия выскользнула из туалета и тут же влетела опять. Так повторилось несколько раз.

«Надо же, — подивился я, — касторка уже действует, а яд все еще нет».

Не выдержав, я набрал номер матери и спросил:

— Ты уверена, что это был яд?

— Уверена, — ответила она, — а почему ты спрашиваешь?

— Потому, что яд не действует. Кое-кто его уже выпил и хоть бы хны.

— Что-о-о?! Ты украл мой яд?!

— Да, на свою беду я сделал это. Он, как говорит Варвара, беспонтовый.

Мать охнула:

— Ты намеревался отравиться? Роби, сынок, неужели ты так сильно не хочешь жениться?

— И это тоже, — заверил я, раз судьба мне послала такой случай. — Но дело в другом. Где ты взяла этот чертов яд?

— Мне его продала одна экстрасенсиха, — с гордостью отрапортовала мать и добавила: — За большие деньги.

— Так вот, прижми мошенницу к стенке, — посоветовал я, окрыляясь надеждой.

Мать что-то мне отвечала, но дальнейшей беседе помешала Лидия. Она вышла наконец из туалета и сказала:

— Роберт, прости за неприличные звуки, но это нечто невообразимое. Как я осталась жива? До сих пор не пойму; в животе разорвалась ядерная бомба, не меньше.

Я схватил Лидию за руку и потащил в спальню.

— Противоядие подействовало, — заговорщицки сообщила она. — Правда, открылся сильнейший понос, но это даже хорошо.

— Что ж тут хорошего? — удивился я.

— Организм усиленно выбрасывает яд. Роберт, туалет есть и в казино, а в остальном я чувствую себя прекрасно. Можно, я пойду? Меня Вован там заждался.

— Нет, — отрезал я, — рано еще. Сиди в этой комнате, я скоро приду.

— И долго мне сидеть? — встревожилась Лидия.

— Пока не знаю, — туманно ответил я и помчался к Заславскому.

Увидев меня, он радостно потер ладони и закричал:

— Значит так, Роб, я решил: завтра же говорю Маше, что уезжаю в командировку, а сам к тебе! Ох и оргию мы тут устроим!

Я обомлел и, бросив ошалелый взгляд в сторону столовой, начал подавать сигналы, всячески призывая друга молчать для его же пользы. Но Заславский на мои сигналы не реагировал. Он беспечно предавался мечтам, рискованно вдаваясь в детали секса и не подозревая, какую участь сам себе готовит. Я горевал, а он радовался, как ребенок. Так продолжалось до тех пор, пока не раздался звонок в дверь. Теперь я обрадовался, а

Заславский умолк, напрягся и испуганно взглянул на меня.

— Может, не надо открывать? — попросил он.

— Почему? — удивился я, испытывая облегчение.

— Ну-у, не знаю, — растерялся он.

— Лучше открою, — ответил я и, напевая «арлекино-арлекино», отправился в прихожую.

И там испытал шок. К моему ужасу, это была мать. Открывать расхотелось, но, зная ее нрав, я открыл. Она попыталась пройти, но я решительно преградил ей дорогу в квартиру:

— Зачем ты пришла?

— Сейчас объясню, — заявила она, делая новую попытку, однако я был непреклонен.

— В чем дело, Роби? — удивилась мать. — Ты не пускаешь меня? Как такое возможно?

Недоумение ее было безгранично: еще бы, столько лет сын был покорен и...

— У меня гости, — пояснил я.

Это ее подхлестнуло.

— Кто? Кто у тебя? — поинтересовалась мать.

Я отрезал:

— Неважно. Говори, зачем пришла?

Она победоносно усмехнулась:

— Пришла тебя успокоить. Я прижала эту мерзавку, она призналась, что продала мне не яд, а воду. Свои деньги, кстати, я уже вернула.

— Ты просто метеор, — восхитился я.

— Ха, еще бы! Сказала ей, что обманувший меня не проживет и дня, но, Роби, дай мне войти.

Я удивился:

— Зачем? Ты меня успокоила, отправляйся домой.

— Но нам надо поговорить...

— Позже. Сейчас очень занят.

Мать была ошеломлена таким отпором. Впервые в жизни я пытался настоять на своем. И делал это решительно. Мать сменила тактику.

— Роби, — вдруг заплакала она, — нам надо поговорить о свадьбе.

Я отрезал:

— Свадьбы не будет.

— Как? — Она задумалась.

На секунду. И тут же, сверкая глазами, завела свою обычную шарманку:

— Нет! Ты со мной поступить так не можешь! Это невозможно! Это непорядочно! Не по-мужски! Жанна в курсе! Она старалась! Теперь ты должен! Обязан жениться!

Понимая, что пора прибегать к чрезвычайным мерам, я заявил:

— Если ты не уйдешь, уйду я.

— Ультиматум?

— Если хочешь — да.

Мать обиженно поджала губы, окатила меня презрительным взглядом, прошипела: «Ты еще об этом пожалеешь!» — и ушла.

Закрыв за ней дверь, я вздохнул с облегчением и отправился в гостиную. Заславский торжествовал.

— Чему ты так радуешься? — удивился я.

— Тому, как ты отшил ее, эту наглую телку.

Я поразился:

— Кого-кого?!

— Эту мадам. Надо же, она пыталась заставить тебя... Ха! Тебя! Сексуального громилу! Циника и маньяка! Она пыталась заставить тебя на ней жениться! Ха! Это смешно! Роб, но ты так мастерски ее отшил... Так отшил! Клянусь, я горжусь тобой. Да-а-а, надо бы мне у тебя учиться...

— Ты что, подслушивал? — ужаснулся я.

Вместо ответа Заславский поинтересовался:

— А кто такая Жанна?

— Жанна — подруга моей матери, — с некоторым чувством наслаждения сообщил я.

Заславский опешил:

— А при чем здесь твоя мать?

Меня это начало раздражать:

— При чем? Витя, хватит валять дурака. Это мать только что ко мне приходила. Носится со своей старой идеей женить меня. Дала поручение подруге, та должна отыскать невесту, разумеется, богатую...

Охваченный решимостью внести ясность, я мог бы долго говорить, но Заславский меня перебил.

— Роб, хватит, — со смущенной улыбочкой устыдил он меня. — Это уже не смешно. Не будешь же ты убеждать своего старого друга, что так разговаривал с матерью. Роб, я знаю тебя столько лет... Да и к чему секреты? Я же в курсе и, заметь, совсем не осуждаю тебя. Даже завидую. Ну отшил наглую бабу и отшил, в чем проблема?

Я со вздохом согласился:

— Ни в чем.

А что еще оставалось делать?

— То-то же, — удовлетворенно ответил Заславский и призадумался.

Я молчал и ждал, когда он удалится. Ждал, нервно поглядывая в зеркало и контролируя двери столовой, кухни и спальни. За Кристину я не волновался: она послушная девочка. Чего нельзя сказать про Варвару.

— Но когда ты успел так увязнуть? — в конце концов воскликнул Заславский, поражаясь безмерно. — Теперь понятно, почему ты потерпел крах в Париже. Действительно, когда тебе было готовиться к конференции? Но я-то какого свалял дурака! — он схватился за голову.

У меня похолодело внутри:

— Что ты сделал?

Заславский приобрел виноватый вид и начал много и путано говорить:

— Роб, ты только не обижайся и не пугайся, так вышло, я, вижу, погорячился, но ты сам виноват, ты сказал, что всю жизнь ее любишь, вот я и подумал, что надо тебя спасать...

Он бормотал скороговоркой; я ничего не понимал, но почему-то с каждой секундой чувствовал себя все хуже и хуже. Наконец я не выдержал и закричал:

— Да в чем, черт возьми, дело? Скажешь ты мне наконец?

— Скажу, — ответил Заславский и открыл рот...

И снова раздался звонок в дверь. Я вскочил как ошпаренный и закричал:

— Если это вернулась мать...

— Это она! Она! — испугался Заславский.

Не допытываясь, о ком идет речь, я отправился в прихожую. Когда, негодуя, глянул в глазок, едва удержался на ногах: на пороге стояла... моя жена!

Моя бывшая!!!

— Это уже слишком! — взревел я и вернулся в гостиную.

Заславский осторожно поинтересовался:

— Это она?

— Кто — она? Это Деля. Деля!

И тут до меня дошло. Я с кулаками набросился на него, приговаривая:

— Так это твоя работа? Твоя работа?

— Ты же сам мне сказал, — отбивался Заславский. — Сам жаловался, вот я ее и разыскал. Кстати, это было совсем нетрудно.

— Еще бы! С твоими способностями... Что ты ей наболтал?

— Ничего особенного, только правду...

— Правду?!!

— Да, что ты любишь ее, что одинок...

Я взвыл.

— И сам жалею уже, — с мукой на лице признался Заславский.

— Вот иди теперь и разговаривай с ней, — приказал я.

Он взмолился:

— Роб, пойдем вместе.

Глава 10

— Деля...

Аделина почти не изменилась. Впрочем, нет, изменилась и сильно. Она похудела, отчего глаза ее стали еще больше и пронзительней. С возрастом у нее появился стиль, шарм и черт знает, что еще появилось. В свои сорок лет Аделина была неотразима. У меня захватило дух.

— Мальчики, — с укором глядя то на Заславского, то на меня, сказала она вместо приветствия, — что здесь происходит? Я устала ждать. Можно пройти?

И я и Заславский закричали хором:

— Нет!

Она удивилась:

— Нет? Почему?

Заславский (идиот!) оторопело уставился на меня, будто я заварил эту кашу. Он, видите ли, растерялся. Завел в дебри и бросил друга. Иван Сусанин!

Пришлось выкручиваться самому.

— Деля, — придумывая на ходу, начал я навинчивать не хуже политиков, — видишь ли, тут такое дело, э-ээ, обычные вещи, э-ээ, сейчас поймешь, как бы это тебе сказать, все так сразу, нет, это чудесно, но так странно, так неожиданно...

— Неужели Виктор до сих пор тебе не сказал? — растерялась Аделина.

И в этот момент (какое счастье!) озарился смекалкой Заславский.

— Делечка! — радостно воскликнул он. — По моей вине произошла накладка. Роб уже в курсе, он тебя ждал, но в связи с его триумфом в Париже...

Впервые в жизни я узнал, каково быть парализованным: мыслей тьма, желаний куча и полная потеря контроля над телом. Даже слова протеста выдавить из себя не смог. Пользуясь моей беспомощностью, Заславский врал безбожно:

— Да-аа, Делечка, да! Роб на конференции всех потряс, наш гений!

Впрочем, здесь он не врал, так и было: гений не гений, но потряс я всех. Увы, своей бездарностью.

— Да-аа, Делечка! Роб был на высоте! Научный мир содрогнулся!

«Снова в точку попал, подлец, — столбенея, подумал я. — Научный мир действительно содрогнулся. От моей тупости».

— А теперь в связи со своим успехом Роб вынужден принимать у себя делегацию из поздравителей, — очень удачно вырулил Заславский, и я наградил его благодарным взглядом.

Аделина бросилась меня поздравлять. Она долго трясла мою руку, приговаривая:

— Роб, я знала, я знала всегда, я очень за тебя рада...

Пока она перечисляла все мои достоинства, которые не устроили ее (почему-то) двадцать лет назад, Заславский украдкой шепнул мне:

— Не волнуйся, Дельку беру на себя, на этот вечер ее обезврежу.

— Благодарю, — шепнул я ему, осознавая идиотизм своей благодарности.

Ведь именно он мне создал проблемы. Спасибо, хоть помощь решил оказать.

— Поэтому, Делечка, — с подъемом произнес Заславский, едва ли не силой отдирая от меня мою бывшую жену, — позволь, пока Роб занят, пользуясь случаем, позволь-позволь, с огромным удовольствием пригласить тебя на ужин.

— О, я согласна, — обрадовалась Аделина, отпуская мою руку. — Нам есть что обсудить, — добавила она, многозначительно кивая на меня.

Я смутился и шепнул Заславскому на ухо:

— Выбери ресторан поприличней, ужин оплачу.

— Еще чего, — отмахнулся тот, — на все пойду ради друга. Кстати, готовься, завтра с утра буду у тебя с чемоданом.

Я оторопел:

— Зачем?

— Ну как же? — удивился Заславский, выразительно показывая глазами сразу на все двери в моей квартире. — Пора бы нам вместе порезвиться.

— Но у меня уже заказан билет на автобус. Завтра уезжаю в деревню, — напомнил я.

— Иди ты к черту, — рассердился Заславский. — Я спасаю тебя. Не будь свиньей.

Аделина утратила терпение.

— Мальчики, может, хватит шептаться? — раздраженно поинтересовалась она.

— Все! Все! Все! — закричали мы хором с Заславским.

Провожая их, я подумал, что уж как-то слишком охотно он согласился меня выручать. И совсем ни к чему ему было хватать мою жену за талию — это лишнее. И она могла бы быть с Заславским построже, сама говорила, что он кобель. Ах, Деля-Деля, как ты изменилась... Но на ту мою рану — девчонку с коленками — все еще по-прежнему похожа.

Я глянул на себя в зеркало; а на кого похож я?

Пора бы побриться. И снять этот чертов халат. Нет, сначала провожу гостей... Бедные женщины!

Едва я так решил, как снова раздался звонок в дверь. Я подумал, что Заславский и Деля вернулись (забыли мне что-то сказать), но это были Даня с Тамарой. С ужасом вспомнил, что сам их сегодня просил зайти, когда на автобус билет заказывал. Что поделаешь? Пришлось открывать — бедные мои женщины. Ничего, подождут: осталось немного. Больше ждали.

Не успел я приоткрыть дверь, как Тамара, оттесняя Даню, со словами «мы на минуту» прошла в прихожую — и сразу в гостиную. Ее напористость меня совсем не удивила: Тамара деловой человек, бизнесвумен, женщина, достойная восхищения: красивая, умная, энергичная. Даня — ее муж и мой друг — флегма, бездельник и соня. Его я тоже очень люблю.

— Выкладывай, Роберт, что у тебя приключилось! — воскликнула Тамара, падая на диван и равнодушно глядя на туфли Кристины, оставленные Заславским на одной из подушек.

— Да, что у тебя приключилось? — в унисон жене поинтересовался Даня, пристраиваясь рядом с Тамарой и зачем-то водружая ей на колени... туфли Кристины.

Я напрягся, но Тамара не удивилась, покрутила их в руке и безразлично отметила:

— Неплохие лодочки, долларов на триста тянут, Роберт, кофе нас угостишь?

— Да, конечно, — обрадовался я, выхватывая у нее туфли Крестины и запихивая их под кресло.

— Тогда поспеши, в моем распоряжении двадцать минут. Да, кстати, дай мне свой мобильный.

Я удивился:

— Зачем?

Тамара закатила глаза и обреченно махнула рукой, а Даня смущенно пояснил:

— Только что, выходя из автомобиля, она уронила сумочку с телефонами под колеса проезжающей машины.

— С ним это часто бывает, — вздохнула Тамара, испепеляя Даню взглядом, — но без связи я не могу, Роберт. Работаю круглосуточно. Придется дать секретаршам твои номера. Надеюсь, ты еще не продал свой мобильный.

Я ее успокоил:

— Нет-нет, еще не продал, но уже собираюсь. Мобильный мне совсем не нужен. В доме тишь и тоска. Сама знаешь, я тоже никому не нужен.

— Чудесно, — не слушая меня, ответила Тамара. — Тогда звоню.

Я протянул ей мобильный, она тут же набрала номер и строго сказала:

— Дарья, я у Роберта. Кто это — тебе неважно. Его телефон есть в компьютере. Зачем фамилия? Ищи Роберта.

Даня виновато пожал плечами, мол, вот так, старик, и живем. Я подбодрил его улыбкой и хотел отправиться варить кофе, но Тамара меня остановила:

— Роберт, сначала скажи, что с тобой приключилось?

Я пожал плечами:

— Ничего не приключилось, просто собрался

в деревню. Вот, хотел просить Даню, чтобы он меня проводил...

Она подпрыгнула на диване:

— Даню?!! Ты что, не нашел более несерьезного человека?

— Остальные мои друзья очень заняты, — посетовал я.

— Это уж точно, — многозначительно произнесла Тамара, окидывая мужа презрительным взглядом. — Этот уж всегда для пакостей свободен. Только что уронил мою сумочку под колеса и сразу спихнул на меня. Знай, Роберт, первое, что он сделает, так это посеет все твои чемоданы и опоздает на рейс. Нет, провожать тебя буду я!

— Мне очень лестно...

— Не в этом дело, — отмахнулась Тамара. — Кстати, зачем ты едешь в деревню?

Пришлось пояснить.

— Собираюсь хорошенько поработать в тишине, — сказал я.

Она удивилась:

— Но тебе и в городе никто не мешает. Сам жалуешься, что никому не нужен и тоска, даже хочешь продавать мобильный...

Едва она это сказала, как телефон зазвонил. Тамара поспешно прижала трубку к уху и разочарованно сообщила:

— Роберт, это тебя. Женщина.

Звонила мать.

— Знай, Роби, — угрожающе заявила она, — тебе никогда не добиться того, чего добилась твоя сестра Кристина!

— Это уж точно, — согласился я, после чего мать, торжествуя, повесила трубку.

Не успел я вернуть телефон Тамаре, как он снова зазвонил. На этот раз ко мне взывала Варвара:

— Роб, отец ушел?

— Да.

— Роб, выпусти, меня, пожалуйста, — взмолилась она. — Уже поздно, родители меня точно убьют.

Я ее успокоил:

— Не убьют. Это тебе гарантирую.

— Роб, все равно выпусти. Кстати, я уже в джинсах, — порадовала она меня.

— Очень хорошо, — ответил я и подумал: «Пожалуй, выпущу девчонку. Что мешает мне это сделать? Даня и Тамара мне здесь не помеха».

И я отправился в кухню. Варвара встретила меня вопросом:

— Роб, мой отец точно ушел?

— Да, точно.

Она завизжала от радости и бросилась мне на шею:

— Роб! Какой ты у меня хороший!

Я испугался:

— Варя, тише!

Она нахмурилась:

— Ты не один?

— У меня гости, неужели не слышала? — удивился я и начал ее торопить: — Все, детка, давай, уходи, уже поздно...

— Роб, но мы должны поговорить.

— Сегодня уже не получится.

— А завтра?

Я задумался и ответил:

— Нет, завтра уезжаю в деревню.

— Роб, я рано утром примчусь.

— Ох, Варя, как знаешь, если застанешь, то изволь...

Она чмокнула меня в щеку и шепнула:

— Не провожай, Роб, выйду сама, спасибо за все, исчезаю.

Я остался в кухне варить кофе и испытал немалое удовлетворение, когда за Варварой захлопнулась дверь. Сразу от души отлегло: из всех моих гостей она была самая непредсказуемая. Трупа, конечно, в спальне уже нет, но мало ли что эта девчонка придумает...

Вспомнив, что Лидия жива, я порадовался, даже приобрел вкус жизни... И в этот момент услышал звонок. Схватил трубку — гудок.

— Роберт! — раздался из гостиной голос Тамары. — Тебя по мобильному! Женщина! Принести или сам придешь?

Я не успел ответить. Тамара выросла на пороге кухни, игриво толкнула меня в бок, подмигнула и, не отдавая трубки, спросила:

— Так, говоришь, никому не нужен и тоска? А кого ты только что выпустил?

Я смутился, выхватил у нее трубку и... услышал раздраженный голос Марии:

— Роберт! Сижу здесь уже два часа! Виктор ушел? Ты когда-нибудь этого грязного скота выгонишь, или мне придется самой это делать?

Я понял, что другу моему не повезло: Мария все слышала.

— Да-да, он ушел, — старательно отворачиваясь от Тамары, сказал я. — Сейчас иду, потерпи секунду.

Мария охнула и бросила трубку.

— Наш кофе сбежал, — насмешливо оповестила меня Тамара и, выхватив у меня мобильный, вернулась в гостиную.

Пользуясь этим, я проскользнул в дверь столовой. Мария рвала и метала.

— Какой подлец! — громким шепотом поделилась она своими впечатлениями, коих, думаю, скопилось немало. — Какой самец и скотина! И этому кобелю я всю жизнь отдала! Красоту и молодость! Какая дура! Какая идиотка! Идиотка! Идиотка! Кстати, Варя, надеюсь, уже ушла? — озабоченно поинтересовалась Мария без всякого перехода.

— Только что, — стараясь хоть чем-то ее порадовать, поспешил сообщить я.

— Чудесно. Кто у тебя?

— Даня с женой.

Мария поморщилась:

— Здесь Тамара? Эта чванливая леди? Как не вовремя она пришла.

Я глянул на часы и сообщил:

— Абсолютно вовремя, как обещала: минута в минуту.

— Ах, Роберт, я не о том, — рассердилась Мария. — Мне совсем с ней встречаться не хочется, я так просто одета и вообще. Наверняка неважно выгляжу. Что Тамара о нас подумает? Почему я сижу в столовой? Роберт, ты сможешь незаметно меня отсюда вывести?

— Конечно, Тамара и Даня в гостиной.

— Слава богу.

Она поправила прическу, рассеянно заглянула в свою сумочку, взяла меня за руку и проникновенно сказала:

— Понимаю, Роберт, сейчас не время. Завтра поговорим. Так много надо друг другу сказать. Кстати, что у тебя за женщина?

— Только Тамара, — заверил я.

— Да нет, была тогда, когда Виктор сидел в гостиной. Ошибки быть не может: я отчетливо слышала женский крик.

Я вспыхнул, не зная, что сказать. Она строго на меня взглянула и попросила:

— Не молчи, Роберт.

Я с трудом из себя выдавил:

— Это Кристина.

Мария изумилась:

— Кристина? Что она делает у тебя?

Я окончательно смутился и промямлил:

— Это секрет.

— Ах, вот оно что! — обрадовалась Мария. — У Кристины семейные неурядицы! И никто об этом еще не знает! Кроме меня!

Заметив мою реакцию, она умилилась:

— Дорогой Роберт, ты прелесть, успокойся, я не выдам вашей тайны. Все, ухожу. Жди меня утром.

Я испугался:

— Когда?

Мария задумалась:

— Не знаю. Сразу, как только Виктор, этот грязный кобель, уйдет на работу. Ах, Роберт! — Она поцеловала меня прямо в губы и страстно прошептала: — Помни, я раба твоя, теперь уж точно раба. Ох, что будет! Что будет! Обещаю тебе...

И снова без перехода она буднично бросила:

— Кристине привет.

И ушла.

Я вернулся в гостиную и сразу наткнулся на улыбку Тамары. В ней было столько иронии, что мне стало ясно: она кое-что поняла. Во всяком случае, то, что я выпустил из своей квартиры еще одну женщину, для Тамары не секрет.

— Даня, — обманчиво ласково глядя на мужа, сказала она, — ты не хочешь удалиться в кухню и сварить нам кофе?

— Не хочу, но пойду, — ответил Даня и уныло уплелся.

— Ну, рассказывай, — насмешливо предложила Тамара, и я потерял дар речи.

Разве все расскажешь?

Спас меня телефонный звонок. Тамара раздраженно протянула мобильный и сказала:

— Мне кажется, не стоит его продавать. Он так интенсивно тебе служит.

На этот раз звонила Кристина:

— Роби, я уже терпеть не могу, это выше сил человеческих. Знаешь, что сейчас прямо на твой кожаный диван сделаю?

— Догадываюсь, — промямлил я.

— А Заславский ушел?

— Да, но у меня Даня и Тамара.

— Какой ужас! — испугалась Кристина. — Знаешь, пожалуй, еще немного потерплю. Не все резервы исчерпаны.

Я успокоился и вернул Тамаре трубку.

— И ты никуда не пойдешь? — удивилась она. —

Похоже, тебя из кабинета звали. Кажется, оттуда доносился женский голос.

Я молчал, не зная, что сказать. В голове был сумбур.

— Так пойдешь или не пойдешь? — повторила вопрос Тамара.

— Видишь же, здесь остаюсь, — с гордостью сообщил я и (как выяснилось тут же) поспешил с выводами.

Снова зазвонил мобильный. На этот раз Тамара даже прикладывать его к своему уху не стала, сразу приложила к моему. Разумеется, это была Лидия.

— Роберт, — раздраженно закричала она, — я совершенно здорова и, если ты сейчас же не придешь, вызываю Вована. Будешь все лично ему объяснять.

Испуганно глянув на Тамару, я извинился и помчался в спальню. Лидия была одета и даже по-новому раскрашена.

— Уже дважды пыталась выйти, — призналась она, — но не смогла открыть замок.

Я удивился:

— Ты пыталась выйти? Как же мы не заметили?

— Не знаю, Роберт, пойдем, выпустишь меня. Я уже Вовану позвонила и сказала, что еду к нему. Он ждет и ругается.

Я проводил Лидию и вздохнул с облегчением.

Глава 11

Когда я вернулся в гостиную, Тамара в задумчивости пила кофе. Ей прислуживал Даня.

— Роберт, — увидев меня, сказала она, — теперь я согласна: тебе действительно нужно ехать в деревню. Срочно. Завтра же провожу тебя. Но странно, что же тогда суета, если это ты называешь тоской и скукой?

Я хотел оправдаться, но снова (черт возьми!) зазвонил мобильный. Выхватив его из руки Тамары, я услышал торжествующий голос Заславского:

— Роб, прекрасно сидим; Деля довольна. Разговоры только о тебе.

— Очень рад, — сдержанно откликнулся я.

— Я рад еще больше. Ну все, тебя информировал, теперь отключаюсь... Да, Роб, порадуйся за меня вторично, я уже все уладил.

— Что — все?

— Да жене своей позвонил. Представь, на этот раз Маша не против моей командировки. Так что, дружище, как провожу Делю, так сразу к тебе. Без чемодана, черт с ним. Маше сказал, что зубную щетку и пижаму куплю в дороге.

— Но я же уезжаю в деревню! — паникуя, закричал я.

— Ночью? — удивился Заславский.

— Утром!

— Роб, не дури. До утра еще столько всего будет.

Он словно в небо глядел: приключения мои только начинались.

Поговорив с Заславским, я растерялся. Тамара осуждающе взглянула на меня и сказала:

— Роберт, не занимай больше телефон. Секретарша не сможет до меня дозвониться.

— Но у него есть не только мобильный, —

вступился за меня Даня. — Раз телефон молчит, значит, ты никому не нужна.

Фраза прозвучала рискованно. Естественно, с Даней Тамара не могла согласиться. Она начала возражать, но снова зазвонил мобильный. На этот раз Тамара приложила его к своему уху и изменилась в лице.

— Что это? Что? — испуганно залепетала она. — Какой козел? На что попал?

Догадавшись, о чем речь (опять голос с блатнецой интересовался, понял ли я, козел, что попал), я успокоил Тамару:

— Не волнуйся, звонили мне.

— Тебе?!!

Ей стало дурно.

— Даня! Даня! — не своим голосом завопила она. — Наш Роберт куда-то вляпался! Так я и знала! Так я и знала! Надо было его женить! Никогда себе не прощу, если завалят этого святого человека!

Она так кричала, словно меня уже нет, словно я уже покойник. Признаюсь, мне стало не по себе: холодок пробежал по спине, и снова волосы на голове зашевелились. Впервые за этот день я отдал себе отчет: а ведь и в самом деле у меня проблемы. Проблемы, которых я не осознал за всей этой суетой. Но они есть. И неизвестно, откуда появились.

Я растерянно уставился на Даню.

— Не переживай, старик, — успокоил он меня, — Тамарка с этим ее бизнесом хуже пуганой вороны, каждого куста шугается. Может, мужик просто ошибся номером.

— Да не-ет, — задумчиво ответил я, — у меня действительно наклевываются проблемы. Этот бред меня преследует с самого утра.

Тамара взяла себя в руки и воскликнула:

— Ничего, Роберт, разберемся, в обиду тебя не дадим! Вспоминай, где и с кем ты в последние дни соприкасался?

Ха, хороший вопрос! Первым делом на ум пришел Вован. Неужели приревновал к Лидии?

Я поделился своими соображениями с Тамарой, естественно, умалчивая про яд.

— Откуда Вован узнал номер твоего мобильного? — удивилась она. — Ты же утверждал, что первый звонок прозвучал еще до того, как администратор увидел твой паспорт.

И тут я понял, что все гораздо хуже: первый звонок прозвучал, когда я был еще дома. Выходит, это не Вован: тогда он еще и не подозревал о моем существовании.

— Та-ак, — сказала Тамара, — я знаю, кто тебе нужен.

Даня почему-то насторожился:

— Кто?

— Сонька! — торжествуя, сообщила Тамара и пояснила: — Это моя подруга, знаменитая писательница Софья Адамовна Мархалева.

Я такой не знал, но встревожился:

— Думаешь, если она напишет о моих проблемах, тот, с блатнецой, перестанет звонить?

— Да нет, — рассердилась Тамара, — Сонька собаку в таких вещах съела. Нет ни одного темного дела, на которое она не пролила бы яркий свет.

За какое ни возьмется преступление, вмиг раскроет его.

— Она так умна? — поразился я.

Тамара взглянула на меня с укором:

— Ну что ты? Сонька круглая дура, но делу это не помеха. Сама не знаю, как это у нее получается, но гарантирую: твои проблемы сможет решить только она. Если она не сможет, то не смогу даже я. Кстати, Мархалева живет совсем рядом. Все, хватит болтать, срочно ее вызываю!

И Тамара забегала пальцем по кнопкам мобильного.

Я вопросительно уставился на Даню; он сочувственно прошептал:

— Ну, старик, ты вляпался по уши. Убей, не пойму: чем помешал тебе блатной? Клянусь, он безобидней.

— И ты знаешь ее, Мархалеву эту? — поинтересовался я.

— Еще бы! — ответил Даня, закатывая глаза. — Счастлив тот, кто ее не знает, но таких людей на планете нет. Ты был последним.

Тамарка тем временем утратила спокойствие и перешла на крик.

— Мама, ты невозможная! — вопила она. — Срочно бросай ерундой заниматься и приезжай сюда! Мне нужна твоя помощь!

Я в недоумении потянул за рукав Даню и прошептал:

— Но она же не с Мархалевой разговаривает, а со своей мамой. Зачем-то зовет ее ко мне.

— Тамаркина мама давно умерла, — просветил

меня Даня. — Так Тома подругу свою величает, эту чокнутую Соньку Мархалеву.

— Ах, вот оно что, — прозрел я, осуждая Даню.

Зря он злословит по поводу подруги своей жены. Не стала бы Тамара плохого человека звать мамой. С плохим человеком вообще не стала бы дружить. Уж кто-кто, а она-то разбирается в людях.

Пока я так размышлял, Тамара закончила переговоры и, вытирая со лба пот, простонала:

— Уфф, будто вагон мешков разгрузила, во как устала! Всякий раз так после разговора с этой заполошной. Кричит, никого не слушает, про себя норовит рассказать. Но со мной эти штуки не проходят, говорить умею сама — пусть слушает.

Заметив наши с Даней недоуменные взгляды, Тамара меня успокоила:

— Не волнуйся, Роберт, Сонька такая только со мной. С мужчинами она ангел.

— Я этого не заметил, — проворчал Даня.

— А разве ты мужчина? — спросила Тамара и смерила его таким яростным взглядом, что все возражения остались при нем.

— Через десять минут сюда явится Сонька, — сообщила она, — и в твоей жизни наступит порядок, а нам пора. Прости, Роберт, дел куча.

— Какие дела? — поразился я. — Ночь на дворе.

— Покой нам только снится, — развела руками Тамара и скомандовала мужу: — Даня, вперед!

Наконец-то я остался в квартире один. Точнее, с Кристиной. Но это счастье длилось недолго. Не успел я сообщить сестре, что теперь-то она может беспрепятственно воспользоваться моим туалетом, как раздался звонок в дверь. На пороге стояла Лидия. Если это можно назвать «стояла»: Лидия была пьяна, едва держалась на ногах.

— Он мне не верит, — сказала она, икая и протягивая мне свой сотовый. — Скажи ему.

— Что сказать? Кому сказать? — опешил я.

— Скажи Вовану, как меня отравил, а потом спас. Он вопит, что я изменила ему, что мы трахались.

«Ну-у, и это тоже», — не без гордости подумал я и взял трубку.

Она не шутила, со мной действительно хотел говорить Вован.

— Ты че, мужик, в натуре ее отравил? — любезно поинтересовался он и пояснил: — Нет, я не в претензии, если, конечно, все так, как пуржит эта змея.

— Да, все было так, как она говорит, — подтвердил я, но Вована ответ не устроил.

Он заставил меня рассказать, зачем я налил в коньяк яд. Жалея Лидию, я рассказал, естественно, без подробностей. Вован помолчал-помолчал, а потом спросил:

— Ну? И че дальше?

— Ничего, — оптимистично откликнулся я. — Теперь ваша невеста здорова. У меня нашлось противоядие.

Вован подверг мои слова сомнению:

— Ты уверен?

— Вы же сами ее видели.

— Тогда все, мужик, я без претензий, — согласился со мной Вован и как-то сконфуженно хмыкнул, что не характерно особям такого рода. — Ты вот что, мужик, — смущенно загундосил он, — я знаю, что ты профессор и все такое, поэтому не хочу тебя подставлять. Хочу, чтобы ты был в курсе...

Он замялся, а я насторожился.

— Молодой человек, не пойму, о чем речь. Не могли бы вы говорить ясней?

— Могу. Я вообще-то уважаю науку, — заверил меня Вован. — Поэтому знать вам не лишне, что Лидия... Короче, Лидка — проститутка.

И он обложил ее матом, таким образом закончив наш разговор.

Меня как обухом по голове хватили. Лидия проститутка?! А я, как последний дурак, ей душу свою открывал. Исповедовался!

Естественно, передавать слова Вована Лидии я не стал, да это было и бесполезно. Она давно сползла на пол и захрапела.

Я снова попал в некрасивую ситуацию: с минуты на минуту ко мне должна придти подруга Тамары, уважаемая личность, известная писательница, которая уверена, что я приличный человек, а у меня в прихожей валяется пьяная проститутка.

Проститутка, с которой я уже переспал!

«Что обо мне подумает госпожа Мархалева?» — испугался я и потащил Лидию в спальню.

Но, не сделав и двух шагов, наткнулся на крадущуюся по коридору Кристину: видимо, бедняжке стало совсем невмоготу. Увидев пьяную Лидию, Кристина остолбенела.

— Что у тебя происходит? — спросила она.

— Мархалеву знаешь? — вместо ответа поинтересовался я.

— Еще бы, ее все знают, — заверила Кристина.

— Так вот, сейчас эта знаменитость будет здесь.

С этими словами я скрылся в спальне, а Кристина, охнув, помчалась в туалет. Чуть позже я услышал, как она уныло прошлепала босыми ногами в кабинет, прошелестев мне:

— Роби, пожалуйста, помни про свою сестру и не покидай ее надолго, иначе она просто умрет.

Но разве мне было до сестры? Я бросил спящую Лидию на кровать и начал спешно приводить себя в порядок. Не встречать же знаменитость в банном халате.

Едва я успел побриться и облачиться в новый костюм, как раздался звонок.

Это была она, Мархалева.

Глава 12

Она вошла и спросила:

— Вы Роберт?

Я тут же представился по всем правилам этикета.

Она удовлетворенно кивнула:

— Тогда приступим.

— Прямо сейчас? — удивился я.

— Промедление смерти подобно, — заверила она.

— Хорошо. Что от меня требуется?

Она усмехнулась:

— Искренность и только искренность.

— Что ж, я готов.

Загадочно поманив меня пальцем, она вышла из квартиры.

Пришлось последовать за ней. У лифта она остановилась, встала на цыпочки и шепнула мне прямо в ухо:

— Нам лучше выйти на улицу.

Я пришел в недоумение:

— Почему?

— В квартире могут быть «жучки», то есть средства прослушивания.

— Вы так думаете?

— Ничего нельзя исключать. Пойдемте лучше в парк. Там есть скамейки.

Мы отправились в парк. Она сама выбрала скамейку, проверила кусты и, усевшись, сказала:

— А теперь приступим.

И тут же поведала мне историю своего развода с мужем. Я и глазом моргнуть не успел, как узнал про ее разлучницу-подругу, про тягостные ночи, полные ревности и тоски, про мокрую от слез подушку и так далее и тому подобное. На какое-то время так растерялся, что утратил дар речи, а когда пришел в себя, спросил:

— Софья Адамовна, зачем мне все это знать?

— Абсолютно незачем, — ответила она.

— Тогда зачем вы мне это рассказываете?

— Чтобы подать пример искренности. Не каждый мужчина умеет откровенно рассказывать о себе. Особенно женщине. Тем более незнакомой. Мужчина любит прихвастнуть, а правду он даже от самого себя скрывает.

Я сразу вступил с ней в мысленную дискуссию, она же пристально на меня взглянула и приказала (совсем как моя мать):

— Вот что, Роберт, сейчас же расскажите мне все, что вас волнует. То, что касается любви, может тоже быть очень полезно.

И я сдуру (сам не знаю зачем) начал рассказывать ей про девчонку с коленками — до сих пор понять не могу, что на меня нашло.

— Нет-нет, — сказала она, — воспоминания юности вряд ли нам помогут. Хотя... Кстати, скажите, вы были счастливы в любви?

— Абсолютно счастлив не был, — заверил я. — Женщины никогда не проявляли ко мне интереса.

Она отшатнулась:

— Не может быть! Я вам не верю!

— Но это так.

— Странно, — задумалась она, — очень странно. Вы такой красивый, сильный мужчина, очень независимо держитесь... Женщинам нравятся такие. Такие, как вы, нарасхват. В чем же дело?

Я пожал плечами и признался:

— Сам всю жизнь над этим голову ломаю.

— А-а-а, я догадалась! — едва ли не с радостью воскликнула она. — У вас есть друг, который еще красивей.

— Не сказал бы, что красивей, — обиженно не согласился я. — Мы в чем-то даже похожи, все так говорят. Знаете, как это у молодых людей обычно бывает...

— Знаю-знаю, — кивнула она, — вы подражали ему, он вам, и сходство усиливалось: походка, жесты, голос, прическа, одежда, наконец. Но женщины отдавали предпочтение ему. Для вас это загадка.

Я был потрясен: все именно так и было. Не знаю, как Заславский, но я-то уж точно ему подражал. Радовался, когда нас за братьев принимали, но девушки все равно отдавали предпочтение не мне. Пришлось отправляться в науку. Там Заславский слегка приотстал.

— Послушайте, — сказал я, — Софья Адамовна, с вами очень легко разговаривать. Вы все с полуслова понимаете.

— Это потому, что я писатель. Писатель хуже врача: ему ведома анатомия души. Но ближе к делу: раз уж мы пришли к друзьям, то, может, вы их перечислите? И друзей и приятелей, весь ваш круг.

Я развел руками:

— А тут и перечислять нечего: Заславский, его жена, Даня, Тамара. Дружен с Варварой, дочерью Заславского. Светлана была у меня, но...

— Бросила. Ой, простите, — спохватилась Мархалева, — я неловко выразилась.

— Нет-нет, ничего. Все в прошлом, хотя еще утром я хотел отравиться.

Она пристально на меня посмотрела и спросила, скорее даже утвердительно сказала:

— Следовательно, вы не ловелас и ревность здесь ни при чем.

Я помотал головой:

— Нет-нет, живу отшельником, месяцами не вижу людей, телефоны молчат, дверь паутиной зарастает. Скука и тоска.

— Конечно-конечно, Тамара мне говорила. Вы занимаетесь наукой?

— Да, — ответил я и, вспомнив конференцию, грустно добавил: — Но не очень успешно. Кстати, утром собрался ехать в деревню, хочу навалиться на работу.

— Нет, — сказала она, — это никуда не годится. Все не то. Так мы просидим здесь до утра и на сантиметр не продвинемся. Не могу я вытаскивать из вас информацию клещами.

— И что же делать? — растерялся я.

— Многодневные наши дискуссии легко заменит один пятиминутный разговор с Тамарой, — усмехнулась она, поднимаясь со скамейки и протягивая мне руку: — Приятно было познакомиться.

Я удивился:

— Вы уходите? Уже?

— Увы, поздновато мы с вами встретились, — виновато пожимая плечами, сказала она. — Не провожайте, я на машине, оставила неподалеку, за парком.

— Мы еще увидимся?

Она усмехнулась:

— И не раз. Завтра утром я к вам приду. Тогда и решим, стоит ли ехать в деревню.

С недоумением я слушал, как стучат-удаляются по асфальту ее каблучки. И это все? Странно...

Печальный, я отправился домой. Открыв дверь, услышал голос Лидии.

— Вовсе нет, мы не поругались, как ты могла такое подумать? Мы подрались, — кому-то бодро сообщала она. — Как — почему? Я была в стельку пьяна, даже не смогла ему сделать минет. Как — почему? Язык заплетался.

«Вован прав, типичный разговор проститутки, — с отвращением подумал я. — И с этой женщиной я переспал. Хуже, этой женщине я исповедовался... Знала бы моя мама!»

Я с тревогой прислушался.

— Да, сейчас снова трезва, как стеклышко, — хвастала кому-то Лидия, — пора бы опохмелиться, но разве здесь найдешь? Как — где? У профессора, знала бы ты, как он трахается. Да, я у профессора. Как — у какого? У того, который меня травил. Как — чем? Ядом. Настоящим ядом.

«Что она мелет?» — испугался я и бросился в спальню.

Лидия сидела на кровати и болтала по телефону. Выхватив у нее трубку, я закричал:

— Что вы делаете? О том, что я вас случайно отравил, уже знает весь город!

— Еще не весь, — ответила она и обиженно засопела.

И тут мои нервы не выдержали. Стыдно вспомнить, но я схватил эту несчастную девушку за руку и потащил ее вон из квартиры. Она упиралась и что-то кричала про сумочку, оставленную на кровати. Я был в ярости. Лидия покатилась по ступенькам, сумочка полетела ей вслед. Срам, конечно, но это было так. Она осквернила мою обитель, она втоптала в грязь...

Да что о том!

Тяжело дыша, я захлопнул дверь и отправился в кабинет. «В деревню! Срочно в деревню! Подальше от всей суеты! От мам, сестер, друзей и проституток!»

С этой мыслью я вошел в кабинет и обмер. Кристина лежала на полу в очень неестественной позе. Она была в моем банном халате. Длинные волосы (лишь теперь я заметил, что она блондинка) разметались по ковру, рука сжимала серую коробочку с таблетками.

— Кристина! — закричал я. — Кристина!

Она не шелохнулась. Я бросился к телефону:

— «Скорая»! Приезжайте срочно! Отравление! Чем? Понятия не имею! В лекарствах не разбираюсь! Что?!! Жива ли? Откуда я знаю! Сам хочу знать!

Глава 13

«Скорая помощь», к счастью, приехала быстро. Их было трое: доктор с красным носом, медсестра в очках и верзила-водитель с брелоком в руке. Всей командой ввалились в квартиру. Возможно, всем хотелось посмотреть на отравленную Кристину.

— Полис у вас имеется? — сходу поинтересовался доктор.

Я опешил:

— Какой полюс?

— Страховой, — строго пояснила медсестра.

— В своем ли вы уме? — возмутился я. — Там, в кабинете, умирает молодая женщина, возможно, уже умерла, а вы, забыв клятву Гиппократа, затеваете пустые разговоры.

— Не умничайте и не дерзите! — прикрикнул

на меня доктор. — Если она умерла, зачем вы нас вызывали? Покойников мы не лечим.

— Так что? Полиса у вас нет? — строго спросила медсестра, угрожающе поправляя очки.

Я пожал плечами и сник:

— Если и есть, то вряд ли Кристина носит его с собой.

— Тогда платите, — заявил водитель.

— Хорошо, — согласился я.

— Платите вперед.

Тут я не выдержал и, вспомнив добрую Лидию, закричал:

— Послушайте, это что, визит «Скорой помощи» или бандитский налет? Знайте: вперед не берут даже проститутки!

— Берут, — не доверяя моему опыту, заверил доктор. — Теперь вперед все берут. Так вы платите или нет?

— Плачу.

— Тогда поспешите.

Отыскав бумажник, я открыл его и спросил:

— Сколько?

Доктор и медсестра воровато переглянулись.

— Сколько не жалко, — зевая, ответил водитель. — Чем больше, тем лучше.

Я достал сто рублей и гордо протянул их доктору.

— Вы что, издеваетесь? — спросил он, брезгливо передергиваясь и демонстративно хватаясь за ручку двери. — Не та валюта. Забыли, где живете?

— Хорошо-хорошо, я живу в США и получаю по их же расценкам, поэтому вот вам сто долларов, и займитесь, пожалуйста, Кристиной! — закричал я, протягивая ему купюру.

Доктор радостно почесал красный нос и заверил:

— За эти деньги мы всю ее вылечим, с головы до ног.

Я проводил эту банду в кабинет, но сам остался в коридоре, нервно ожидая приговора. Вскоре дверь приоткрылась, главарь-доктор высунул красный нос, протянул мне серую коробку и спросил:

— Что было в этой упаковке?

— Кристина жива? — оставляя вопрос без ответа, воскликнул я.

— Жива, что удивительно. Если верить названию препарата, она должна была бы умереть. Ваша сестра утверждает, что выпила тридцать таблеток.

Я охнул и бросился звонить Светлане, ведь в лекарствах, принесенных ею в мой холодильник, разбиралась только она.

— В той серенькой коробочке лежат капсулы Гинко Билобы, — потрясая меня своей эрудицией, без секундной заминки сообщила Светлана.

— Что это?

— Это безобидная американская пищевая добавка, но, Роберт, неужели по таким пустякам ты будишь меня среди ночи?

Пришлось ей признаться:

— Только что я выпил все тридцать штук. Что теперь меня ждет?

— Если верить рекламе, в тридцать раз лучше заработает твоя голова, — сообщила Светлана и наконец заинтересовалась: — А зачем ты это сделал?

— Отравиться хотел, — порадовал я ее.

— Ах, Роберт, не делай этого, — начала причитать Светлана, но я ее больше не слушал.

— Кристина выпила Гинко Билобу, пищевую добавку американского производства, — торопливо сообщил я доктору.

Он обрадовался:

— Значит, будет жить. Знаем мы эти добавки: чертовы америкашки кладут один крахмал и дерут в три шкуры.

— Кто бы говорил, — не скрывая осуждения, сказал я, намекая на сто долларов (не сочтите меня мелочным).

Доктор намек понял и задумался, огорченно почесывая пунцовый нос.

— Ладно, — сказал он, — сделаем ей обследование на все сто. Можете присутствовать.

Я поплелся к Кристине. Сестра действительно была жива и выглядела очень пристыженной.

— Вот, Роби, даже отравиться не смогла, — виновато сказала она, вытирая слезы.

— Твой Макс этого не стоит, — гладя ее по голове, сообщил я.

Доктор меня отстранил, снял с Кристины халат и зачем-то начал целеустремленно щупать ее маленькие груди. Я был так потрясен, что даже не догадался отвести взгляд и растерянно смотрел на это безобразие.

— У гинеколога давно были? — строго глядя на меня, спросил доктор.

Кристина ответила:

— Хожу регулярно.

Потом доктор заглянул в ее горло и опять сообщил мне, что миндалины у меня воспаленные. Затем он, все так же осматривая Кристину, сказал, что у меня плотный живот, что мой позвоночник ни к черту, что надо бы показаться окулисту, венерологу, невропатологу, оториноларингологу. Наконец я взорвался и закричал:

— Послушайте, я дал вам всего лишь сто долларов, вы же наговорили на миллион! Зачем вы даром работаете?

— Действительно, — спохватился доктор. — Что это я? Провожайте нас, провожайте.

Я начал их провожать, но это оказалось нелегко: доктор застрял в прихожей.

— Значит, вы поняли меня, да? — без умолку трещал он. — Первым делом покажитесь окулисту. Да, горло, горло у вас нездорово...

По всему было видно, что ему понравилось у меня. Ехать неизвестно к какому больному бандиту совсем не хотелось. Вдруг там действительно придется работать, кого-то от смерти спасать, тащить на носилках в больницу и так далее и тому подобное... Уж лучше валять у меня дурака.

Я всячески направлял его к выходу, но он упирался. Так продолжалось до тех пор, пока (о, ужас!) не пришел Заславский. Он лихо забарабанил в дверь и пьяно прокричал:

— Роб! Открывай! Я знаю, ты дома!

— Теперь это знают все, — проворчал я, поспешно впуская его в квартиру.

Увидев в прихожей людей в белых халатах, Заславский остолбенел:

— Вот это да! Роб, так это к тебе «Скорая»?

Я покосился на доктора и сдержанно ответил:

— Да, это ко мне.

— Ты болен?

— Практически при смерти, — пошутил я.

Пока Заславский изумленно хватал ртом воздух, доктор продолжал выдавать рекомендации.

— Мне не нравится ваш живот, — в сотый раз повторил он. — Очень не нравится ваш живот.

— Чем он плох, живот Роба? — удивился Заславский.

— Грудь тоже настораживает, — не обращая на него внимания, продолжил доктор.

Пьяный Заславский таращился от изумления.

— Да-да, — твердил доктор, — и повторите визит к гинекологу. Кстати, в какой вы поликлинике наблюдаетесь?

Я встал в тупик, но, вспомнив замашки Кристины, сказал:

— В самой дорогой.

Заславский охнул и, закатывая глаза, простонал:

— Роб, я своим ушам не верю!

— Это хорошо, — констатировал доктор и спохватился: — Как же я ухожу, когда вам рецепт не выписал. Пройдемте обратно.

— Нет-нет, — закричал я, преграждая дорогу в кабинет, — если уж проходить, то туда, в гостиную.

Доктор проследовал в гостиную, уселся за журнальный столик и спросил:

— Ваш возраст?

— Тридцать пять, — выпалил я, после чего Заславский сполз на пол.

— Что тут у вас происходит? — ошарашенно прошептал он.

— Ничего, — ответил я, — разве не видишь, доктор выписывает мне рецепт. Пить меньше надо. Иди-ка, Виктор, лучше в ванную, умойся.

Заславский послушно вышел. Пользуясь этим, я схватил доктора за шиворот и со словами благодарности потащил его к выходу. Пока занимался с доктором, медсестра зачем-то забрела в спальню и сказала:

— О, там лежит еще одна больная.

— Хорошо-хорошо, сам с ней управлюсь! — воскликнул я, выталкивая всю компанию на лестничную площадку и радушно прощаясь.

Истощенный проводами, я вышел из квартиры и спустился вниз к крыльцу подъезда. Не успокоился, пока не помахал рукой вслед этой разнузданной банде. Вот они, люди в белых халатах, прославленные социализмом. Что может быть отвратительней, чем цинично наживаться на чужой беде? С этим вопросом я вернулся домой.

И обнаружил Заславского в прихожей: он снимал башмаки. Увидев меня, обрадовался как ребенок:

— Роб, ты где был?

— Так, покурить вышел, — я пожал плечами.

— Ты же не куришь.

— Теперь закурил.

Заславский мне подмигнул:

— Кого-то ждешь?

— Нет, не жду, пошли в гостиную, там поговорим.

На самом деле разговаривать не хотелось. Хотелось спать: утомили многочисленные гости. К тому же беспокоила Кристина. Бедняжка нуждалась в защите и утешении, я же весь день занимался глупостями. Сейчас бы самое время уделить ей внимание, да какое там. Заславскому явно не терпелось что-то обсудить.

— Как тебе Деля? — спросил он, доставая из моего бара бутылку коньяка и ловко распечатывая ее. — Скажи, совсем не изменилась.

— Почему, изменилась и очень, — ответил я, ловко подставляя бокал под струю.

— Да? Ты так считаешь? Кстати, Роб, что с тобой случилось? Зачем приезжала «Скорая»?

— У меня был сердечный приступ.

Заславский (он пытался сделать глоток) поперхнулся коньяком, прокашлялся и с укором сказал:

— Роб, хватит, не делай из меня идиота.

Попробовав не сдаваться, я повторил:

— У меня был сердечный приступ.

— И поэтому доктор советовал тебе посетить гинеколога. Она что, беременна?

— Кто? — испугался я.

— Девица твоя. Кстати, никогда бы не дал ей тридцать пять. Выглядит гораздо моложе. Если память не изменяет, ты что-то про двадцать восемь говорил. Ведь это та, Роб, которая сегодня голяком к нам в комнату забегала?

Я взвился:

— Ах ты наглец! Опять шпионишь? Пока я провожал «Скорую», уже побывал в моем кабинете?!

Заславский растерялся:

— Почему в кабинете? В спальне. Только глазком одним заглянул.

— Зачем? — поинтересовался я, несколько успокаиваясь и радуясь, что Кристину он не видел.

Заславский лукаво усмехнулся:

— Хотел проверить, всех ли ты дам своих выпроводил. Знаешь, Роб, она очень красиво лежит на кровати, эта крошка, так и хочется пристроиться рядом. Обожаю чулки-сеточки. Роб, они всех мужиков заводят.

Чулки-сеточки были на Лидии; я подскочил как ужаленный:

— Она что, снова пришла?!

— А ты, выходит, не в курсе? — растерялся Заславский.

Я помчался в спальню. Лидия действительно лежала на моей кровати, точнее, спала. Юбка ее неприлично задралась, открывая чулки до самых подвязок.

— Ну это уж слишком! — Я зарычал и схватил ее за руку.

Заславский бросился меня оттаскивать. Какое-то время мы боролись, но Лидия так крепко спала, что даже не шелохнулась.

— Ты не знаешь, не знаешь, кто она! — вопил я. — Ее надо выгнать! Она проститутка! Настоящая проститутка!

— Это очень хорошо, — успокаивал меня Заславский. — Всегда предпочтительней иметь дело с профессионалом, чем с дилетантом. Тебе ли не знать, Роб, ты же всю жизнь стремишься к совершенству.

— Совершенство в любви — это не работа тела!

— Да-да, Роб, это работа души, но начинать-то надо с тела. Ведь только в нем душа и может развиваться. Иного не дано.

— Но развитие должно идти параллельно, иначе неизбежен перекос.

— Этим-то и полезна нам проститутка: наши развитые души очень удачно лягут на ее развитое тело. Идеальный конгломерат получится.

Так мы препирались довольно долго, используя логику и привычный нам научный подход. Вдруг Заславский уставился на Лидию и озабоченно спросил:

— Тебе не кажется странным, что она так крепко спит? Извини, Роб, но ты так вопишь, что и мертвого разбудишь.

— Она пьяна, — отрезал я.

Заславский наклонился над Лидией и, расстегивая пуговицы на ее блузке, сказал:

— Может, ей плохо.

Он испытующе посмотрел на меня и, щупая ее пульс, спросил:

— Роб, что доктор сказал? Какие у нее проблемы?

Я снова взревел:

— Да не к ней приезжала «Скорая»!

Заславский тоже взбесился:

— Роб, не станешь же ты меня убеждать, что гинеколог тебе понадобился!

— Нет, не мне!

— Значит, девице!

— Да, но не этой, а другой!

— У нее совсем нет пульса, — равнодушно отметил Заславский, отпуская руку Лидии и с интересом глядя на меня: — Другой? Роб, так у тебя здесь еще одна девица? Другая?

Но мне уже было не до него. «Действительно, — подумал я, — почему Лида так крепко спит? И почему рука ее упала безжизненно, как плеть?»

— Роб, так кто еще тут у тебя? — тормошил меня Заславский. — Я ее знаю?

Оттолкнув его, я метнулся к Лидии, приложил ухо к ее груди и с ужасом завопил:

— Она мертва! Мертва! Сердце не бьется!

— Да брось, Роб, не может быть, — пьяно отмахнулся Заславский, снова хватая руку Лидии.

— Ну что? Что? — в отчаянии закричал я.

— Тише, Роб, не кричи. Дай зеркальце.

Я полез в сумочку Лидии, отыскал там зеркальце и протянул его Заславскому.

Он приложил его к губам и носу девушки, потом рухнул на колени и попытался услышать работу ее сердца, но я-то уже точно знал, что оно не работает.

— Да, Роб, — трезвея, констатировал Заславский, — она мертва.

«Я тоже», — столбенея, подумал я.

Думаю, вид у меня был тот еще, потому что Заславский испуганно воскликнул:

— Эй, Роб, очнись! Ты не наделал в штаны?

Я ответил:

— Пока еще нет, но не могу обещать, что так будет всегда.

— Роб, слышишь, Роб, держи себя в руках, — посоветовал Заславский.

— Это конец! — взвыл я. — Уж лучше пустить себе пулю в лоб!

— У тебя есть пуля?

— В том-то и дело, что нет!

— Роб, не отчаивайся. Как это произошло?

— Что — это?

Заславский виновато посмотрел на меня и спросил:

— Как ты ее убил?

— Что-о-о-о?!

Глава 14

Битый час я доказывал Заславскому, что выгнал Лидию, дважды выгнал, и оба раза она ушла живой и невредимой. Он внимательно слушал, кивал, а потом спросил:

— Роб, ты уверен, что второй раз она была живая?

— Мертвые по ступенькам не бегают! — заорал я. — Виктор, пойми, я вытолкал ее из квартиры. Она оказывала яростное сопротивление.

— Но как-то она попала на твою кровать. Вот, лежит, чертовка, не дышит, — Заславский осуждающе кивнул на Лидию.

— Сам не знаю! — хватаясь за голову, воскликнул я. — Как-то попала. Возможно, встречая или провожая «Скорую», забыл дверь закрыть, возможно, у кого-то есть ключ от моей квартиры.

Заславский вдруг сделал неожиданное заключение:

— Вот к чему приводит блядство. Роб, я всегда тебе говорил: веди здоровый образ жизни. Ты же устраиваешь оргии, понавел к себе баб, понимаешь ли...

— Ах, ты негодяй! — набросился я на него с кулаками. — Не ты ли научал меня кобелировать!

Он мгновенно взялся за ум и сообщил:

— Роб, тебя я в беде не брошу. Ты точно ее не убивал?

Я, словно грузин, воскликнул:

— Клянусь мамой!

Заславский задумался.

— Вот что, — сказал он, — кто-то хочет подложить тебе свинью, но мы лишим его такой возможности. Ты давно с ней знаком?

— Часов десять от силы.

— Следовательно, у тебя мотива нет, — обрадовался Заславский. — Зачем тебе ее убивать?

— За десять часов женщина вполне может довести мужчину до убийства.

— А кто вообще знает, что она здесь была?

— Многие уже знают, Лидия постаралась, — заверил я, но это только вселило в него решимость.

— Так, да? Хорошо! Да, она у тебя была, я свидетель. Была, но ушла, я видел своими глазами. Сейчас погрузим ее в машину и отвезем подальше от твоего дома.

Я растроганно посмотрел на Заславского и сказал:

— Спасибо, Виктор, ты настоящий друг, но не стоит тебе впутываться в это дело. Особенно сейчас, когда стоит вопрос о твоем членкорстве. Ты без пяти минут академик. Может пострадать твоя блестящая научная карьера. Я никогда себе этого не прощу.

Он отмахнулся:

— Роб, к чему пафос? «Блестящая научная карьера»! Как она может пострадать? Мои достижения — это мои достижения. Как бы я ни лжесвидетельствовал, они останутся моими на века. Короче, грузим эту сучку-проститутку в твою машину, и дело с концом.

Я рассердился:

— Виктор, прекрати. Нельзя так грязно говорить о покойниках

— Роб, в чем дело? — возмутился он. — Может, прикажешь ее расцеловать, эту пакостницу, эту жрицу любви, эту гадкую гетеру?

— Совсем недавно ты находил у нее достоинства, — напомнил я.

— Да, находил, но у живой. Роб, знай, нет ничего отвратительней мертвой проститутки.

Я содрогнулся:

— Что ты мелешь?!

Заславский пристально посмотрел на меня и сказал:

— Роб, это прием такой. Тебе нельзя распускать слюни. Если начнешь эту девку жалеть, считай, пропал: не сможешь хладнокровно избавиться от трупа. Ты должен пылать негодованием, она враг твой, она же тебя подставила.

— И еще как, — вздыхая, сказал я. — Даже не подозреваешь насколько.

— Ты что-то скрываешь от меня? — переменился в лице Заславский.

Пришлось ему рассказать про яд. Он взбесился:

— Чертовы бабы, не успеют и шагу ступить, как все раззвонят подругам! «Только послушай, дорогая, он травил меня ядом, какая прелесть!» Дуры! Все дуры! Все, как одна! И все проститутки!

Заславский так разошелся, что я, опасаясь Кристины, вынужден был его успокаивать.

— Виктор, не стоит нервничать, она же не на твоей кровати лежит. И вообще, к чему этот шум? Ты не мог бы говорить потише?

— Потише? — удивился Заславский. — Боишься, проститутка услышит? Ха-ха, — нервно заржал он и завопил еще громче, — как я забыл! Услышит та, другая, которой давно пора быть у гинеколога! А она околачивается здесь, черт возьми! Вот, Роб, к чему приводит распущенность, — уже назидательно продолжил он. — Ты тут один, без меня резвишься, а я трупы за тебя таскай. В следующий раз обязательно бери меня на блядки. Я опытный, такого не допущу.

Кивая на Лидию, я взмолился:

— Виктор, хватит, что о том? Давай об этом думать.

Он мгновенно переключился:

— Об этом? Да-а, это скверно, что знает и вторая шлюха, и Вован... Слушай, пусть знают. Яда не было, свидетель — твоя мать.

— Мать нельзя впутывать! — сатанея, завопил я.

— Хорошо-хорошо, — поспешно согласился Заславский, — я сам могу подтвердить, что это просто шутка. Девица-то здоровая ушла. В любом случае, Роб, нужно от нее избавиться. Ты что, хочешь оставить ее на своей кровати? Хочешь милицию сюда вызвать? Изволь, тогда мне лучше уйти.

Я похолодел:

— Нет, милиции не надо.

— Тогда за дело! — воскликнул Заславский, хватая Лидию за ноги.

— Ты что? — ужаснулся я.

— Что — что? Сама-то она не пойдет.

— Но и тащить ее, как куль, нет никакой необходимости, — сказал я, легко поднимая несчастную девушку на руки. — Лучше сними в прихожей с гвоздика ключи от гаража и машины да беги вперед, подгони автомобиль к подъезду.

— Да, точно, — засуетился Заславский, обгоняя меня и распахивая дверь спальни.

Едва я с Лидией на руках ступил в коридор, как зазвонил мой мобильный. Я подал Заславскому знак, он поднес телефон к моему уху.

— Роби, — прорыдала Кристина, — ты совсем меня не любишь.

— Люблю, — могильным голосом заверил я.

— Тогда сейчас же иди ко мне. Или я сама к тебе приду.

— Нет! Не надо! — закричал я и понесся по коридору к двери кабинета.

Заславский меня догнал и, тараща глаза, зашипел:

— Роб, ты сошел с ума! Неужели войдешь к живой любовнице с мертвой проституткой?

Пришлось согласиться:

— Да, этого я сделать не могу.

— Так дай ее мне и иди. Мы подождем в прихожей.

Я передал Лидию Заславскому и отправился

уговаривать Кристину. Наврав ей с три короба, я сообщил, что должен срочно уехать, но ненадолго.

— Роби, возвращайся скорей, — рыдая, попросила сестра. — Мне очень плохо.

— Не грусти, крошка, через полчаса вернусь, — целуя ее в лоб, пообещал я и понесся в прихожую.

Там Заславский сидел на тумбочке. Лидия лежала на полу.

— Ох, и тяжеленная эта девица, — пожаловался он. — А с виду худышка. Может, потащим вдвоем?

— Нет, лучше беги вперед, подгони машину к подъезду. Нас никто не должен видеть.

— Кто нас увидит, Роб? Уже глубокая ночь. В подъезде ни полчеловечка. Хочешь, разобью фонарь?

— Нет, не надо. Ты прав, в нашем доме народ рано ложится. Глядишь, и пронесет.

Нам повезло. Беспрепятственно уложив покойницу в мою машину, мы дворами вывезли ее в соседний район. Там я усадил бездыханную Лидию в сквере на лавку и направил автомобиль обратно домой.

— Нет, Роб! — остановил меня Заславский. — Нет смысла ехать к тебе. Будет разумней, если я переночую у себя. Мария и Варя смогут засвидетельствовать, что в момент преступления я был дома.

— А где был я?

— Тоже у нас.

— Нет, это никуда не годится, — рассердился я. — К чему эти навороты?

— Действительно, — согласился Заславский, — ни к чему. Ты же и сейчас не один. Кому придет в голову, что в твоей квартире резвятся сразу две девицы. Ты же у нас легендарный праведник. Кстати, они знакомы?

— Кто?

— Покойница и та, по которой плачет гинеколог?

— Нет. Они не знакомы.

— Тем более. Значит, вторая и есть твое алиби. Чеши скорей к ней. Такого ценного человека надолго бросать негоже, да будь поласковей. Женщина — тварь благодарная.

Я разозлился:

— Как ты можешь? Порой тошнит от твоего цинизма.

— Ну-ну, — похлопал меня по плечу Заславский, — бабы нас между собой вообще скотами называют, а «тварь» звучит даже ласково.

Я с радостью отвез его домой и отправился утешать Кристину. Остаток ночи провел в кабинете в очень неудобном кресле. Часа два сочувственно слушал, какой подлец Макс: украл красоту, здоровье и молодость моей сестры и со всем этим капиталом решил к молодой любовнице улепетнуть, да еще и родить от нее ребенка. Негодяй! Подонок! Мерзавец!

Я ругал его искренне. Еще бы, если бы не Макс, спал бы я сейчас сном праведника, а не корячился в кресле, черти его дери.

Но все же добрая у меня сестра. Такую не испортить никакими миллионами. Когда я начал вздрагивать от каждого ее слова и зверски тереть глаза, она сжалилась надо мной и сказала:

— Совсем я тебя замучила, Роби. Иди поспи, на тебе лица уже нет.

— Да, хоть часок вздремну, — радостно согласился я, со скрипом выдвигаясь из кресла, — тем более что рано утром ко мне должны прийти.

— Кто? — испуганно подскочила Кристина.

— Все: и Заславский, и Варя, и Мария, и даже Мархалева, все-все.

Я безнадежно махнул рукой и, потирая занемевшие члены, поплелся в спальню.

— Они ни в коем случае не должны знать, что я у тебя! — крикнула мне вслед Кристина.

— Разумеется, — согласился я.

Глава 15

День был сумасшедший. Я устал и соображал совсем плохо. Даже забыл, что на кровати недавно лежала покойница, а покойников я не терплю. Не то чтобы я их боюсь, но брезгую уж точно. И это нормально. Но я так устал, что рухнул на кровать, не раздеваясь, и, кажется, сразу уснул.

Но спал тревожно, видел кошмары, метался по постели, часто просыпался, вскрикивая от ужаса. Мне снилась Лидия. Мертвая, она грозила пальцем и шипела:

— Ты! Ты отравил меня!

В голове то и дело возникали мысли: «Надо бы не спать, а хорошенько обдумать, что (в случае чего) милиции говорить». Но сон сковывал меня, и снова — кошмары, и снова я вскакиваю, ворочаюсь, цепко хватая руками подушку и одеяло...

Не знаю, сколько времени так прошло, но вдруг я почувствовал, что не один в кровати. Включил ночник и с ужасом обнаружил лежащую рядом Лидию. Потер глаза — так и есть, лежит покойница.

Опять в моей постели!

В который раз за этот день волосы зашевелились на голове. Крик застрял в горле.

Однако я быстро взял себя в руки, глянул в окно: еще темно, но вот-вот забрезжит рассвет. Надо действовать!

Я помчался в гараж, выкатил машину, подогнал ее к подъезду, вернулся в квартиру, схватил на руки Лидию...

В общем, точь-в-точь повторил все то, что мы уже проделывали с Заславским. Даже оставил Лидию в том же сквере и, усталый, вернулся с восходом солнца домой. Нервы сдавали, меня трясло. Заглянул в кабинет; Кристина спала, свернувшись калачиком. Как ребенок.

«Почему взрослые женщины так часто похожи на детей?» — удивился я, отправляясь в ванную.

К моему удивлению, из кранов шла вода. А ведь траншею еще не зарыли. Я воспринял это как чудо, но потом вспомнил, что в моей квартире водой пользовались весь день все, кому не лень, и подивился своей рассеянности. Вымылся под горячим душем. Надел шерстяную пижаму и лег спать на диване в гостиной. Разбудил меня дверной звонок. Глянул на часы: девять утра. Кого принесла нелегкая?

Заглянув в глазок, я заметался. Очень не хотелось встречать знаменитость Мархалеву в помятой пижаме. Отыскивая свои вещи, я то и дело подбегал к двери и громким криком просил подождать.

— Не волнуйтесь, — любезно отвечала мне Мархалева.

Наконец я счел свой вид удовлетворительным и впустил ее в квартиру.

— Как прошла ночь? — с порога поинтересовалась она.

— Превосходно, — солгал я.

— Больше вам не звонили?

«А черт его знает», — подумал я, усиленно припоминая, всегда ли был при мне мобильный.

Не дожидаясь ответа, она оптимистично сообщила:

— Только что наша общая подруга Тамара рассказала мне о вашей жизни. Должна заметить, ничего веселого в ней нет. Вы правы, сплошная скука, неудивительно, что вы редко смеетесь. Но я нашла и положительное: в вашей жизни нет ничего и трагичного. Следовательно, вы никогда и не плачете.

— А вы когда-нибудь плакали? — сам не знаю к чему, вдруг спросил я. — Речь идет не о двух слезинках, речь о горьких слезах, о рыданиях.

— О, да! — с чувством воскликнула она, тряхнув золотыми кудрями. — Еще как плакала: в три ручья.

— В тот день, когда вас бросил муж?

Она растерялась:

— Что? Муж? Откуда вы знаете? Ах да, я же

вам сама вчера рассказала. Нет. Из-за мужа я не плакала.

Подумав, она добавила:

— Во всяком случае, такого не помню. Может, и плакала, бог его знает. — Покачала головой: — Нет, не помню, не помню.

Мне стало любопытно:

— Что же вы помните? Имею в виду причину, вызвавшую ваши слезы. Можете мне рассказать?

Вот, спрашивается, что на меня нашло? К чему такое любопытство? Думаю, отрицательно сказалась ночь, богатая на трупы.

— О, да! — снова воскликнула она и рассмеялась: — Могу. Рассказать могу, хотя рискую показаться смешной.

— Женщина не должна бояться показаться смешной, — ни с того ни с сего решил я поделиться жизненным опытом. — Смешная женщина выглядит трогательно, словно ребенок.

— Только в глазах мужчины, — улыбнулась она.

— Но я же мужчина.

— Судя по всему — да.

Она смерила меня оценивающим взглядом; я порадовался, что надел свой самый лучший костюм.

— Хорошо, вам расскажу, — сказала она, снова тряхнув золотистыми кудрями. — Здесь секрета нет: всякий раз, когда читаю сынишке стишок про зайку, рыдаю неимоверно. Причем обязательно начинаю первой, Санька, мой сын, подключается уже на скамейке.

— На какой скамейке? — закричал я, с ужасом вспоминая Лидию, оставленную в сквере.

— На какой скамейке? — удивилась она, повторяя вопрос. — На той, с которой не мог слезть зайка.

Я нервно сглотнул, а Мархалева задорно рассмеялась:

— Неужели забыли?

С этой Лидией я действительно все на свете забыл и чувствовал себя настоящим олухом.

— Детский стишок, — подсказала она.

Видимо, я смотрел на нее совсем бестолково — просто прототип всех идиотов. Она удивленно хмыкнула и начала старательно декламировать:

— Зайку бросила хозяйка, под дождем остался зайка...

Но дальше дело не пошло: слезы блеснули в ее глазах; она смущенно замолчала...

Я был потрясен. И этой женщине Тамара доверила мои проблемы?!!

Нет, я не осуждаю Мархалеву. Чувствительность ее вполне нормальна для писателя и, как мужчине, мне симпатична, но что скажет эта трепетная женщина, когда узнает, что я всю ночь хладнокровно таскался с трупом проститутки? А я, дурак, пообещал ей полную откровенность. Я привык свое слово держать, но теперь об этом не может быть и речи. Придется лгать...

Лгать, лгать и еще раз лгать, как учит Заславский!

Скрывая свои тревоги, я с деланым равнодушием спросил:

— Почему вы замолчали? Что там дальше? Зайку бросила хозяйка, под дождем остался зайка...

Она трагично вздохнула и продолжила дрожащим голосом:

— Со скамейки слезть не смог и весь до ниточки промок. Ой, я не могу! Простите меня! Простите!

И она зарыдала в голос. Зарыдала очень проникновенно. Я сам был близок к тому же, хотя сентиментальностью до этого не страдал. Удивительно, но эта женщина так трогательно сумела выразить беспомощность и одиночество зайки, что я ощутил их, как свои. Сердце мое пронзила боль. За зайку. А Мархалева подливала масла в огонь.

— Он такой маленький, доверчивый, беззащитный, остался один, под дождем, на скамейке, — всхлипывала она. — Сердце мое сейчас разорвется от жалости и сочувствия...

Черт возьми! У меня защипало в носу.

— Да-а, — с тяжелым вздохом сказал я, старательно пряча слезу и демонстрируя мужество, — очень жестокая и безответственная хозяйка.

— Такая жестокость граничит с подлостью, — всхлипнула Мархалева, вытирая слезы кончиком своего рукава. — Как представлю эту картину: мокрый, жалкий, одинокий, продрогший зайка доверчиво тянет лапки к хозяйке, а та... Нет-нет, больше не могу. Хватит. Давайте переменим тему.

— Давайте, — с облегчением согласился я, но неожиданно для себя начал ее развивать: — Знаю, почему вы так горько плачете, — сообщил я.

Она удивленно посмотрела на меня и спросила:

— Почему?

— Потому что когда-то давно, видимо, в детстве, вы были этим самым зайкой. Судя по тому, как красивы вы теперь, в детстве вы были прелестным ребенком. У кого же хватило жестокости вас обижать?

— У моих родителей, — не задумываясь ответила Мархалева. — Им было не до меня. Сначала они ругались и разводились, а потом и вовсе умерли. Да, вы правы. Удивительно, как я сама не догадалась. Ведь моя мама и есть та жестокая хозяйка, которая бросила меня — свою зайку. А я не могла без нее слезть со скамейки, мокла под дождем и многое-многое другое. О, сколько несчастий со мной приключалось... Если бы не бабуля, даже не знаю, как выжила бы, — с трагической патетикой произнесла она и вдруг рассмеялась счастливым смехом: — Послушайте, это чудо! Чудо!

— О чем вы? — изумился я, внутренне констатируя, что мы оба чокнутые. Нашли время развивать тему про зайку. Ладно она, но я-то, со своими приключениями: со зловещими звонками и трупом...

— Настоящее чудо! Ушел из горла ком, — пояснила она. — Ком, с которым жила всю жизнь. Да-да, отступило. Думаю, излечилась. Я больше не буду плакать горько-горько, читая этот стишок. Да-да, больше не буду заражать сынулю своим детским горем. Он уже вырос, но очень любит этот стишок. Признаться, меня это волновало...

— Напрасно. Ему полезно поплакать время от времени.

Мархалева удивилась:

— Да? Послушайте, вы не психоаналитик? Сейчас так модно, все увлекаются.

— Нет, я другим занимаюсь.

— Это хорошо, — обрадовалась она. — Терпеть не могу психоаналитиков. Это страшные люди. Копаться в чужой душе... Бррр! Это не для меня! Впрочем, вру, иногда приходится, но, кажется, я за другим пришла. Не правда ли, мы сильно отклонились. Давайте вернемся к нашему делу.

— Давайте, — согласился я, ломая голову, как бы поскорей отказаться от ее помощи.

— Можно? — спросила она и присела на диван.

Я наконец заметил, что мы все еще стоим, и начал извиняться. Она отмахнулась:

— Давайте без церемоний. Лучше подробно мне расскажите, как прошла эта ночь. Расскажите все до мелочей.

— Ночь прошла отлично, — не задумываясь выпалил я, усаживаясь в кресло.

Она пристально на меня посмотрела и напомнила:

— Вы обещали искренность.

Пришлось ее убеждать. Я начал что-то мямлить, внутренне ругая себя за малодушие. Почему бы не сказать прямо, что мне ни к чему ее услуги. Плакать над зайкой могу и один.

Наконец я взял себя в руки и решился ей все объяснить, но... раздался звонок в дверь. Мархалева насторожилась:

— Кто это?

— Это Заславский, — предположил я.

Она вскочила:

— Тогда мне лучше спрятаться. Никто не должен знать, что мы затеваем расследование. К тому же, мне полезно будет послушать ваш разговор. Чем больше я узнаю, тем дальше продвинется дело. Проводите меня в ваш кабинет.

— Нет! — закричал я. — В кабинете вы ничего не услышите. От гостиной он далеко.

Она вышла в коридор и, показывая на дверь спальни, спросила:

— А здесь что?

— Спальня, — поеживаясь, ответил я.

— Прекрасно, — почему-то обрадовалась она, — там и спрячусь.

Мне нечего было возразить. Мархалева скрылась за дверью спальни, а я пошел впускать гостя. Это был действительно Заславский. Он влетел и закричал, как сумасшедший:

— Роб, ну что, все шито-крыто?

Я зажал ему рот и прошипел:

— Заткнись.

Он покосился на дверь столовой и спросил:

— У тебя опять кто-то есть?

— Да, — утаскивая его в гостиную, прошептал я.

— Неужели снова баба?

— Целых две.

Зазвонил мобильный.

Заславский закатил глаза и простонал:

— Начинается!

Я замахал на него руками и схватил трубку. Это была Мархалева.

— Так не пойдет! — возмутилась она.

Я опешил:

— Как не пойдет?

— Вы шепчетесь, я не могу подслушать. Говорите, пожалуйста, громче.

— Постараемся, — пообещал я, но не успел выполнить обещание: раздался звонок в дверь.

Я помчался к дверному глазку и сразу рысью в гостиную:

— Виктор, пришла твоя жена.

Он схватился за голову:

— Какие черти ее принесли? Роб! Спрячь меня! Мария думает, что я на симпозиуме! Лучше посижу в кабинете, там компьютер, Интернет, заодно займусь работой. Давненько я не брался за нее. Все руки не доходят.

— Нет, — запротестовал я, — кабинет занят.

Заславский поморщился и прошептал:

— Изволь, пойду в спальню. Заодно и вздремну. Совсем не выспался с твоей проституткой.

— В спальню тоже нельзя, — с легким смущением сообщил я.

Он оторопел:

— Если ты скажешь, что занята и столовая...

— Нет-нет, столовая свободна, — радостно заверил я.

— Вот туда и пойду, заодно и позавтракаю. Так спешил к тебе, что ушел голодным.

Он смерил меня презрительным взглядом и добавил:

— У-у, старый развратник.

Оправдываться мне было некогда, я поплелся встречать его жену.

Едва открыл дверь, Мария впилась в меня страстным поцелуем. Не скажу, что было неприятно, но мешал Заславский. Видимо, я еще не достиг его цинизма. К тому же, Мария не стояла на месте, а энергично продвигалась в начатом деле: пальцы ее, бегая по моему телу, раздевали меня.

— Ты ждал, ждал, — сквозь поцелуй произнесла она, из чего я понял, что мой новый костюм не остался незамеченным.

Прямо в прихожей Мария упала на пол и потянула меня за собой.

— Здесь, прямо здесь, — страстно шептала она.

Я растерялся. Ее выпростанная грудь зверски волновала меня, ее раскосые глаза...

Всегда питал слабость к Марии... Но с другой стороны... Измученная Кристина наверняка крепко спит, но что делать с Заславским? Не могу же я овладеть его женой едва ли не у него на глазах. И эта чертова Мархалева подслушивает в спальне. Заславский-то наверняка не подслушивает, ему не до того, жрет мой окорок, скотина...

Ха, он же еще и скотина! Я положил глаз на его жену...

К своему стыду, то, что друг от нас в десяти шагах, меня зверски заводило. Влажные губы Марии, ее грудь... Сознание мое помутилось, я подумал: «Будь что будет», и рухнул на пол. Мария прижалась ко мне, почти на меня легла и прошептала:

— Роберт, я всю ночь не спала. Как только выпроводила этого кобеля из дома, сразу помчалась к тебе. Наконец-то мы одни...

«Если бы, — трезвея, подумал я. — Кобель с нами, и, между прочим, неизвестно, как ты себя поведешь. Светлана, к примеру, кричит. Очень громко кричит в такие минуты. Если Заславский узнает крик своей жены, вряд ли он будет спокойно пожирать мой окорок. Скорей всего он выйдет в прихожую, а здесь мы, на полу...»

От этой мысли мне стало плохо. В самом прямом смысле: едва не вырвало.

— Что с тобой, Роберт? — переполошилась Мария.

Она уже не шептала, а перешла на крик. Я испугался, даже запаниковал, лихорадочно соображая, чем объяснить свою просьбу говорить потише. Ведь Марии-то я сказать не могу, что у меня в каждой комнате по шпиону. Я схватился за голову, и... (спасение!) раздался звонок в дверь.

— Кто это? — прошептала Мария.

Я вскочил, заглянул в глазок и, ликуя, сообщил:

— Это Варвара.

Глава 16

Мария очень болезненно восприняла сообщение о том, что пришла ее дочь.

— Сейчас выйду и надаю ей пощечин, — прошипела она.

— За что? — удивился я.

— Разве это прилично? Негоже молодой девчонке таскаться к взрослому неженатому мужчине.

«Да уж, — подумал я, — девчонке совсем негоже, а вот ее матери в самый раз».

Мария негодовала:

— Роберт, что у вас общего? Почему она шляется сюда? Дрянь. Гони ее вон. Ей всего восемнадцать, а уже такое себе позволяет. Восемнадцать. Соплячка. И это моя дочь. Позор.

Я молчал, потому что ничего не имел против Вари. Она, конечно, не подарок: взбалмошная и своевольная, но это касается характера, а возраст у нее чудесный. Во всяком случае, восемнадцать — не самый мой нелюбимый возраст.

— Спрячь меня, — потребовала Мария, вскакивая с пола и запихивая в блузку свою соблазнительную грудь.

Поскольку выбора не было, я сразу предложил кухню.

— Мне все равно, — прошептала она, заглядывая в зеркало и поправляя прическу.

В коридоре подозрительно заскрипел паркет.

— Маша, хватит, — рассердился я и, схватив ее за руку, потащил в кухню.

Каково же было мое изумление, когда, открыв дверь, я обнаружил там Заславского. Он сидел за столом и энергично налегал на французский паштет из гусиной печенки, привезенный мной из командировки для особых случаев.

Дверь я захлопнул с видом человека, увидевшего самого Вельзевула.

— В чем дело? — прошептала Мария, из чего я понял, что мужа она не заметила.

— Я передумал. Тебе будет лучше посидеть в столовой. Вдруг захочу покурить.

— Какая разница, — рассердилась она. — Пойдем в столовую, там привычней.

Закрыв Марию в столовой, я заглянул в кухню и показал Заславскому кулак. Он виновато пожал плечами и пояснил:

— Я не учел, что в столовой пустой холодильник. Пришлось изменить дислокацию.

— Ты хоть предупреждай.

— Как?

— У меня есть мобильный.

— Ах да, — ехидно усмехнулся Заславский. — Но он всегда занят.

— Иди ты к черту, — прошипел я, закрывая дверь и отправляясь встречать Варвару.

Она была при параде: прическа (дыбом), короткая узкая юбка, кожаная жилетка, немыслимого цвета чулки, цепи, татуировка, пирсинг на всех частях тела и даже в носу... Все броское, яркое — папуасы и индейцы отдыхают. Открыв дверь, я шарахнулся, но быстро пришел в себя и спросил:

— Как твои критические дни?

Варвара пришла в восторг:

— Роб! Это круто! Ты настоящий мен! Дай я тебя расцелую!

Она прыгнула на меня и хорошенько облобызала.

— Хватит! Хватит! — взмолился я. — Лучше расскажи, как твой любимый.

Варвара мгновенно оставила меня в покое и помрачнела:

— Ой, Роб, и не спрашивай. Долгий разговор, но я не спешу. Два часа на тебя у меня найдется.

Я испуганно присвистнул, а она пошарила глазами по прихожей и спросила:

— Где тут можно придиваниться?

— В гостиной, будто не знаешь, — ответил я, ломая голову, как бы поскорей от нее избавиться.

Уже несколько лет я воспринимал Варвару, как стихийное бедствие. Дружба с ней, конечно, тонизирует, порой даже пьянит, но чаще грозит жестоким похмельем — если прибегать к образным сравнениям. Больше всего (на этот раз) я боялся, что Варвара снова начнет стаскивать с себя джинсы, точнее юбку, но она придумала похлеще.

— Я с ним встречалась вчера, — падая на диван, сообщила Варвара. — Роб, только прикинь, как клево получилось. Выхожу от тебя, а навстречу он. Хиляет с кентами. Они тут рядом в соседнем баре напостоянку клубятся. Я сразу упала на хвост. Он разозлился, понес такую пургу, но Екмен за меня подписался.

— Екмен? — удивился я. — Это что, матюк у вас новый?

— Роб, перестань, — рассердилась Варвара. — Ты же знаешь, я воспитанная девочка из хорошей семьи, не шыряюсь, колес не глотаю, с кем попало не трахаюсь и не матерюсь. Папик может мною гордиться. Екмен, это кличка. На самом деле он Рома, работает в баре, что за углом. Ты его знаешь.

Я вздохнул с облегчением:

— А-а-а, это Рома-бармен. Хороший парень.

— Да, неплохой, — согласилась Варвара. — Но очень небрежно относится к своим профессиональным обязанностям: стойка — это единственное место, где его невозможно найти. За это и кличку свою получил. Надеюсь, ты в курсе: «бар» — по-турецки «есть», «ек» — «нет». Так вот, он не бармен, а екмен — мужчина, которого никогда нет. Но дело не в этом. Екмен мне открыл, откуда мои проблемы. Оказывается, я трахаться не умею. Роб, ты должен меня научить. Срочно. Прямо сейчас.

Варвара умеет нанести удар — у меня даже в горле пересохло.

— Но у тебя же критические дни, — растерянно промямлил я, нервно оглядываясь сразу на все двери.

— Роб, это не помеха. К тому же все на исходе. Не тяни, Роб, через два часа у меня свидание. К этому времени я должна все классно уметь.

Она вскочила с дивана и бросилась ко мне.

— Нет! — закричал я не своим голосом, прячась за кресло. — Нет, это сумасшествие!

Варвара начала меня уговаривать:

— Роб, прекрати, ты же умный и современный, не то, что мои предки. Они эгоисты, совсем забросили меня. В восемнадцать лет не уметь трахаться позорно. В наше время этому учатся уже в двенадцать. Со своими учителями. Роб, тебе не стыдно за меня?

— Нет, я тобой горжусь.

Она рассердилась:

— Перестань, Роб, меня успокаивать. Я динозавр, это срочно надо исправлять. Роб! Кто-то ведь должен помочь неопытной девушке. Что плохого, если это будешь ты? Я тебе доверяю. Ты мой друг.

Клянусь, говорил с ней не я, говорил мой ужас:

— Варя, ты болтаешь глупости. И прошу, болтай их потише, желательно шепотом. Я твой друг, ты права, а между друзьями сексуальные отношения невозможны.

— Ерунда, — отмахнулась она. — Я со всеми друзьями переспа...

Я не мог этого слышать и тем более не мог позволить услышать это ее родителям, а потом закричал:

— Что-о-о?! Не пугай меня, Варя! Лучше замолчи!

— С какой стати? — удивилась она. — Я состою в сексуальном партнерстве со всеми своими друзьями и у себя в районе, и в университете. Но это ничего не дает. Они знают не больше меня. Роб, это просто счастье, что у меня есть такой взрослый и опытный друг. Клянусь, мне все завидуют.

Я был близок к обмороку. Воспользовавшись моим беспомощным состоянием, Варвара начала резво сдирать с меня костюм. Когда она добралась до брюк, я очнулся, закричал «нет!» и бросился убегать.

— Ну почему нет, Роб, почему нет? — гоняясь за мной, недоумевала она. — Что здесь плохого? Должен же кто-то меня научить. Не обращаться же за этим к родителям, да и чем они помогут? Мать в этом деле курица. Папик, думаю, поднаторел, но вряд ли он захочет хвастать перед дочерью. Остаешься только ты, Роб.

Я метался по гостиной, как сумасшедший, и кричал:

— Нет, Варя, нет! Ты выросла на моих руках, ты описала мне все колени!

— Роб, это в прошлом...

— Ты мне как дочь!

— Роб, это пройдет, это только до первого раза...

— Оставь меня в покое! — взвизгнул я, поражаясь высоте своего голоса. — Я старый! У меня одышка! Я импотент!

— Врешь!

Она исхитрилась и поймала меня. Охваченный ужасом, я вырвался и попытался скрыться в коридоре. Варвара помчалась за мной, приговаривая:

— Роб, секс пойдет нам обоим на пользу: ты тряхнешь стариной, я наберусь опыта. Роб, соглашайся, не прогадаешь.

Я был в панике. «Что делать? Она пользуется своей слабостью. Не руки же ей ломать». Клянусь, я готов уже был обратиться за помощью к ее родителям, но все разрешилось само собой. Варвара снова меня настигла и повела себя очень агрессивно: не успел я моргнуть глазом, как остался без брюк. Виктор и Мария не выдержали одновременно.

— Что здесь происходит? — хором закричали они, выскакивая в коридор. — Варя, на кого ты похожа? Что за дикий прикид?

Я обрадовался и поспешно натянул на себя брюки, а Варвара обмерла и попятилась.

— Папа? Мама? — залепетала она. — Что вы здесь делаете?

— Это ты что здесь делаешь? — грозно вопросил Заславский.

— Наглая дрянь! Распутная девчонка! — добавила Мария.

— Теперь ясно, почему ты завалила сессию! — прозрел Заславский.

— Теперь ясно, что у тебя на уме! — возликовала Мария.

И хором они заорали:

— Вон отсюда! Домой! Немедленно! Под замок! Мерзавка! Негодница!

Надо отдать должное Варваре, она повела себя умно: не стала пререкаться, а мгновенно подчинилась воле родителей, то есть исчезла. Я вздохнул с облегчением, словно с электрического стула слез.

— Уф-ф, — победоносно перевела дух и Мария. — Просто слов нет, — потрясла головой она, — мерзавка, настоящая мерзавка. Ну я ей задам.

И в этот самый миг на глаза ей попался Заславский. Мария словно впервые обнаружила мужа и возмущенно закричала:

— А ты что здесь делаешь? Ты же в командировку собрался!

Заславский побледнел и испуганно забормотал:

— Маша, Машенька, ты забыла, командировку отменили, я на симпозиум спешил...

— И поэтому у Роберта оказался, — перебила его она и, не давая опомниться, приказала: — Говори, что задумал?

Руки ее грозно уперлись в бока, раскосые глаза сузились:

— А-а-а-а! Здесь любовница у тебя? Да? Вы спелись? Ну конечно! Дружки! Ворон ворону глаз не выклюет! Где она? Где?

Мария сделала решительный шаг к спальне. Я и Заславский в панике переглянулись. Еще бы, он подумал, что у меня полная квартира бля... Он подумал, что у меня полная квартира женщин, которых тут же повесят на него. Я же испугался за Кристину. Она не простит мне, если чета Заславских ворвется в кабинет... Я сам этого не хотел: позор сестры — мой позор.

Наш ужас не скрылся от глаз Марии.

— Ага, — обрадовалась она, — я вас раскусила! Я на верном пути!

Торжествуя, она схватилась за дверную ручку, и... раздался нечеловеческий вопль.

И меня, и Заславского, и Марию передернуло, как от электрошока.

— Кто это? — шарахаясь от двери, взвизгнула Мария.

— Это из спальни, — безуспешно пытаясь справиться с тиком, закричал Заславский.

— Это Мархалева! — воскликнул я, и на пороге появилась она, Софья Адамовна.

Уцепившись за дверной косяк побелевшими пальцами, она трясла головой вглубь спальни, ни на секунду не прекращая вопить.

Мария спряталась за ее спиной и, повторяя: «Что там? Что?», пыталась заглянуть в дверной проем. Я и Заславский сначала остолбенели, а потом бросились в комнату. Остановились, огляделись — ничего. Все в норме. Пустая постель...

Мы молча переглянулись. «Почему же так противно вопит эта Мархалева?» — читалось в наших глазах. Я открыл шкаф, тумбочку... Заславский полез под кровать и...

И новым криком огласилась комната.

— Труп снова здесь! — завопил Заславский. — Опять здесь!!!

Я бросился на пол, заглянул под кровать: там лежала покойница Лидия.

Глава 17

Непостижимым образом Лидия снова оказалась в моей спальне. Это было страшно. Мужество покинуло не только меня, но и Заславского. Мы растерянно смотрели друг на друга и бормотали:

— Опять, опять...

— Почему «опять»? — вдруг строго поинтересовалась Мархалева.

На удивление она быстро пришла в себя и уже источала энергию, а не ужас. Заславского ее вопрос отрезвил.

— Роб, кто она? — спросил он, поднимаясь с пола и недружелюбно кивая на Мархалеву.

— Кто я — не вопрос, а вот кто вы, придется еще выяснить, — заявила она, из чего стало ясно, что Заславский ее уязвил.

Думаю, Мархалевой не понравилось, что ее, знаменитость, здесь никто не узнал. Я поспешил внести ясность и, тоже вскакивая с пола, сказал:

— Это Софья Адамовна, известная писательница и подруга Тамары. Она любезно согласилась вести расследование.

Мое сообщение не понравилось никому. Мархалева нахмурилась, Мария закатила глаза, Заславский раздраженно гаркнул:

— Какое еще расследование?

Мархалева подбоченилась и, кивая на меня, пояснила:

— У этого господина, друга моей подруги, масса проблем, львиная доля которых — вы!

И она многозначительно уставилась на чету Заславских. Мария поджала губы и засверкала глазами; в воздухе запахло грозой. Я жаждал всех примирить, но не знал, как это сделать, а потому бездарно молчал. Заславский растерянно посмотрел на меня и спросил:

— Роб, на что она намекает? На что вы намекаете? — раздраженно адресовал он вопрос Мархалевой. — По-вашему, это я затащил труп под кровать?

— Не исключено, — заверила она. — И не такое в жизни бывает.

Заславский взбесился:

— Что?! Как вы можете, не разобравшись, приличных людей обвинять? Вы знаете, кто я?

— Знаю, профессор, — с необъяснимым презрением заявила она.

Заславский уставился на меня:

— Роб, с кем ты связался? Она же дура. Круглая дура. Гони ее. Сейчас же гони.

Я был в панике. Хорошо ему говорить «гони», не в его же спальне труп под кроватью валяется. Сам был бы рад ее гнать, но как это сделать? Теперь она свидетель. Свидетель, не обремененный никакими обязательствами. Ее не связывают со мной, как с Виктором и Марией, годы дружбы. Годы общих радостей и тревог. Она не станет ради меня рисковать своим благополучием и карьерой. Ей плевать на меня...

Если уж на то пошло, безопасней выгнать самого Заславского. И Марию. Уж они на меня не обидятся, а если и обидятся, то не станут вредить. Простят и помогут. Потому что они искренне за меня переживают. Исходя из этого, в создавшейся ситуации вот кого надо гнать.

Но я не стал никого гнать, а, держась за сердце, жалобно промямлил:

— Прошу вас, дорогие мои, не ругайтесь. Этот труп мне кто-то подкинул, он меня доконает. Дважды его вывозил, а он снова у меня в спальне. Еще немного, и я сам лягу рядом.

— Дважды?! — поразился Заславский.

Мария с ядовитым прищуром посмотрела на мужа и спросила:

— Виктор, а ты откуда знаешь про труп?

Заславский затряс головой:

— Не знаю, ничего не знаю!

Мархалева наблюдала за ними с любопытством. Я был рад уже тому, что она молчит.

— Ах, не знаешь, — обманчиво ласково сказала Мария и грозно рявкнула: — Тогда почему ты лепетал «опять-опять»? Что «опять»?

— Ах, это, — встрепенулся Заславский и, зайдя в тупик, беспомощно уставился на меня.

— Расскажи лучше правду, — устало посоветовал я.

И Заславский начал безбожно врать.

— Ученый совет затянулся до полуночи, — с патетикой говорил он. — Шел жаркий спор, плелись интриги. Все было против меня. Я бился, как лев. Ради благополучия нашей семьи. Дело шло к утру, но никто не собирался расходиться.

— К утру? Ты же говорил, что до полуночи, — напомнила Мария.

— Сначала до полуночи, потом к утру. Маша, — рассердился Заславский, — не придирайся. Любишь меня сбивать. Зря стараешься, я кристально честен, меня не собьешь. Так что? — уставился он на меня. — Рассказывать или нет?

— Рассказывай, — утомленно попросил я.

Мархалева и Мария обменялись презрительными взглядами; Заславский продолжил:

— И в такой горячий момент раздался звонок. Это был Роб. Мне сразу не понравился его голос. Он кричал: «Виктор, дружище, приезжай! Кроме тебя меня спасти некому!» Бросив все, я помчался и застал его над трупом незнакомой девицы. Вот, Маша, настоящая правда, — с пафосом обратился он к жене. — Знай, родная моя, я тебя обманул. Впервые в жизни! Я не был на ученом совете, остаток ночи я спасал друга.

Его проникновенная речь оставила Марию равнодушной.

— А почему же ты на ногах не держался? — негодуя, поинтересовалась она.

Заславский едва не задохнулся от возмущения.

— Ну как же, Маша! — закричал он. — Потому что таскал труп! Дорогая, ты когда-нибудь пробовала перевозить труп с одного места на другое? Занятие не простое, требует допинга. Пришлось выпить. Согласен, немного переборщил, но опыта нету. Не каждый день приходится трупы возить. Опять же, не бросишь же друга в беде. Как мне не хотелось, но пришлось пить. Пить до одури.

Мария махнула на него рукой и ласково посмотрела на меня:

— Роберт, это правда?

— В общем, да, — согласился я.

Она изумилась:

— Но что это за труп? И куда вы его возили?

Заславский не дал мне сказать и слова.

— Маша, — встрял он, — Роб сидел дома, работал над теорией, вдруг к нему ворвалась незнакомая девица.

— Как, ворвалась? — ахнула Мария. — Что за девица?

— Проститутка, — успокоил ее Заславский. — Проститутка по вызову.

Здесь уж не умолчала и Мархалева.

— Проститутка по вызову? — изумилась она.

— К Роберту? — присоединилась к ней Мария.

Я не выдержал и возмутился:

— Виктор, лучше замолчи! Сейчас такого наговоришь! Уже наговорил! Не верьте ему, все не так было, — обратился я к женщинам. — Эта девушка перепутала дом и квартиру. Она была пьяна. Я ей все объяснил, и мы расстались, как я тогда думал, навсегда. Но позже выяснилось, что она лежит в моей спальне. Уже мертвая. Я испугался и позвал на помощь Виктора. Он быстро приехал и посоветовал мне избавиться от трупа. Мы погрузили труп в машину и оставили в сквере. После этого Виктор поехал домой.

Мархалева и Мария снова переглянулись, на этот раз беспомощно.

— Но как же так? — пролепетала одна.

— Как такое возможно? — растерянно спросила другая.

Я уныло пожал плечами:

— Сам не знаю. Отвез Виктора и вернулся домой. Спать лег в гостиной. Разбудили меня, Софья Адамовна, вы. Потом пришел Виктор.

— Зачем он пришел? — выстрелила вопросом Мария.

Заславский с жалостью посмотрел на жену:

— А ты как думаешь, Маша? Зачем я пришел? И как бы поступила ты, найди твоя подруга труп в своей спальне? Я пришел поддержать Роба! — прогремел он. — И никак иначе! Я переживал, боялся, чтобы Роб не наложил в...

Сделав оскорбительную для меня паузу, вызвавшую улыбку сразу двух женщин, он продолжил:

— Я боялся, чтобы Роб не наложил на себя руки. Сама знаешь, какой он впечатлительный, я всю ночь не спал, нервничал похлеще его самого.

— И потому храпел пьяным храпом, — зло констатировала Мария, переводя взгляд на Мархалеву: — А вам-то прятаться зачем приспичило?

Та презрительно хмыкнула и отвернулась, демонстрируя нежелание отвечать на вопрос. Я завел свою шарманку:

— Дорогие мои, Софья Адамовна любезно согласилась вести расследование.

— Какое расследование? — опешил Заславский. — Она же не знала про труп.

— Зато про кое-что другое знала, — торжествуя, сообщила Мархалева, ставя Заславского в тупик.

— Роб, дружище, — закричал он, — что еще случилось с тобой?

— Не говорите! — приказала Мархалева.

— Не командуйте! — возмутилась Мария.

Я растерялся, не зная, как поступить. Очевидно, выглядел я плачевно, потому что Мархалева сжалилась и сама пояснила:

— Вашему Роберту кто-то звонит и угрожает.

Заславский побледнел, а Мария рассмеялась:

— И поэтому вы, милочка, полезли под кровать, когда я пригрозила, что войду в спальню? Если вы порядочная женщина, то к чему эти прятки? Или вы прячетесь по привычке? Ха-ха, представляю, что вы за штучка!

— Ха-ха! — закричала Мархалева, окатывая Марию презрением. — Это не вы ха-ха, это я ха-ха! Уж чья бы мычала... Осуждение из ваших уст звучит как особое извращение.

Мне сразу стало ясно, что паркет в коридоре скрипел не зря: знаменитость подслушивала и в курсе, что происходило между мной и Марией в прихожей.

— Дорогие мои, — поспешил вмешаться я, — умоляю вас, не время ссориться. Под кроватью лежит несчастная девушка.

— Вы что, — грубо прервала меня Мархалева, — предлагаете нам ее хоронить, вашу проститутку?

— Почему мою? — взвился я. — Почему мою? Софья Адамовна! В конце концов, это возмутительно! Здесь никто не виноват. Мы не преступники. Как вы себя ведете?

— Как? — поинтересовалась она ледяным тоном.

— Вы всех оплевали.

— Я?! — она нервно хихикнула. — Ну, спасибо. Тогда вы хам. Меня, как хотят, оскорбляют в вашем доме, а вы ни гугу. И ухом не ведете. Вы не мужчина, а сопля. Размазня! Мямля! Рохля! Тюфяк! Недотепа!

Столько оскорблений в секунду мне не наносила даже моя мать. Оставалось только удивляться, как быстро эта Мархалева привела меня в бешенство.

— Да вы!.. — прогремел я, не находя нужных слов. — Да что вы себе позволяете? Нет! Это... Ха! Ну надо же! Вы, конечно, подруга Тамары, и я вас уважаю, но вынужден вам сказать: поведение ваше возмутительно. Нельзя же так...

Мария ликовала, а вот Заславский нет. Он бочком приблизился ко мне и лихорадочно зашептал на ухо:

— Роб, остановись, не сходи с ума, с ней лучше не ругаться.

— Сам знаю, — ответил я, — но уже поздно.

— Нет, не поздно.

Заславский подошел к Мархалевой, поцеловал ее руку и любезно осведомился:

— Уважаемая Софья Адамовна, мы покинем вас на минуту, вы позволите?

Она хмыкнула и презрительно повела плечом, не удостаивая его ответом.

— Спасибо, — униженно поклонился ей Заславский и потащил меня в столовую.

— Ты что, с ума сошел? — крикнула ему вслед Мария. — Нашел перед кем шапку ломать.

Заславский прожег жену взглядом и, закрыв дверь столовой, с чувством обратился ко мне:

— Роб, что ты делаешь? Сейчас же с ней помирись.

— Уже поздно, — пробормотал я.

— Роб, не поздно, с женщинами никогда не поздно. Я уведу Марию, а ты попробуй с ней договориться. Если не получится, привлеки Данькину Тамару. Тамара может все, Даня умеет жен выбирать. Постарайся инцидент замять по-любому: хоть на коленях перед ней ползай, но заставь о трупе молчать.

Он в отчаянии взмахнул руками:

— Нет, ну надо же так лохануться, пригласить для расследования писательницу! Завтра о твоей жизни будет знать вся страна. Только ты, Роб, мог придумать такое.

— Я?!

Почему-то захотелось оправдаться:

— Это Тамара, Виктор, это не я.

— Все, Роб, — отмахнулся Заславский. — Мы с Марией уходим, а ты за дело. Отбрось свою гордость, не брезгуй ничем, на карту поставлена не просто твоя жизнь — карьера. Научная карьера!

Для убедительности Заславский потряс меня за плечи:

— Роб, о трупе никто не должен знать. Представляешь, какая пойдет пертурбация?

Лучше бы я не представлял. Сразу пот градом покатился по лбу и щекам. Заславский с сочувствием глянул на меня и подбодрил:

— Не падай духом, Роб, бабы — народ добрый. К ним нужен подход. Я знаю, ты сможешь. И держи меня в курсе, мобила при мне. Как только уломаешь эту писательшу, сразу звони. Приеду, помогу избавиться от трупа.

Выдав напутствия, Заславский вышел в коридор, приветливо, как ни в чем не бывало, глянул на Мархалеву и воскликнул:

— Софья Адамовна, очень приятно было с вами познакомиться! Жаль, что при таких нервных обстоятельствах, но, думаю, все поправимо. И я, и Машенька зачитываемся вашими романами.

Поклонившись Мархалевой, он обратился к потерявшей дар речи жене:

— Дорогая, нам пора.

Пока Мария гадала, в своем ли уме ее муж, Заславский схватил ее под локоть и вывел из квартиры. Мархалева проводила их насмешливым взглядом и, как только дверь захлопнулась, хмыкнула:

— Хм, артист. Думает, что умней меня. Поражаюсь, что есть еще на свете такие чудаки.

Она пристально на меня посмотрела и прошептала:

— Они страшные люди. Оба.

Понимая, что рискую, я не мог не вступиться за друзей и с жаром оказал:

— Софья Адамовна, вы их слишком мало знаете, для таких заключений. Согласен, Мария, да и Виктор — они оба не проявили к вам должного уважения, но учтите неординарность ситуации. Наше счастье, что Мария не заглянула под кровать.

— И что было бы? — скептически поинтересовалась Мархалева.

— Она тут же упала бы в обморок. Машенька очень чувствительна.

— Не смешите меня, вы совсем не разбираетесь в людях. Семейка ужасна. Нашли с кем дружить. Так нагло лезть на мужика, я чуть со стыда не сгорела.

Думая, что речь о Варе, я бросился на ее защиту, но Мархалева меня остановила:

— Роберт, прекратите. Девчонка прелесть. Даже удивительно, что такое чудо уродилось у столь неприятных субъектов. Сохранить неопытность в сексе в восемнадцать лет? Это что-то! Я потрясена. Жаль, вы ее не научили. Или вам нечего передавать? — Мархалева изучающе посмотрела на меня и, подмигивая, спросила: — Неужели не обзавелись опытом?

Как это ни глупо, я покраснел.

— Ну-ну, — успокоила меня Мархалева. — Я пошутила. И простите меня, действительно, не самым лучшим образом себя вела. Но эти ваши друзья... Они кого хотите из себя выведут. Взять хотя бы Марию...

Я поспешил развеять ее плохие впечатления:

— Вы неправильно поняли, Машенька порядочная женщина.

— Конечно, — согласилась Мархалева, — она порядочная, раз предложила вам себя через двадцать лет дружбы. Распутная сделала бы это сразу. Кстати, Заславский действительно на вас похож. Выглядите вы моложе, но в остальном потрясающее сходство: и голоса, и жесты, даже прически.

Просто удивительно, что эта Мария вас ни разу не перепутала. Или я не права?

Она снова пристально на меня посмотрела, и я снова, как дурак, покраснел.

— Ладно, не будем о грустном, — вздохнула Мархалева. — Давайте лучше поговорим о трупе. Не советую ничего скрывать.

Она уверенно прошла в гостиную и уселась на диван. Я поплелся за ней и устроился в кресле.

— Покойников очень боюсь, — призналась Мархалева, — поэтому не тяните. Чем раньше узнаю все, тем быстрей приму правильное решение. Негоже девушке под кроватью лежать. Надо бы придать земле ее грешное тело. Слушаю вас.

— Простите, один момент, — сказал я, поднимаясь из кресла и выбегая в коридор.

Быстро набрав номер Заславского, я прошептал:

— Виктор, она требует правду. Рассказывать ей про яд?

— Ни в коем случае, — рассердился Заславский. — Если только ты не сошел с ума. В противном случае, придерживайся озвученной версии.

— Но она потрясающе проницательна. Если почувствует ложь, боюсь, нам несдобровать. Виктор, ты же знаешь, я не умею врать, думаю, надо довериться. Она же подруга Тамары...

— Черт с ней, выкладывай все как было. В конце концов, ты действительно никого не убивал, так зачем скрывать?

— Незачем, — согласился я и вернулся к Мархалевой.

Глава 18

Мой рассказ Мархалева слушала очень внимательно, не перебивая. Когда я закончил, спросила:

— Почему вы решили, что Лидия умерла не по вашей вине?

Меня словно обухом по голове хватили:

— А вы разве не так считаете? Матушка деньги назад получила, следовательно, ее обманули: во флаконе был не яд.

— Не знаю, — пожала плечами она, — речь не о флаконе. Речь о противоядии, наспех изобретенном вами. Судите сами: там могло быть бог знает что. Вы же намешали, о последствиях не задумываясь.

Я обмер: она права. Как любой здоровый человек, я в лекарствах не разбираюсь, а Светлана натащила в мой холодильник уйму лекарств. Как выяснилось, содержимое не соответствует упаковкам. И я бессовестно напоил всем этими Лидию. С чего же я взял, что эта бедная девушка умерла не по моей вине? Господи! Да я убийца!

Не умею прятать свои мысли. Все они мгновенно отражаются на моем лице — так уж устроен.

— Не казните себя, — сжалившись, успокоила меня Мархалева. — Вы действительно здесь ни при чем.

— Нет-нет, вы добрая женщина, а вот я убийца! Убийца! — вскакивая, закричал я.

Она усмехнулась:

— Вы слишком впечатлительны. Даже с первого взгляда могу сказать, что Лидию убили не вы. Ее труп под кроватью тому доказательство. Если она ваша жертва, тогда почему кто-то настойчиво возвращает ее тело? Уже в третий раз. Что из этого следует?

— Что? — с замиранием сердца спросил я.

— Только то, что кто-то хочет повесить на вас убийство этой несчастной проститутки. Лидия всем раструбила про яд, вот злоумышленник ситуацией и воспользовался. Судя по всему, она кому-то сильно мешала.

Мне бы радоваться, но я возмутился:

— Тогда зачем вы меня запугивали? Зачем говорили, что я ее отравил?

— Затем, чтобы вы не считали меня дурой, как ваши друзья! — демонстрируя превосходство, воскликнула Мархалева. — Знаю я этот научный мир. Бездна апломба и мизер соображения. Вы потому носитесь со своей логикой, что не знаете моей.

От наглости такой я потерял дар речи. Пользуясь этим, она продолжила:

— Кстати, раз уж коснулись моей логики, возможен и другой вариант. Менее для вас приятный. Кто-то желает лично вам подложить свинью. В таком случае Лидия случайная жертва. Ее убили, узнав про яд. Кто-то жаждет посадить вас за решетку. Уверена, это Заславский. И его Мария.

Терпение покинуло меня.

— Софья Адамовна, — завопил я, — нельзя же так незатейливо сводить с людьми счеты. Заславские обидели вас, согласен, но, если так грубо вешать на них всех собак, мы никогда до истины не докопаемся.

Слава богу, разум не окончательно покинул Мархалеву: она согласилась:

— Вы правы.

— К тому же, я точно знаю, где был Заславский. И с кем. До самого его прихода ко мне. Что касается Марии, она и мухи убить не способна. Она не подозревала о существовании Лидии. Я сам не подозревал. Уважаю вашу логику, но, может, у вас есть другие варианты?

Мархалева задумалась. Пользуясь случаем, я отдыхал.

— Знаете что, — наконец прервала она молчание, — расскажите мне все в деталях. Подробно опишите весь вчерашний день, минуту за минутой.

Я вынужден был приступить к рассказу и сам не заметил, как Мархалева вытянула из меня всю правду. Она узнала даже про Кристину, Делю и Светлану.

— Вот где собака зарыта! — воскликнула она, едва я упомянул сестру. — Сейчас же едем к Максу, этому подлому мужу. Чует мое сердце, все мужья подлецы!

Я обомлел:

— А Лидия?

Мархалева меня успокоила:

— Девушку мы не бросим, ее надо срочно похоронить. Грузите ее в машину...

— Как — грузите? — испугался я.

— Так же, как уже дважды грузили.

— День на дворе.

— Да?

«Заславский прав, — в отчаянии подумал я, — с кем я связался? Она же дура!»

Мархалева тем временем вскочила с дивана и помчалась в спальню.

— Пора бы ее вытащить, — сказала она, заглядывая под кровать.

Я вытащил Лидию, и Мархалева ахнула:

— Ее действительно отравили. Видите, характерные пятна?

Пятна были.

— Вот что, — скомандовала она, — заверните ее в какие-нибудь тряпки и уносите скорей. Несите прямо в мою машину, она стоит у подъезда.

«Может, и хорошо, что она дура?» — подумал я о Мархалевой, укладывая обмотанную шторами Лидию на заднее сиденье ее автомобиля.

Мархалева села за руль и на приличной скорости выехала со двора.

— Знаю одно местечко, — подбодрила она меня, — где можно среди бела дня бедняжку сгрузить. Ни одна собака не увидит.

И она направила свой «Мерседес» в самый центр Москвы. Пока я пытался совладать с ужасом, она зарулила во двор какого-то дома и скомандовала:

— Видите лавочку? Кладите сверток туда.

— Как? Прямо так и класть?

— А почему нет? Двор пуст.

— А окна?

— Выгружайте быстрей! — прикрикнула она. — Что нам окна? Действуйте смелей! Смелого пуля боится, смелого штык не берет. Или вы хотите, чтобы запомнили номер моей машины?

Меня словно плеткой хлестнули: я выскочил из машины и водрузил Лидию на лавку.

— А теперь поехали, — скомандовала Мархалева и зарулила в соседний двор.

От того двора, где мы оставили Лидию, он был отгорожен кустами и решеткой. Мархалева сразу полезла на ту решетку и удовлетворенно мне сообщила:

— Нормально, так я и думала, свертком никто не заинтересовался, следовательно, и нас не видели. Можно звонить.

Пока я переваривал полученную информацию, она достала мобильный, быстро набрала какой-то номер и сказала:

— Милиция? Мы нашли труп.

Назвав точный адрес, она посоветовала не тянуть резину и пожелала удачи.

— Дело сделано, — победоносно глядя на меня, сказала она. — Поехали менять замок в вашей квартире, а потом сразу к Максу.

Пока я менял замок, она топталась рядом, энергично мешала и учила меня жизни. Разумеется, работа не заладилась: замок я врезал косо. Он то не закрывался, то не открывался. Пришлось повозиться.

Наконец подогнав его точно, я сразу отправился в спальню и дотошно проверил все углы. Успокоился только тогда, когда не нашел там трупа.

— Порядок, — констатировала Мархалева, — можно отправляться к мужу вашей сестры.

— Нет уж, — сказал я, — сначала пойду к самой сестре и ее успокою.

— Как знаете, — поджимая губы, ответила Мархалева.

Я отправился в кабинет. Кристина, измотанная лекарствами и бессонной ночью, еще спала. Разбудив ее, я сказал:

— Кристя, еду к Максу.

Она испуганно схватила меня за руку:

— Роби, не надо!

— Надо, малыш, надо. Должен же я знать, что он задумал. Не век же тебе у меня жить.

В глазах ее появились слезы:

— Роби, ты гонишь меня?

— Ни в коем случае, всего лишь думаю о твоем будущем. Поспи еще, если сможешь, а потом позавтракай. Ты не ела почти сутки. И прошу тебя, не отвечай на звонки. Надо же, какая ты бледная, — ужаснулся я. — Выйди хоть на балкон, подыши воздухом, очень тебя прошу. Ну, все, малыш, не скучай, скоро буду. И смотри, не вздумай заниматься глупостями.

Я пристально посмотрел на сестру. Кристина была измотана: побледнела, постарела, не женщина, а ходячее страдание. Впрочем, уже и не ходячее. Сочувственно чмокнув ее в макушку, я отправился к Мархалевой.

— Надеюсь, теперь-то вы освободились?

— Да, — уныло ответил я.

— Тогда вперед! — скомандовала она, и началось.

Первой позвонила мать и, прощая меня, сообщила «радостную» весть:

— Роби, Жанна нашла тебе богатую невесту.

— Мама, мне не до этого, — рассердился я.

— Роби, не дури. С твоим гонором ты никогда не добьешься того, чего добилась Кристина.

— И слава богу! — закричал я, ставя на этом точку.

Но телефон не умолкал: второй позвонила Тамара.

— Роберт, как тебе моя Сонька? — игриво спросила она.

Я испуганно посмотрел на Мархалеву и прошептал в трубку:

— В каком смысле?

Тамара хихикнула:

— В самом прямом, как женщина. Понравилась тебе она или нет?

Я замялся:

— Ну-у, не знаю, в ней что-то есть, но...

— Никаких но, — отрезала Тамара, — советую к ней присмотреться. Кстати, она свободна, недавно с мужем развелась. А какая красавица! Знай, Роберт, такие бабы на дороге не валяются...

— Только потому, что сами там не улежат. У них же в заднице шило, — теряя терпение, рявкнул я и, извинившись перед Мархалевой, вышел в другую комнату.

Там уже прямо сказал Тамаре:

— А нельзя ли мне как-нибудь отказаться от ее услуг? Или ты меня к ней приговорила?

— Роберт, не дури, она тебе нужна. Сонька выведет всех на чистую воду.

— Уже вывела, — вздохнул я, вспоминая, сколько ей наболтал сегодня.

— Вот и прекрасно, — обрадовалась Тамара.

— Прекрасно? Но она же сумасшедшая. Зачем ей все это нужно? У нее нет своих проблем? Да-да, я понял, таким образом она хочет доказать, что умнее всех.

— Может, и так, но для тебя она настоящий подарок. Денег-то она не берет. Не капризничай, Роберт.

Поскольку Тамара никогда не меняла своего мнения, сошлись на том, что время покажет. Она осталась при уверенности меня на Мархалевой женить, а я остался при надежде избавиться от этого хаоса в юбке в ближайшие часы.

Едва мы прекратили разговор, как телефон зазвонил снова. На этот раз был старый знакомец — голос с блатнецой. Давненько его не слышал.

— Ну че, козел, попал? — протянул он и, пóшло заржав, отключился.

И тут же раздался новый звонок. Нервы мои не выдержали.

— Да! Я попал! Попал! Радуйся, скотина! — закричал я и жестоко ошибся.

Звонили из агентства по поводу билетов на автобус. Грозились доставить их через два часа. Отменив заказ, я опасливо подержал мобильный в руках, но, не услышав звонка, с облегчением отправил его в карман пиджака. Повернулся к двери и обмер: на пороге стояла Мархалева.

— Видите, как я занят? — с укором сказал я.

— Я тоже не гуляю, — ответила она и строго спросила: — Откуда был последний звонок?

Из чего я сделал заключение, что все предыдущие звонки вопросов у нее не вызвали.

— Из агентства, — ответил я и пояснил: — Сегодня я собирался ехать в деревню...

— Знаю-знаю, — перебила она. — Из-за тоски и скуки. Но веселей живут только в аду. Нет, я верю, что так было не всегда, странно другое. Как вы, попав в переделку, умудряетесь не ценить меня? Ха, он хочет от меня избавиться!

Я был потрясен:

— Вы что, подслушивали?

— А как же? — воскликнула Мархалева. — Без этого я ни шагу. Не этим ли занимаются все соответствующие службы?

Я вынужден был признать, что этим. Она вдохновенно продолжила:

— Тогда не ерепеньтесь. Впрочем, если хотите, извольте. Я не набиваюсь.

Раздался звонок; от неожиданности я вздрогнул — нервы, видите ли, уже не те.

— Это мой мобильный, — ядовито пояснила Мархалева, доставая из кармана трубку.

Минут десять я слушал ее «да-да» и «нет-нет», после чего она отправила трубку в карман и важно сказала:

— Видите, как я занята.

— Тоже не гуляю, — ответил я.

И, словно в подтверждение моих слов, зазвонил и мой мобильный.

— Роби, — радостно закричала мать. — Только что она согласилась! Согласилась с тобой встретиться!

Я насторожился:

— Кто «она»?

— Невеста, которую разыскала тебе Жанна. Скажи, Роби, сейчас же скажи, что и ты согласен.

— Согласен! — в отчаянии крикнул я только за тем, чтобы поскорей прекратить этот бессмысленный разговор.

— Умница, — похвалила меня мать. — Точное время вашего свидания сообщу позже.

— Видите, как я занят, — с важностью сказал я, укладывая трубку в карман.

— Я тоже не гуляю, — огрызнулась Мархалева и... конечно же, полезла в свой карман за своим мобильным, потому что он зазвонил.

Еще раз выслушав ее «да-да» и «нет-нет», я спросил:

— Раз вы так заняты, может, не стоит тратить ваше драгоценное время на меня?

— Может, и не стоит, только после не пожалейте.

Мархалева сделала вид, что собирается уходить. Я испугался и как последний дурак начал ее уговаривать, заверяя, что она неправильно поняла, что я в восторге от ее аналитического ума и прочее и прочее. Выбора у меня не было. Она слишком много знала.

«Пусть упражняется в своей логике, — подумал я, — чем бы дитя ни тешилось, лишь бы не плакало. Жаль потраченного времени, и сколько она еще отнимет, но отпускать эту гранату с выдернутой чекой страшно. Придется Мархалевой подчиниться».

Глава 19

Время летело незаметно, дело шло к полудню. Мархалева на своей машине повезла меня к Максиму, неверному мужу Кристины. Я втайне надеялся, что в такое время его не окажется дома, но мне не повезло. Максим был дома и не один. С ним была смазливая девица, которую он представил как свою жену. Я оторопел:

— А кто же, по-твоему, Кристина?

— Кристина в прошлом, — с нагловатой улыбочкой сообщил Максим.

Я был потрясен:

— В прошлом? Но вы же еще не развелись!

— Это вопрос технический, — заверил он меня.

Мархалева (а она стояла рядом и с интересом рассматривала и Макса и девицу) спросила:

— Вы хоть содержание ей положите? Или бедняжка уйдет, как это принято у богатых, в одних трусах?

Максиму вопрос не понравился. Он недружелюбно глянул на Мархалеву и спросил у меня:

— Кто она?

— Известная писательница, — пояснил я.

Он рассердился:

— Роберт, зачем ты привел ее ко мне?

Не успел я и рта раскрыть, как Мархалева за меня ответила:

— Брать интервью. Я пишу книгу о разводах. По статистике, меньше всего при разделе имущества получают жены «новых русских». Мне интересно, как будет у вас. Голову на отсечение даю, у Кристины нет собственности. Вашими стараниями все зарегистрировано на вас.

Максим смутился и, к моему изумлению, начал оправдываться:

— Да нет, я готов ей дать денег и оставлю квартиру. Пусть выбирает любую. Я не изверг. Понимаю, она вам наговорила про меня, но дело не в том, что я лишнее себе позволяю. Я не кобель, просто хочу сына, разве это преступление? Кристина не может родить.

Девица расплылась в улыбке и сообщила:

— Зато могу я. Я беременна.

— Все ясно, — сказала Мархалева. — Теперь вижу, что вы порядочный человек и попадаете в другой раздел статистики. Тем вы еще ценнее для моей книги, порядочность в вашей среде редкость. Могу я как-нибудь встретиться с вами и с вашей новой женой?

— Зачем? — насторожился Максим.

Мархалева обласкала его взглядом и пояснила:

— Просто поговорить. Вы мне очень симпатичны, я много времени не отниму.

— Макс, будь проще, — призвала девица и сунула Мархалевой визитку.

— Спасибо, — любезно улыбнулась та, — созвонимся.

Подхватив меня под руку, она вышла из дома Кристины. Да-да, дома Кристины. Что бы Макс не говорил, но это и ее дом. Я был взбешен. Кристина права, он мерзавец. Так не поступают с близкими людьми. Она отдала ему лучшие свои годы...

— Знаете, он дурак, — вплелась в мои мысли Мархалева. — Его, как мальчишку, обвели вокруг пальца. Вот только кто? Кто?

— Кто? — удивился я. — Да эта девица и обвела.

— Оно-то так, но кому это нужно? Впрочем, скоро я получу ответ на свой вопрос. Едем! — вдохновляясь, воскликнула она.

Я уныло поинтересовался:

— Куда?

— В ресторан, где вы подцепили Лидию.

— Хорошо, но прежде я должен сделать одно дело. Если вас не затруднит, притормозите возле цветочного магазина. Желательно поближе к моему дому, все равно мы едем в том направлении.

— Нет ничего проще, — согласилась она. — Возможно, это вас удивит, но окна вашей спальни как раз выходят на цветочный магазин. Он прекрасно виден с вашего балкона.

— А вы и на балконе успели побывать? — ядовито заметил я. — Впрочем, что за вопрос. ЦРУ, ФСБ рядом с вами просто отдыхают.

— Спасибо, мне тоже так кажется, — согласилась она.

Я затеял секретное дело, но в цветочном магазинчике Мархалева не отходила от меня ни на шаг. Пришлось разговаривать с продавщицей в ее присутствии.

— У меня к вам важный заказ, — заговорщицки прошептал я, протягивая купюру солидного достоинства. — Необходимо ежедневно доставлять по самому красивому букету несчастной, обманутой женщине. Адрес я вам дам. Желательно вкладывать в цветы записочки с нежным содержанием. Это возможно?

— Конечно, — кивнула продавщица, — но хотелось бы знать поконкретней содержание записочек.

Я замялся: если бы сам знал, что уместно в Кристинином случае.

— Очень обяжете, — обратился я к продавщице, — если текст придумаете сами. Мою сестру подло бросил муж. Ей тридцать пять, она еще молода и симпатична, но страшно разочарована. Мне хотелось бы создать у нее иллюзию, что не все потеряно, что она еще может нравиться мужчинам. Понимаете? Якобы неизвестный поклонник...

— Понимаю, — кивнула продавщица, — создадим. Поручу это своему брату, он мастер в таких делах. Он же и букеты разносит.

— Очень хорошо. Заранее благодарен, — обрадовался я. — Но почерк всегда должен быть одинаковым.

— Разумеется. Все будет на высшем уровне, — улыбнулась продавщица.

— Спасибо. — Я вытащил еще купюру и попросил отдельный букет для Мархалевой.

— Ах, это мне! — обрадовалась она. — Вы удивительный мужчина. Такая забота о сестре в наше время большая редкость.

— Да, я идеал. Уже в курсе, поэтому не стоит заострять внимание на мне. Лучше займемся делами.

— Займемся, — согласилась она.

Мы отправились в ресторан. Мархалева сразу прошла к администратору и спросила:

— Надеюсь, Лидию вы знали?

— Что значит — знал? — удивился тот.

— А то, — заявила Мархалева, — что она умерла. Мне только что доверенные лица сообщили.

Администратор заохал, я же был близок к апоплексическому удару. До сих пор удивляюсь, как с собой совладал: страшно хотелось поколотить эту чокнутую Мархалеву. Она же, пользуясь растерянностью администратора, быстро выпытала телефон Вована и лучшей подруги Лидии. Когда мы покидали ресторан, администратор куда-то торопливо звонил.

— Еще одно дело сделано, — потирая руки, сообщила Мархалева и бодро повернула ключ в замке зажигания. — Теперь едем к вашей бывшей жене.

— Э-э, нет, — запротестовал я. — К жене не получится, я не знаю, где она проживает. По этому вопросу вам придется обращаться к Заславскому.

— К Заславскому? — Она поморщилась. — А не могли бы вы у него узнать координаты вашей Дели?

Я замахал руками.

— Ну пожалуйста, — взмолилась Мархалева. — Если дадите ее координаты, обещаю сегодня от вас отстать.

Ее обещание меня вдохновило.

— Хорошо, попробую, — проворчал я, набирая номер Заславского.

Узнав, по какому вопросу я звоню, он насторожился и нервно спросил:

— А зачем тебе Деля?

— Не мне. С ней хочет встретиться Мархалева, — пояснил я.

— Роб, ты сошел с ума! Зачем Мархалевой встречаться с Делей? Представляешь, что эта дура ей наговорит? Нет, Роб, не делай этого.

— Хорошо, не буду, — согласился я.

— И правильно, — непонятно чему радуясь, поддержала меня Мархалева. — Делю мы и без него найдем. Так, что у нас дальше?

Она насмешливо на меня посмотрела и сказала:

— Глупо интересоваться у вас, но все же спрошу: номер Светланы своей не дадите?

— Нет, только не это! — взревел я. — Светлана здесь ни при чем. Вам с ней видеться необязательно.

— Не беда, — усмехнулась Мархалева, — Светлану мне даст Тамара. Все, Роберт, выходите.

Я растерялся:

— Как выходить?

— Очень просто, выходите из моей машины. Вы свободны, не об этом ли вы мечтали?

— Как? Так сразу?

Я не верил своему счастью.

— Да-да, так сразу, — подтвердила она. — И мой вам совет: отправляйтесь поскорей в деревню. Прямо сегодня.

— Сегодня уже не получится. От билета я отказался.

— Ничего страшного, водитель Тамары вас отвезет. Если хотите, сама ее напрягу, для чего еще нужны нам друзья? — Мархалева лукаво подмигнула.

Такой потребительский подход мне не понравился, но дебатировать я не стал. Лишь буркнул:

— Не надо напрягать Тамару, справлюсь сам.

— До свидания, — помахала мне рукой Мархалева. — Где бы вы ни были, я вас найду. Встретимся, когда раскрою преступление.

Не знаю, может, права моя мать, может, я и в самом деле еще мальчишка, но мне захотелось от радости прыгать и кричать: «Это преступление она никогда не раскроет!»

Из чего следовало, что мы и не встретимся никогда.

* * *

Вернувшись домой, я снова обыскал квартиру, начиная со спальни. Отсутствие трупа и радовало и пугало. «Чем-то все это закончится?» — подумал я, направляясь в кабинет к Кристине. Мое желание умолчать о намерениях ее мужа и о присутствии в их доме новой жены, думаю, вполне объяснимо. «Будь что будет, — решил я, — но от меня о дерзости Макса Кристя никогда не узнает».

К моему удивлению, она была причесана и одета. В задумчивости сидела на диване, сложив на коленях руки, словно прилежная ученица. Увидев меня, встрепенулась:

— Ты видел Макса?

Пришлось врать:

— Нет, я его не застал.

Кристина почему-то обрадовалась:

— Роби, как хорошо, что ты пришел. Представляешь, не могла уйти, оказывается, ты поменял замок. Как он открывается?

Я пожал плечами:

— Временами никак, я сам его ставил. Но куда ты собралась?

— Домой.

— Ни в коем случае, — запротестовал я. — Что за непостоянство? То ты уходишь навсегда, то домой тебе срочно надо!

— Роби, не ругайся, — мягко попросила Кристина. — Не хочу тебя обременять. Вижу, я тебе в тягость. Даже не подозревала, что твоя жизнь столь насыщена событиями и гостями. Нет, я не упрекаю, но вчера мне было так больно, а ты и часа для меня не нашел.

— Мы же всю ночь болтали, — изумился я неблагодарности сестры.

— Да, болтали, час или два, — грустно согласилась она, — но перед этим я весь день просидела в твоем кабинете одна, даже в туалет не могла зайти. Я сходила с ума, мне было так больно, а ты принимал гостей. Одного за другим, одного за другим.

Она права — мне стало стыдно:

— Кристя, прости, я не виноват. Клянусь, больше такого не повторится. Я все время буду с тобой.

Я втайне мечтал забрать ее с собою в деревню.

Она отмахнулась:

— Ах, Роби, дело не в этом. Мне надо срочно бежать домой. Сама знаю, что некрасиво получается, но, кажется, я сделала глупость. Не надо было уходить.

«Конечно, не надо», — подумал я и напомнил:

— Но у Макса любовница, ты говорила сама.

— Да, это так, но это не повод для скандала.

Я был потрясен: «Что же тогда повод?»

— Многие женщины мирятся с изменами мужей, — не замечая моей реакции, продолжила Кристина. — Надо было, стиснув зубы, убеждать Макса, что все хорошо, что мы счастливы, что у нас прекрасная дружная семья. Он был не против. И много ли от меня требовалось? Всего лишь не замечать его частых командировок, его опозданий. Была бы я душкой, не пилила бы его, почаще хвалила бы, старалась бы угодить, он и продолжал бы любить и меня. Ах, я сама все испортила! — заламывая руки, закричала Кристина. — Мужчины трусы, они ничего не хотят менять...

— Но от той женщины у него будет ребенок, не ты ли мне об этом говорила?

Кристина рассердилась:

— Да, говорила, ну и что из того? Там — ребенок, здесь — жена, в чем проблема? Материально Макс потянет, в обиде никто не останется. Я сделала глупость, Роби, страшную глупость. Не знаю, что на меня нашло. Ревность, боль, обида — плохие советчики. Я сама все поломала. Надо срочно бежать исправлять. Роби, может, еще не поздно?

Она с надеждой посмотрела на меня, ища поддержки. Я взбесился:

— Черт знает что такое! Живете, как скоты! Никакой морали! Только деньги вам подавай! А если он завтра положит свою зазнобу на твою кровать, что будешь делать? Отвернешься? Скажешь: «Трахайся на здоровье, мой дорогой! Какой ты у меня умница, а я кофе пойду вам сварю». — Я презрительно сплюнул и закричал: — Кристина! Очнись! Совсем тебя не узнаю! Нельзя же становиться рабой из-за денег! У тебя есть достоинство! Ты человек!

Она закрыла лицо руками и разрыдалась, обиженно приговаривая:

— Ах, Роби, ты ничего не понимаешь...

Я действительно ничего не понимал, я сатанел от злобы и унижения. Эта несчастная глупая женщина, моя сестра, готова ползать на коленях перед подлым безнравственным типом. Перед денежным мешком.

Не-ве-ро-ятно!

Мириться с этим я никак не мог, я взывал:

— Опомнись, Кристина! Где твоя женская гордость? И эти унижения, они ради чего? Ради вилл, автомобилей, коктелей и шмоток? Разве без этого ты не человек? Разве без этого ты хуже?

Она прятала глаза, всхлипывала и по-прежнему бормотала:

— Ах, Роби, ты ничего не понимаешь...

— Да, не понимаю, — согласился я. — Как брат, я тебя не понимаю. Наши предки — достойные люди. Никто не унижался из нашей семьи. Это немыслимо. Позор! И ради чего? Не так уж плохи твои дела. Будешь жить в этой квартире.

— Ее тебе оставил дед, — обиженно пискнула Кристина.

— Какая разница, здесь всем места хватит. Будешь работать, ты же искусствовед...

— Ах, Роби, — рассердилась она, — я же ничего не умею делать. Мое образование — это всего лишь диплом. Я давно все забыла, да и не нужно это сейчас никому. К тому же платят музейным работникам крохи.

— То, что крохи — ерунда. Главное — заниматься делом, чтобы глупостей избежать. Шмотки-тусовки — это все от безделья, лени и внутренней пустоты. А на кусок хлеба твой брат заработает. Даже с маслом. Даже с икрой, раз уж ты без этого не можешь. Ты забыла? У тебя есть старший брат. Я не миллионер, но зарабатываю хорошо: и сестрицу, и матушку прокормлю.

— Ах, Роби! — Кристина растроганно на меня посмотрела. — Роби, мой милый, мой родной, мой самый лучший, ты ничего не понимаешь. Я люблю своего мужа. Я Макса люблю и ничего не могу с этим поделать. Да, я раба его. Его раба. Так выходит. Но без него меня нет совсем. Вместо меня пустота. Разве это лучше?

Она меня убила. Никогда я не думал, что моя Кристина любит Максима, этого глупца и колченого урода. Она — умница, красавица... Черт возьми, в конце концов, она моя сестра! А кто он?

— Кристя, — изумленно прошептал я, — что ты в нем нашла?

Она пожала плечами:

— Роби, не знаю, но без него мне жизнь не мила. Не мучай меня, умоляю.

— Зачем же ты тогда из дома ушла?

Кристина вскочила с дивана и плачущим голосом сообщила:

— Роби, это женская хитрость такая. Мужчина, как крокодил, только движущиеся предметы замечает. Я убегаю, он бросается догонять, но в этот раз не сработало. Виновата сама, ошиблась, силы свои переоценила. Нельзя было устраивать Максу скандал, он только того и ждал. Надо было делать вид, что я ни о чем не подозреваю. Он всю жизнь от меня скрывал бы то, что известно каждому. Так многие живут, поверь мне. Его увлечение пройдет. Увлечения всегда проходят, а жены остаются. Роби, и травилась я для него. Хотела, чтобы он видел, как я страдаю. Думала, так быстрей до него дойдет, но с тобой это невозможно. Если бы ты согласился мне подыграть...

Меня передернуло:

— Так это был спектакль? И ты спокойно мне говоришь об этом? Я чуть с ума не сошел.

Кристина схватилась за покрасневшие щеки и пролепетала:

— Ах, Роби, прости меня, я уже ничего не соображаю. Лучше я пойду, попрошу у него прощения. Открой мне замок, я пойду, все исправлю, пока еще не поздно...

И она направилась к двери. Я был потрясен, растерянно смотрел на ее хрупкую удаляющуюся спину и думал: «Глупая, куда она идет? В ее доме живет другая!»

— Поздно! — завопил я. — Поздно!

Кристина остановилась и, не поворачивая ко мне лица, спросила:

— Что? Роби, что ты сказал?

— Я сказал, что уже поздно к нему возвращаться.

— Поздно? — все так же, не поворачиваясь ко мне, спросила она. — Почему — поздно?

Вопрос задала и, словно статуя, застыла. «Боится показать перекошенное болью лицо», — догадался я и выпалил:

— В твоем доме живет другая! Он называет ее своей женой!

Так и не повернувшись ко мне, Кристина потеряла сознание.

Глава 20

Как интересно устроен человек. Как быстро у него меняется настроение. Еще недавно я собирался наложить на себя руки в связи с научным провалом и внезапным разрывом со Светланой, и вот уже эти события кажутся мне пустяшными. Череда новых проблем вытеснила их из моей жизни. Мархалева и Лидия все затмили. Вот где катастрофа, вот когда надо травиться и вешаться, но почему-то уже не хочется.

Более того, глядя на бьющуюся в истерике Кристину, я начал с завистливой тоской подумывать о вчерашнем дне, об этой милой и невинной беде — провале на конференции. Как там все поправимо, как просто и ясно, управляемо — ведь все зависит от меня. Да и уход Светланы едва ли не манна небесная. Я еще молод, здоров, полон сил, меня любит Мария...

Кстати, Деля тоже рада была меня видеть. Несомненно...

Напрягают немного эти странные звонки, да и с трупом Лидии еще не все понятно: могут быть неприятности, но что такое они в сравнении с горем Кристины? И никак нельзя ей помочь. Она совсем не хочет жить. Это, конечно, пройдет, но не могу же я до пенсии держать ее за руки.

Кристина, как только пришла в себя, забилась в истерике.

— Роби! Я все равно умру! — кричала она. — Я с ума схожу! Не мучай меня! Не мучай!

Я ее не мучил, я сам был близок к умопомешательству. Видеть женские слезы (особенно в таком количестве) для мужчины невыносимо. Я был напуган, я не знал, что мне делать. Успокоить ее не представлялось возможным, бросить было опасно, а переносить страданий сестры я уже не мог. Я не мог к ней даже приблизиться: она отталкивала меня или била своими маленькими кулачками.

В конце концов отчаяние мое достигло того предела, за которым все человеческие амбиции теряют смысл, — я призвал на помощь Марию. Все равно она догадалась про горе Кристины.

Мария приехала быстро, и в моем доме сразу воцарился порядок. Первым делом она упала в объятия Кристи и разразилась такими рыданиями, что я подумал: «Так моей сестрице слабо».

— Бедная моя! Бедная! — приговаривала Мария, хлюпая носом и преодолевая спазмы. — Какие мужики сволочи! Сволочи!

Эффект потряс меня: истерики как не бывало. Кристина все еще плакала, но плач очень быстро сходил на нет. Когда же они с Марией разомкнули свои объятия, пошел совсем другой разговор.

— Сволочи все! — заявила Мария. — Думаешь, я спокойно живу? Только и жду, на какой еще юбке застрянет этот грязный кобель. Да-да, прислуживаю ему и жду, когда в тираж меня, старуху, спишет. Ему же молоденьких подавай. Животное. Животное!!!

Слезы Кристины мгновенно высохли и понеслось. В одно мгновение и Виктора, и Максима разобрали на косточки. И оказалось: нет греха на земле, которого они не совершили.

Послушав несчастных женщин, я поразился жестокости своих собратьев, даже кулаки зачесались. Ладно Кристина, Максим известный эгоист, к тому же семья их меня никогда не интересовала, но я столько лет знаю Марию и даже не подозревал, как она несчастна. А Виктор? Мой друг! Как он допускает такое? Зачем, изверг, мучает жену?

Видимо, на моем лице отразилось страдание, потому что Мария сказала:

— Роберт, вряд ли тебе стоит нас слушать. Завтра все будет по-иному. У женщин параллельно уживаются сразу несколько взаимоисключающих друг друга истин. Мужчинам этого не понять. Лучше сходи в аптеку и купи побольше успокоительного. Видишь, что творится, уже и сама готова принять.

Я с радостью покинул своих страдалиц и помчался в аптеку. Когда вернулся, не поверил глазам: никаких эмоций — женщины вполне спокойно ворковали. Мария расписывала Кристине прелести холостяцкой жизни. По ходу она убеждала мою сестру, что вскоре Макс приползет на коленях и будет просить прощения. Униженно просить.

— Вот когда отольются ему наши слезы, — пообещала она. — Но к этому надо готовиться. Ни в коем случае нельзя унывать: сразу пойдут болезни и морщины. Ему это только на руку.

Тут она наконец заметила меня и воскликнула:

— А, Роберт, принес? Давай сюда все и воды кипяченой стакан. Нет, графин. И стакан и графин. И можешь быть свободен.

Вскоре Мария на цыпочках покинула кабинет и, обвивая мою шею руками, шепнула:

— Отпоила лекарством бедняжку, пока она спит, а там посмотрим.

Я с благодарностью прижал ее к себе:

— Спасибо, ты спасла меня. Какая ты умница.

Она матерински чмокнула меня в щеку и усмехнулась:

— Теперь понимаешь, для чего мужчине нужна женщина? Мы умеем делать то, к чему совсем не способны вы, цари природы.

— Да уж, — согласился я.

Вдруг Мария отпрянула от меня и испуганно глянула на часы:

— Ой, Роберт, опаздываю. Если что, звони мне на трубку.

Она наспех подкрасила заплаканные глаза, чиркнула по губам помадой и убежала.

Я осторожно заглянул в кабинет: Кристина спала на диване — подушка взбита, одеяло заботливо подоткнуто. Мария раздела ее: одежда, аккуратно сложенная, лежала рядом на стуле. На тумбочке стоял графин с водой, накрытый стаканом, и батареей выстроились лекарства. На меня повеяло надежностью, уютом, заботой.

«Женщины-женщины, — с нежностью подумал я, — может, зря столько лет не хотел жениться? Все так просто. Чего боялся, дурак? Такие добрые, симпатичные существа, все желания их так милы и понятны: семья, муж, дети, дом. Всех накормить, ублажить, проследить за здоровьем. Против них мы, мужчины, действительно скоты: желания низменны, помыслы грязны. Грубы, эгоистичны. Настоящие животные...»

Не зря говорят: помяни черта, он и рога высунет. Едва я так подумал, явился Заславский. И вовремя: бог знает каких еще глупостей я в умилении сочинил бы.

— Ну как, Роб? — с порога закричал мой друг. — Избавился ты от Мархалевой?

— И от Мархалевой и от Лидии, — доложил я, собираясь войти в подробности, но Заславский огорошил меня вопросом:

— Роб, только честно, как ты относишься к Деле?

— Никак, — отрезал я.

— Но ты же говорил, что все еще ее любишь.

— Я врал, чтобы ты от меня отвязался.

Заславский вздохнул с облегчением:

— Роб, так я и знал. В доме полно баб, а ты испугался, когда пришла еще одна. Ты ей совсем не обрадовался. Тут и дурак догадается, что о любви речи нет.

— Нет и быть не может, но почему моими чувствами к Деле так озабочен ты?

Заславский хотел ответить, но в этот самый момент ожил мой мобильный. Прижав трубку к уху, я обмер: звонила Аделина.

— Роберт, милый, мы срочно должны встретиться. Нам есть о чем поговорить.

— Кто это? — зашипел Заславский.

— Аделина, — просветил я его.

— Аделина?! — Заславский выхватил у меня трубку и закричал: — Делечка, уже еду к тебе. Буду через полчаса, максимум через час.

За этим последовал поток нежностей — я своим ушам не поверил: на скулах заходили желваки, кровь прилила к лицу. Клянусь, готов был поколотить этого нахала. Заславский же спокойно закончил разговор и передал мне трубку. Я приложил ее к уху: вместо Дели гудки.

— Как это понимать? — зверея и забыв про спящую Кристину, зарычал я.

— Сейчас все объясню, — невозмутимо сообщил Заславский. — Плесни коньячку, и поговорим как мужчина с мужчиной.

Вынужден признать: впервые между нами был такой разговор. Раньше обходилось как-то без этого.

— Роб, я все знаю, — с необъяснимым сочувствием глядя на меня, сказал Заславский.

В последние дни секреты множились у меня со сверхъестественной скоростью, поэтому, ощетинившись, я спросил:

— Что ты знаешь?

Он почесал за ухом (признак крайнего смущения) и сообщил:

— Мария во всем мне открылась.

Я обомлел: таращил глаза и хватал ртом воздух, не находя, что сказать.

— Да-да, — грустно качая головой, продолжил Заславский, — утром, когда мы от тебя ушли, она во всем мне призналась. Нет-нет, не думай, она на тебя не в обиде, даже жалеет тебя. Впрочем, и я не в обиде. Между нами, мужиками, говоря, не вижу ничего плохого в попытке приволокнуться за чужой женой. Всего лишь хочу дать дружеский совет: Роб, нельзя быть таким навязчивым. Зря ты ей не даешь проходу. Женщину занудством не завоевать. Особенно такую, как моя Маша. Она сама любит покорять, ты же без битвы готов в плен сдаться. Вряд ли у тебя выгорит, Роб.

Тут уж я не стерпел и завопил:

— Что-о?! Что выгорит?!!

— Да-да, — успокоил меня Заславский, — Мария призналась, что ты давно не даешь ей проходу. Всегда приставал, говорил комплименты, пытался вызвать интерес и жалость к себе, по-собачьи на нее смотрел. Я и сам замечал, но не думал, что у тебя все так далеко зашло. Теперь понятно, почему тебя бросила Светлана. Нельзя спать с одной, а бредить другой. Роб, делай, как я: люби всех понемножку. Маша не в состоянии вынести твоей любви, ее слишком много. Она порядочная женщина, верная жена, ей трудно, она мне жаловалась, просила повлиять на тебя.

Я был в шоке, не знал, как возражать. Мария все это ему говорила? Кто же она тогда?

Такого коварства я не ожидал.

— И вот что, Роб, — добил меня Заславский, — не хочу тебя расстраивать, но своими необузданными действиями ты достиг только того, что Маша тебя возненавидела. Она и слышать о тебе не желает, а очень жаль. Ты мог бы ей стать настоящим другом. Знаешь, женщины ее возраста любят заводить себе верных пажей. Понимаю, ты не мальчик и для этой роли вряд ли годишься, но теперь, когда у нас так серьезно с Делей, это был бы прекрасный выход. Ты мог бы мне помочь...

Он еще говорил что-то, замысловато и длинно — я ничего не понимал. Привыкший к тишине, одиночеству, к стройному ходу собственных мыслей, от хаоса внешнего мира я обалдел: как тут все непросто, непонятно, как нечисто порой. Все сломя голову устраиваются, притираются, сталкиваются лбами или обходят друг друга. Разве это нужно для дела? Для настоящего дела. Дела, от которого польза всем, а не только себе.

В глубинах сознания зрел протест: почему я должен во всем этом участвовать? Почему до сих пор не уехал в деревню? Почему не погрузился в свою теорию? Что происходит со мной? Я, человек спокойный, невозмутимый, рассудительный, уравновешенный, общепризнанная флегма, чем занимаюсь в эти дни? Лишь тем, что прихожу в ужас, столбенею, теряю дар речи и таращу глаза. Вот взять хотя бы последние часы — за всю жизнь я столько не волновался. Легко представить, какой во мне зрел протест...

Но протест остался во мне — на поверхность вышло только желание внести ясность.

— Виктор, — не скрывая раздражения, воскликнул я, — говори прямо, чего ты хочешь?

— Запросто, — обрадовался Заславский и снова начал длинно и уклончиво говорить об одиночестве Марии, о ее сложном возрасте, о своих взаимоотношениях с моей Делей и о том, что я мог бы всем помочь.

В конце концов я сдался:

— Хорошо, помогу, но что для этого нужно?

— Совсем немного, — заверил меня Заславский. — Поддержи Марию. Ей сейчас нелегко. Сам знаешь, сколько времени отнимает наука.

(Если бы он занимался ею? Уж сказал бы прямо: интриги.)

— Я почти не бываю дома, — не подозревая о моих мыслях, продолжил Заславский, — забросил семью, Мария ругается. А тут с Делей лавстори. Все случилось внезапно. В одно мгновение эта женщина завладела всем моим существом. Роб, я себе не хозяин. Я у Дели торчу целыми днями, Маша бесится... Боюсь, Мария этого не выдержит. Она жалуется на одиночество, а мой роман с Делей только начался. И еще неизвестно, чем он закончится. Боюсь, возможен разрыв.

Я опешил:

— С кем?

— С Марией.

— Ты с ума сошел! Вы прожили двадцать лет! Какой разрыв?

Заславский поморщился:

— Сам бы этого не хотел. Но как избежать? Поэтому и прошу у тебя помощи, как у друга, тем более что Мария тебе симпатична. Роб, поддержи ее, будь к ней повнимательней. Она несчастная женщина.

— Ты просишь об этом меня?

— Да, Роб. Мне ее жаль, но ничего не могу с собой поделать. Зачем она любит меня? Лучше бы тебя полюбила тогда, в юности. Ты со всех сторон положительный; она была бы счастлива. А со мной она только страдает.

— Если так, разведись, — посоветовал я, уже искренне считая, что это единственное решение проблемы.

Заславский обхватил голову руками и начал раскачиваться из стороны в сторону, причитая:

— Ты мне можешь сказать, что я скотина. Роб,

скажи, ты будешь прав. Но делу это не поможет. Да, я скотина, хочу сохранить для себя обеих баб. Мария нечто обыденное, но разрыв с ней представляется мне трагедией. Роб, столько лет вместе, она вся моя, она уже включена в метаболизм моего организма.

— Брось Делю.

— А Деля — вспышка нового чувства. Она, как мальчишку, лишила меня покоя, аппетита и сна. Клянусь, над собой я не властен, но, кто знает, чем обернется это чувство? Страсть к Деле сметет Марию. Боюсь, добром это не кончится: в ее роду были самоубийцы. Помоги мне, Роб. Я разберусь, обещаю, сейчас важно выиграть время. Займи Марию. Отвлеки ее от меня, отвлеки. Охваченная флиртом с тобой, она не заметит моих отлучек, не станет их разбирать, даже будет рада свободно располагать собой.

Он замолчал и уставился на меня с мольбой. Я был потрясен. Растерянно глядя на Заславского, решал вопросы нравственности: имел ли он право меня просить? И как буду выглядеть я, выполняя его просьбы?

— Роб, соглашайся! — не выдержав, воскликнул он.

— Но ты же сам говорил, что Мария меня ненавидит, — как утопающий за соломинку, ухватился я за эту сомнительную мысль.

— Ерунда, — отмахнулся Заславский. — Это только потому, что ты на нее давишь. Переведи отношения в чисто дружеское русло, и она сама начнет на тебя давить. Уж я знаю женщин. Они не выносят равнодушия к себе. Спровоцируют и хромого и слепого. Им все равно, лишь бы добиться своего.

— Но я еду в деревню, — привел я последний довод, сам чувствуя его несостоятельность.

Заславский замахал на меня руками:

— Роб, какая деревня? Сейчас, когда я гибну? Когда гибнет Мария? Ради друга можешь отложить на недельку поездку. Ничего с тобой не случится, а вот с нами — запросто. Роб, дружище, соглашайся.

— Хорошо, согласен, — сдался я.

Заславский обрадовался:

— Роб, тогда я побежал?

— Передавай привет Аделине, — бросил я с кривой усмешкой.

Он поморщился и неохотно пообещал:

— Хорошо, передам.

Глава 21

Проводив Заславского, я тоскливо простился с деревней и призадумался: чем заняться? Очень хотелось забыть о передрягах. Убежать от внешнего мира я мог только в работу, но мешала сестра.

Сожалея о том, что Кристя оккупировала мой кабинет, я отправился в кухню и исследовал содержимое холодильника. Сокрушаясь, понял, что сестра до сих пор ничего не ела. Окорок и паштет слопал Заславский, остальное не вызывало аппетита даже у меня. Что же тогда говорить о привередливой Кристине?

Я решил наскоро прибраться в квартире и сходить в магазин, накупить побольше вкусностей. В магазине брал все, что под руку подворачивалось: ананасы — так ананасы, семгу — так семгу, икру — так икру. Но при этом тщательно отбирал самое лучшее. Звонок Марии застал меня за выбором салатов — каких только не было в нашем супермаркете, просто глаза разбежались.

— Роберт, нам срочно нужно поговорить, — странным, механическим, не своим голосом сообщила Мария. — Ты где? Я и звонила, и барабанила в дверь, но никто мне не открыл.

— Ты Кристину не разбудила? — испугался я.

— Нет, она напилась лекарств и спит как убитая, — успокоила меня Мария. — Минут десять под твоей дверью топчусь. Ты где?

— В супермаркете, в трех шагах от дома.

— Роберт, я иду к тебе.

Мы встретились на ступенях магазина и не сговариваясь повернули к скамейке, что рядом с автомобильной стоянкой. Присев, Мария покраснела и виновато отвела глаза. Я тоже смутился: то и дело поправлял хозяйственную сумку, злясь на себя, что в этом нет нужды и выгляжу глупо. Впрочем, Мария не замечала, она переживала собственные бури. Мы оба молчали. Довольно долго. Первой заговорила она.

— Роберт, Виктор сказал, что между вами произошел разговор.

— И передал его содержание? — испугался я.

Мария потрясла своей лохматой головой:

— Нет, лишь сообщил, что передал тебе мои слова. Роберт, — она схватила меня за руку, —

Роберт, прости. Теперь ты, наверное, нас ненавидишь...

Я пожал плечами:

— Вовсе нет.

Она вздохнула:

— Роберт, надеюсь, ты понял, что я врала. Виктор прижал меня к стенке, очень неожиданно... Я испугалась... Роберт... Между нами было в прихожей... Он мог слышать...

Я смущенно молчал. Мария говорила сумбурно и с трудом, после каждой фразы делала длинные, мучающие меня паузы:

— Роберт, он мог слышать нашу возню... Я не знала... Пришлось сказать, что ты меня преследуешь... Это так подло, так противно... Но, Роберт, я сделала это ради нас... Знаю, ты ненавидишь меня... Ненавидишь...

— Вовсе нет, — повторил я. — Прекрасно тебя понимаю. Но если тебе с ним плохо, зачем ты врешь? Разведись.

Она растерялась:

— Развестись и что?

— Переходи жить ко мне, — неожиданно для себя выпалил я и сам испугался своей смелости.

— Это невозможно, — к радости моей заявила Мария. — Во всяком случае, не сейчас. Развод может повредить его карьере. Ты же знаешь, Роберт, он столько лет к этому шел, самозабвенно стремился... Нет-нет, развод невозможен. Во всяком случае, не сейчас.

Она перестала смущаться, вдруг приобрела уверенность и пристально на меня посмотрела:

— Роберт, но что ты сказал? Что ты мне сказал

только что? Ты хочешь, чтобы я к тебе переехала? Это правда? Ты будешь этому рад?

Я уже и сам не знал, хочу или не хочу этого, но ответил:

— Да, буду рад.

— Ах, Роберт! — пришла в восторг Мария и бросилась меня обнимать.

Я погрузился в сладковатый аромат ее духов, почувствовал касание ее прохладной, чуть влажной кожи. Женщина, если захочет, легко может свести мужчину с ума. Мы, мужчины, очень тактильны: все эти ощущения, прикосновения будоражат нам кровь, лишают разума. Я уже хотел — хотел, чтобы она ко мне переехала. Хотел каждый день вдыхать этот аромат, чувствовать влагу прохладной кожи...

— Прямо сегодня, сейчас, переезжай, Мария, очень тебя прошу, — прошептал я.

Она рассмеялась и, озорно щелкнув меня по носу, воскликнула:

— Роберт, не сходи с ума. Завтра, если муж отправится в командировку, я приду к тебе ночью. Мы, как два подростка, будем прятаться от Кристины, а утром ты тайно выпустишь меня из квартиры. А сейчас, Роберт, я побежала. И помни, я твоя раба.

Она, словно девчонка, порхнула со скамейки и растворилась в толпе. Я тоже поднялся и на ватных ногах поплелся к своему дому. В голове был хаос, и почему-то звенело в ушах. Я был счастлив и растерян. Меня тревожило, так ли я поступаю, как должно порядочному человеку. Виктор — мой друг. Мария — его жена. Варвара — их дочь.

Кристина — моя сестра. Истины, которые вызывают у меня чувство вины и неловкости, потому что я все делаю неправильно. Всех обманываю, всех предаю, поступаю, мягко говоря, некрасиво. И разве только с ними?

«Странно, — думал я, — в моей тусклой и бедной на события жизни истории вдруг разворачиваются со страшной скоростью: одна за другой. Не успеваю их осмысливать, не успеваю оценивать свои поступки и от этого, наверное, становлюсь безнравственным. Взять хотя бы Лидию: правильно ли я с ней поступил? Разве не подло избавляться от трупа?

Но с другой стороны, что я должен был сделать? Вызвать милицию? Есть ли надежда, что там станут разбираться? Ведь я ни в чем не виноват. Захотят ли мне поверить? Есть ли им дело до меня? И можно ли оставаться порядочным человеком в обществе, где само государство насаждает двойную мораль?»

Вопросов было много, но они мигом отпали, когда я увидел Варвару. Она сидела на ступеньках под моей дверью и ковыряла в носу. Увидев меня, приосанилась, поправила прическу (еще больше вздыбила волосы) и радостно воскликнула:

— Хай, Роб!

— Привет, — уныло откликнулся я. — Ты что здесь делаешь?

Вопрос был глупый, но Варвара на него ответила:

— Тебя жду.

Пришлось впустить ее в квартиру. Она сразу прошла в гостиную и рухнула на диван. Я уселся в свое кресло и, заранее жалея о потраченном времени, приготовился слушать ее вранье.

— Все, Роб, кончено! — заявила Варвара.

Я насторожился:

— Что кончено? У тебя новые трагедии?

— Отец и мать меня выгнали из дома!

— Когда? — изумился я.

— Утром, сразу же после того, как вернулись от тебя, — ничуть не горюя, сообщила Варвара. — Они долго о чем-то шептались, а потом принялись за меня. Ой, Роб, если тебе рассказать, что там было...

— Не надо! — вскакивая с кресла, закричал я. — Не надо рассказывать, и вообще, Варя, лучше тебе уйти.

Она растерялась:

— Уйти? Роб, не врубаюсь, ты что, выгоняешь меня?

Успокоившись, я начал терпеливо растолковывать:

— Нет, не выгоняю, но войди в мое положение. Твои родители — мои друзья. Представь, что они подумают, если ты останешься здесь. Особенно учитывая твои утренние пассажи. Нет, на это пойти я никак не могу, Варя, даже и не проси.

Она и не стала просить.

— Хорошо, Роб, — прошептала Варвара, — сейчас уйду. Дай только подумать куда. Черт. Мне же некуда уходить. Нигде меня не ждут, — закручинилась она.

Я только что виделся с Марией. Если бы у них с дочерью произошел серьезный скандал, вплоть до ее ухода из дома, Мария скрывать не стала, пожаловалась бы мне. Но она об этом молчала, следовательно, ничего страшного. Родители девчонку пожурили, она и хлопнула дверью. Ерунда.

— И хорошо, что тебя нигде не ждут. Лучше возвращайся домой, — посоветовал я, усаживаясь обратно в кресло.

Теперь Варвара вскочила с дивана:

— Нет, Роб, никогда туда не вернусь.

Я встревожился и решил быть ласковым:

— Девочка моя, не глупи. Это твои родители. Согласен, они не всегда правы, но любят тебя, это уж точно. Помирись с ними, помирись.

— Никогда! — отрезала Варвара и решительно направилась к двери.

Приходя в замешательство, я подумал: «Остановить ее? А дальше что? Сколько возникнет у меня проблем! Нет, пускай идет. Никуда она не денется, в конце концов, отправится домой».

Варвара вышла в прихожую, повозилась там с минуту и вернулась в гостиную.

— Роб, — остановившись на пороге, сердито сказала она, — дверь не могу открыть. Ты поменял замок?

Я нехотя поднялся из кресла и, направляясь в прихожую, проворчал:

— Да, поменял замок, сейчас тебя выпущу.

Она как-то странно хмыкнула — не поймешь, то ли горестно, то ли радостно — и задиристо закричала:

— Выпусти меня поскорей! И очень тебя прошу, Роб, что бы ни случилось, не вздумай обвинять себя. Я знаю, ты добрый и очень совестливый, так вот, знай: во всем виноваты мои родители. Только они. Вот пускай сами себе локти и кусают, а ты тут ни при чем. Ни при чем, что бы со мной ни случилось.

После отповеди такой, разумеется, отпирать замок я передумал. Сразу вспомнились слова Виктора: «В роду Марии были самоубийцы». Вспомнилось и то, что Варвара уже грозилась повеситься в моем подъезде.

— Хорошо, останься до завтра, — сказал я, втайне собираясь позвонить Заславскому и сдать эту несносную девчонку целой и невредимой с рук на руки.

Но Варвара разгадала мой план и, зло щурясь, предупредила:

— Роб, не вздумай звонить родителям. Как только они ступят на порог, я спрыгну с балкона и вдребезги разобьюсь.

Угроза, учитывая страстность и взбалмошность Варвары, была серьезной. Я мигом отбросил надежды избавиться от нее сегодня и подумал: «Может, завтра уговорю ее помириться с родителями, когда остынет».

Сразу вспомнилась Кристина. Поскольку они с Марией рыдали уже друг у друга на плече, то секрета в ее пребывании здесь, у меня, нет теперь никакого.

«Нет худа без добра, — успокоил я себя. — Кристина и Варвара обожают друг друга. Обе брошенки, им есть что обсудить, а мне будет спокойней. Может, получу наконец свой кабинет и засяду за работу».

Теперь, вспоминая те надежды, поражаюсь своей наивности. На некоторое время мне действительно удалось воцариться в своей келье, но ненадолго. Сначала все шло хорошо: Варвара, узнав о том, что у меня гостит Кристина, обрадовалась и помчалась ее будить. Забыв про меня, они взялись за руки и отправились в гостиную. Изредка оттуда доносились то вопли горести, то громкий смех. Но я все пропускал мимо ушей. Оставшись в кабинете, я сразу включил компьютер и с головой погрузился в работу. Очнулся лишь тогда, когда прибежала Кристина и закричала:

— Роби! Я ничего не понимаю!

Зато я все сразу понял: в руках у нее была корзина с цветами.

— Роб, — выглядывая из-за спины Кристины, воскликнула Варвара, — тебе, что ли, цветы принесли? Умора! Роб, ты не гомик?

— Спасибо, — сказал я, одновременно изображая и растерянность и обиду, — люблю твои шутки, но эта — не очень. Бывали и получше. А цветы... Сам удивляюсь, откуда букет. Кто его принес?

— Какой-то молодой человек, — сообщила Варвара.

Кто же открыл ему? Судя по всему, научилась, бестия, замок открывать.

— И что он сказал? — с наигранным недоумением поинтересовался я.

Варвара пожала плечами:

— Ничего. Узнал у меня, тот ли адрес, и корзину вручил. Сказал, что выполняет чей-то заказ, а чей, мол, секрет фирмы.

Я, стараясь не переиграть, недоуменно поскреб в затылке и спросил:

— А записки там нет никакой?

Кристина полезла в корзину и изумленно простонала:

— Е-есть! Есть записка!

— Читай! — визжа и хлопая в ладоши, закричала Варвара.

Кристина прилежно начала читать:

«Здравствуй, прекрасная незнакомка. С тех пор, как я увидел тебя, многое во мне изменилось. Вижу небо, лишь отраженное в твоих голубых глазах...»

Услышав это, я лишь чудом не разоблачил себя, лишь чудом не закричал: «Откуда он знает цвет твоих глаз? Я ничего о них не говорил!»

Но, вовремя спохватившись, я промолчал, внутренне посылая хвалы в адрес хозяйки цветочного магазина и ее изобретательного братца. Под буйные восторги Варвары Кристина продолжала читать, а я уже не знал, куда деть свои уши: так сладко (аж липко) составлено было письмо. Честное слово, стыд, срамота. Я даже испугался. Думал, мои женщины или рассмеются, или в гневе отбросят эту халву, этот мармелад, они же были довольны. Кристина рдела и в особо медовых местах, смущенно скрывая улыбку, приговаривала:

— Ничего не пойму, это кому? Кому?

— Тебе! Тебе! — прыгая от восторга, кричала Варвара и тут же громко делилась с нами своей завистью.

Не помню, как дочиталось письмо до конца, — я покрылся стыдом и липким потом.

«Странные все же существа, женщины, — подумал я, глядя на скачущую, буйствующую восторгами Варвару и задумчиво млеющую Кристину. — Что такое это письмо? Настоящая чушь. Чушь неправдоподобная. Кто может так писать? Так говорить? Это же смех, да и только. Любой мужчина, прочитав такое письмо, разъярился бы: «Кто посмел так шутить надо мной?» Эти же всему верят. Даже стыдно обманывать таких».

Честное слово, я расстроился. Тут же дал себе клятву никогда, никогда в жизни не лгать более. Во-первых, делать этого совсем не умею. Во-вторых, так противно, так муторно после становится на душе... Нет уж, лучше говорить правду, чего бы мне это ни стоило.

Однако моя ложь подействовала положительно: Кристина, испытывая легкие сомнения, все же приободрилась. Этому я был рад. Она забыла про своего Максима и включилась в игру, предложенную Варварой. Одной — восемнадцать, другой — тридцать пять, но ума у обеих одинаково. Выгнали меня из кабинета, вошли в Интернет и полезли на сайт Кристины. Варвара решила, что обязательно надо оставить там объявление для неизвестного воздыхателя. А я, дурак, еще боялся, что меня разоблачат.

Подивившись наивности женщин, я прихватил свои бумаги и отправился работать в столовую. Изредка возвращался под дверь кабинета в надежде завладеть компьютером, но, послушав оживленные разговоры Кристины и Варвары, топал обратно в столовую.

«Уж пускай лучше развлекаются в Сети, чем льют слезы», — подумал я, не решаясь отвлекать женщин от захватившего их занятия.

Вспомнив про вкусности, которых накупил, я нагрузил ими полный поднос и отправил его в кабинет. Варвара и Кристина пришли в восторг и меня расцеловали. Разумеется, о Максиме уже ни полслова. Вот она, цена любви. Корзина с цветами, медовая записка, гора деликатесов — и горя как не бывало.

Удовлетворенный, я отправился в столовую и погрузился в работу. Время пролетело незаметно. Когда раздался звонок в дверь, я глянул на часы и с удивлением узнал, что наступил вечер.

«Кто бы это мог быть?» — удивился я и поспешил в прихожую.

Заглянув в глазок, растерялся: у двери стояла Мария.

Глава 22

Мария!

Ка-та-строфа!!!

Я заметался. Воображение пошло рисовать ужасные картины: прыгающую с балкона Варвару, заламывающую от горя руки Марию, теряющую сознание Кристину...

Я порысачил (на цыпочках) в кабинет и строго приказал женщинам:

— Сидите здесь! Без моего разрешения выходить не смейте!

Кристина и Варвара открыли рты, переглянулись и хором спросили:

— Почему?

Придав своей физиономии самое нахальное выражение (на какое только был способен), я пояснил:

— У меня гостья, которой я не намерен признаваться, что у меня дом полон родственников и друзей.

Для убедительности я показал кулак.

Кристина и Варвара снова переглянулись и повторили вопрос:

— Почему?

— Да потому, что, услышав такое, любая нормальная женщина сразу уйдет, а мне бы этого не хотелось. Поэтому из кабинета не выходите до моего распоряжения. Ты, Кристя, будешь спать здесь, а ты, Варя, постелешь себе на диване в гостиной. Белье я позже принесу. И без сюрпризов! Поняли? — прикрикнул я, снова показывая кулак, будто он мог кого-нибудь напугать. Ведь всем известен мой добрый нрав.

И все же мои женщины дружно закивали и хором заверили:

— Поняли, поняли, не подведем.

Только после этого я впустил в квартиру Марию и сразу потащил ее в спальню.

— Ничего, что я без предупреждения? — спросила она, опуская на пол увесистую сумку.

— Очень рад.

— Виктор решил ехать в командировку сегодня. Было бы глупо зря время терять, — с виноватой улыбкой пояснила Мария.

Меня раздирали противоречивые чувства: я действительно был рад, даже счастлив. С нетерпением ждал обещанной завтрашней ночи. Но незваная Варвара добавила в бочку меда изрядную ложку дегтя. Да и выглядеть старым развратником в глазах сестры совсем не хотелось. Я с ужасом представлял, что она обо мне подумает, если узнает, какая гостья в моей спальне. Кристе этого не понять.

Обнимая Марию, я шепотом сообщил:

— Правильно сделала, что пришла, но Кристина еще не спит и вряд ли скоро уснет. Она в кабинете тиранит компьютер.

Мария лукаво усмехнулась и протянула мне коробочку.

— Я позаботилась о Кристине, — сказала она. — Вот, Роберт, возьми.

— Что это?

— Порошки. Очень сильное снотворное. Специально для этого случая доставала, кстати, с большим трудом. Говорят, быка валит с ног. В ее положении это полезно: меньше мыслями будет себя терзать. Грейпфрутовый сок в доме есть?

Я заверил:

— Точно нет.

— Так и знала! — торжествуя, воскликнула Мария и открыла свою сумку.

Один за другим она извлекла из нее четыре литровых пакета грейпфрутового сока. Я смутился:

— Зачем это, Маша? В холодильнике есть сок манго, яблочный и, кажется, вишневый. Зачем ты сама тащила...

— Вишневый и манго не подойдут, — оборвала меня Мария. — Грейпфрутовый — с легкой горчинкой, которая скроет вкус порошка. К тому же Кристина обожает этот сок. Я сама обожаю. Знаю, ты его не любишь, вот и будешь пить манго. В общем так, Роберт, — скомандовала она, — бери порошок и пакеты, отправляйся на кухню.

Там подмешаешь в грейпфрутовый сок порошок и напоишь им Кристину. Уверяю, будет спать, как убитая.

Заметив мои сомнения, Мария рассердилась:

— Роберт, хватит пытать себя муками совести. Здесь они ни к чему. Кристина пережила нервное потрясение, у нее нарушен сон. Наш долг его восстановить, вот мы и восстановим. Поверь мне, дорогой, порошки я доставила бы тебе в любом случае. Ты же не можешь сторожить ее всю ночь. Нельзя оставлять убитого горем человека наедине с его мыслями.

Я согласился:

— Нельзя, это опасно.

— Ну так иди и сделай, что я прошу, — обрадовалась Мария. — Один порошок на стакан сока.

Подумав, она добавила:

— Два, лучше два порошка. На ее возбужденные нервы одного маловато. Да, заодно и нам сока налей. Пить хочу неимоверно.

— Будет сделано, — сказал я и, прихватив порошки, отправился в кухню.

Там достал из посудного шкафа два подноса, на каждый водрузил по два стакана и наполнил их соком. Женщинам налил грейпфрутового, а себе яблочного и, подумав: «Не перепутать бы», — принялся за порошки. Наш с Марией поднос отставил в сторону, а стаканы Варвары и Кристины придвинул поближе. В каждый засыпал по два порошка, стою, терпеливо помешиваю сок ложечкой и вдруг чувствую чье-то дыхание за спиной.

Оглянулся — Варвара. Беззвучно подкралась, застыла и с интересом наблюдает.

Мысли мои заметались: «Как давно она здесь? Что видела? Заметила ли, как порошки сыпал?»

Я впился глазами в ее лицо: невинно, наивно хлопают щедро накрашенные ресницы, пухлые губы, намазанные ужасной фиолетовой помадой, по-детски собраны в трубочку.

— Роб, я пришла покурить, можно? — капризно протянула Варвара.

От сердца отлегло — не заметила.

— Можно, — прошипел я, — но как это понимать? Ты же еще утром хвастала, что не куришь.

Она вздохнула:

— С такими родителями скоро начну и пить, и колоться, и все остальное. Они у меня добьются.

— Не болтай глупостей, — рассердился я. — И в чем дело? Почему ты шастаешь по квартире? Просил же без меня из кабинета не выходить.

Варвара отмахнулась:

— Не дрейфь, Роб, промелькнула беззвучно. А что ты здесь делаешь?

— Готовлю вам сок.

— А что его готовить? Налил и пей. Ой, грейпфрутовый! — радостно взвизгнула Варвара.

— Тише, — испуганно попросил я.

Она послушно перешла на шепот:

— Роб, ты же не любишь грейпфрутовый сок.

Я удивился:

— Откуда ты знаешь?

— Все знают. А-а-а, у тебя какой-то другой.

— Да, яблочный, — сообщил я и скомандовал: — Хватай ваш поднос и неси в кабинет.

Варвара обиженно надула губы:

— А покурить? Роб, разве мы не покурим?

— Я — нет, а ты как хочешь.

— Тогда дай мне пепельницу, — попросила она, извлекая из кармана жилета мятую пачку сигарет.

Пошарив по полкам, я нашел пепельницу, но Варвара курить передумала.

— Ты прав, Роб, курить вредно, — сказала она, придвигая к себе стакан, предназначенный Марии. — Лучше я соку хлебну.

Я отобрал у нее стакан и, вернув его на поднос, сказал:

— Все, Варя, хватит, уже поздно, пора спать. Отправляйся в гостиную; белье я сейчас принесу.

Она сердито хмыкнула, но повиновалась. Я поспешил в спальню. Увидев в моих руках поднос, Мария обрадовалась и воскликнула:

— Роберт, как вовремя, умираю от жажды!

Свой грейпфрутовый сок она выпила залпом. Я вытащил из шкафа постельное белье и сказал:

— Машенька, один момент, отнесу это Кристине и сразу вернусь.

— Да-да, конечно, — кивнула она.

Кристина была одна и уже лежала на диване. Я удивился:

— А Варя где?

— Спать пошла.

— Я же не дал ей белье.

Кристина зевнула и пожала плечами:

— Не знаю, она ушла.

Я обратил внимание на пустой стакан из-под сока, стоящий на тумбочке.

— Спокойной ночи, — пожелал я сестре и пошел в гостиную.

Там Варвара спала прямо в одежде. На журнальном столике стоял пустой стакан. Подивившись силе порошков, я не стал будить девушку, укрыл ее, подложил под голову подушку и, выключив свет, отправился к Марии.

— Роберт, почему ты так долго? — спросила она, зевая. — Так можно и уснуть.

— Для сна еще рано, — прошептал я, снимая с кровати покрывало.

— Я стесняюсь, — сказала Мария и щелкнула выключателем.

В темноте было слышно ее ровное, чуть замедленное дыхание.

— Роберт...

Я представил, как мы сольемся: в висках застучало, запершило в горле.

— Маша...

Руки ее скользнули по моей спине. Я бросился лихорадочно сдирать одежду: с себя, с нее. Она мне помогала. В одно мгновение мы оказались под одеялом. Я лежал на спине, придавленный ее телом, ее полной грудью, мягким животом, упругими бедрами. Я горел, сходил с ума от желания... и в этот неподходящий момент зазвонил мобильный.

Мы взвились, как флаги на ветру, и отпрянули; желания как не бывало. Мобильный упрямо звонил.

— Это мой, ну его, — сказала Мария, вяло возвращаясь в мои объятия. — Зря не отключила. Все равно не собираюсь на звонки отвечать.

— Чего уж, — виновато вздохнул я, — отвечай, теперь тебе ничто не мешает.

Она нехотя достала из сумки телефон, приложила его к уху и, ахнув, у меня спросила:

— Роберт, могу я выйти на кухню? Конфиденциальный разговор.

— Зачем тебе выходить? — удивился я. — В этом нет нужды. Сам могу выйти.

Она отыскала в темноте мои губы, чмокнула их и шепнула:

— Нет-нет, не надо, лежи. Я быстро.

Досадуя, остался в постели один. К своему стыду, не заметил, как заснул — сморило.

Проснулся от жарких объятий — вернулась Мария. Она жадно целовала меня и шептала:

— Скорей, скорей, умоляю...

Я снова пылал: в висках застучало, наружу запросился бес... Я повел себя энергично. Мария тоже спешила: наши тела исступленно сплелись. Сквозь пелену желания, этого сладкого дурмана, я почувствовал: что-то не то. Но размышлять было некогда, она горела и всем своим существом требовала от меня действий. Я перевернул ее на спину и...

В комнате загорелся свет. На пороге стояла Светлана, а в постели со мной лежала Варвара.

— Но где же Мария? — ополоумев, промямлил я.

Глава 23

Что тут началось!

Секунду все оставались на своих местах: Светлана — на пороге, Варвара — в моих объятиях.

Потом все пришло в движение. Светлана метнулась ко мне и залепила такую оплеуху, что я слетел с кровати. Не подозревая в ней столь страшной силы, я струхнул: а ну как она начнет сейчас бить Варвару? Эту негодницу! Эту пакостную девчонку!

Мой гнев обернулся на нее.

— Как ты посмела? Варя, как ты посмела? — исступленно кричал я.

— Как ты посмел? — завизжала Светлана и выдала мне вторую оплеуху, похлеще первой.

Падать мне было некуда, поэтому я остался на полу, собираясь там храбро принять смерть. Доставить мне это «удовольствие» Светлана была готова. Об этом говорили ее перекошенный злобой рот и бешеный от ненависти взгляд...

Но неожиданно вмешалась Варвара. Она прыгнула на Светлану и завопила:

— Не смей его бить! Ты сама его бросила! Ты здесь никто!

Светлана обратила свой гнев на Варвару:

— Я здесь никто? Это ты здесь никто! Девчонка! Соплячка!

Она заломила руки и воззвала ко мне:

— Роберт! Как ты мог! Она же ребенок! Докатился до несовершеннолетних?

Я залепетал:

— Это не то, что ты думаешь, это случайность, клянусь, сам не знал...

— Мне уже восемнадцать! — закричала Варвара.

— Заткнись, развратница! — потребовала Светлана и снова обратилась ко мне: — Роберт! Вот ты как! Не успела я за порог, как ты бросился устраивать оргии?

— Какие оргии? Какие оргии? — мямлил я.

— Какое право ты имеешь врываться сюда? — возмущалась Варвара. — Ты сама его бросила! Иди вон!

Светлана заплакала и выбежала, но вон не пошла. Секунду спустя раздался ее истошный крик:

— А-а-а-а! Тут еще одна!

Обмотавшись простыней, я выскочил из спальни. Нашел Светлану в кухне. Там, уронив голову на стол и разметав свои кудрявые волосы, сидела Мария. Судя по храпу, она крепко спала, сжимая в руке трубку сотового. Спала так крепко, что не замечала скандала.

Я схватил Светлану за руку и потащил ее в гостиную, щедро выдавая обещания все прояснить. Она упиралась и вопила:

— Кто эта ведьма? Кто?

Я с радостью понял, что Светлана не узнала Марию, поскольку та спрятала лицо. Понял и вздохнул с облегчением. Собрался (уж не знаю как) оправдаться, но встряла Варвара.

— Что ты за ним бегаешь? — возмущенно спросила она. — Ты же сама его бросила!

— Ах ты поганка! — озверела Светлана. — Дрянь! Соплячка!

— Липучка! Старуха! — последовало в ответ.

— Женщины! Умоляю вас! Не ругайтесь! — воззвал я, но было поздно.

Светлану задело за живое.

— Роберт! Знаешь, что я сейчас сделаю? — опасно успокаиваясь, спросила она.

Разумеется, я не знал, но она меня просветила:

— Сейчас же отправлюсь к Заславским и разбужу родителей этой нахалки. Пускай полюбуются, как проводит время их чадо, их доченька. Особенно это будет интересно Марии.

Светлана решительно направилась в прихожую, но ее остановил радостный вопль Варвары:

— Ха! Испугала! Матушка моя здесь! Натрахалась и спит на кухне!

Душа моя ушла в пятки.

— Что?!! — Светлана пошатнулась, одной рукой хватаясь за дверной косяк, другой за сердце: — Роберт! До чего ты дошел? До чего докатился? Ну это уж слишком! Ты пожалеешь! Ты очень пожалеешь! Клянусь! Своей жизнью клянусь!

Выдав страшную клятву, Светлана гордо удалилась. Ее уходу не помешал даже новый замок.

«Новый замок?!»

Я задался вопросом: «А как вообще она попала в квартиру? Да, у нее был ключ, но замок-то я поменял?»

Озаренный догадкой, я метнулся в прихожую, выдвинул из шкафа ящичек, схватил запасные ключи — так и есть! Было четыре, стало три.

— Чертова Мархалева! — в отчаянии хватаясь за голову, завопил я. — Убью! Убью!

Поскольку Мархалевой под рукой не оказалось, я набросился на Варвару — ее тоже было за что убивать. Судя по всему, я был страшен, потому что Варвара струхнула и, прихватив свои вещички, бросилась убегать. Догнал я ее уже во дворе нашего дома — так, обмотанный просты-ней, и побежал. Догнал, схватил за руку, спросил:

— Ладно, ругаться теперь бесполезно, но скажи, как ты это устроила?

— Пока ты искал пепельницу, поменяла стаканы. Я видела, как ты порошок насыпал, — призналась она.

— А перед этим подслушивала у двери спальни, — догадался я. — И вызвала Марию по мобильному, чтобы она, выпив снотворного, заснула в другой комнате.

Варвара, виновато пряча глаза, кивнула:

— Да. Я не хотела тебя подставлять, всего лишь хотела научиться сексу.

Я удивился:

— Странно, но почему ты была уверена, что Мария выйдет, что не захочет разговаривать при мне?

— Была уверена, — упрямо ответила она.

— Почему? Она вполне могла поговорить с тобой из спальни, там бы и заснула. К черту полетел бы твой план.

— Не могла она говорить при тебе, — заявила Варвара. — Родители отправили меня в деревню, а ты об этом не знаешь. Я сразу догадалась, что родители это скрывают. Они все время что-то скрывают. От всех. Даже от тебя. Поменяв стаканы, я притворилась спящей, а когда ты ушел, из гостиной позвонила матери и сказала, что в деревне скучно. Она не захотела разговаривать при тебе, так как сразу стало бы ясно, о чем у нас разговор. Я сказала матери, что из деревни убегу. Она начала меня ругать, да так и уснула. Тогда я пошла к тебе, и тут черти принесли Светку, эту дуру! Терпеть ее не могу!

Я возмутился и, стоя, обмотанный простыней, как Цицерон, произнес длинную речь. В ней я всячески обличал Варвару за грубость, распущенность и бесшабашность.

— Ты должна уважать взрослых! — внушал я ей.

Она слушала, опустив голову, и в конце согласилась:

— Да, Роб, ты прав, я, дрянная девчонка, круто подставила тебя. Твоя Светка — настоящая дрянь и проститутка — пойдет чесать языком, а ты всю жизнь жил, как святой. А теперь она, сучка, тебя обгадит.

Я плюнул и сказал:

— Ты неисправима. Ладно, скажи хоть, куда собралась?

— Как — куда? — удивилась Варвара. — Домой.

— Ночью одну не отпущу. Пошли, все равно поеду уговаривать Светлану, заодно и тебя отвезу.

Вернувшись в квартиру, я первым делом позаботился о Марии: на руках отнес ее в спальню, уложил на кровать, накрыл одеялом. Потом быстро собрался, прихватил документы и отправился в гараж за машиной. Варвара ходила за мной хвостиком. Мне было странно, что она не выражала изумления по поводу наших взаимоотношений с Марией и не осуждала мать. Судя по всему, ее больше волновала Светлана. Пока я вез Варвару домой, она громогласно переживала, что я теперь буду перед ней унижаться.

— Пойдешь сейчас ползать перед Светкой на коленях, — всю дорогу бубнила она.

Лишь когда я проводил ее домой, у самой двери квартиры она, пристально глядя на меня, спросила:

— Мать и отец теперь разведутся? Тогда я стану твоей падчерицей.

— Ни в коем случае! — испугался я.

— А жаль, — вздохнула Варвара и, чмокнув меня в щеку, сказала: — Роб, пожалуйста, прости. Если бы я знала, что так получится...

— Ты еще глупая девочка, — отечески гладя ее по голове, вздохнул я и, конечно, простил.

Глава 24

Остаток ночи я провел у Светланы. Я, давший себе клятву никогда не врать, весь изолгался. Светлана, рыдая, корила меня, рассказывала о встрече с Мархалевой. Оказывается, эта чокнутая разболтала все: как я тяжело переживал разрыв, как хотел отравиться, даже выдала нашу с Крис-тей тайну. Только о Лидии ничего не сказала. Уже и за это спасибо.

Охваченная состраданием, Светлана не могла уснуть. Она думала о нас. Мучимая плохими предчувствиями, в конце концов она схватила ключ, подсунутый ей Мархалевой, и помчалась ко мне. То, что она увидела в моей спальне, до конца дней своих буду вспоминать, как страшный сон.

Клянусь — теперь ад мне не страшен!

Узнав предысторию, я вынужден был предоставить Светлане серьезные доказательства своей чистоты — и я их предоставил.

— Виктор избил Марию, — теряя последнюю совесть, сказал я. — Она забрала дочь и попросила у меня убежища.

Светлана ахнула:

— Не может быть!

Я горестно поник головой:

— Увы, это так. Я уложил их спать в гостиной, а сам заснул в спальне. Варвара, ты же знаешь ее — несносная девчонка, — сама забралась ко мне в постель. Полусонный, я ничего не понял, мне снилась ты...

Светлана смягчилась:

— Роберт, это правда?

— Да, клянусь, я думал, что обнимаю тебя...

— А почему полуголая Мария спала в кухне?

— Откуда я знаю? Я тоже спал. Может, с подругой по телефону болтала, жаловалась на мужа да незаметно и заснула.

Я, поражаясь самому себе, врал с удивительной легкостью. И очень правдоподобно получалось. Светлана поверила и успокоилась. Можно было бы и остановиться, но я, охваченный жаждой творчества, продолжал врать.

— Мария успокоительных напилась, — пояснил я. — Сама понимаешь, такое горе. Виктор словно сошел с ума, на старости лет влюбился. У них с Марией был скандал, он ее избил. Надеюсь, ты понимаешь, что это секрет.

— Да-да, понимаю, — заверила Светлана, уже лаская меня взглядом. — Никому не скажу.

В общем, мы помирились. Самым элементарным образом, как это принято у взрослых людей. Потом Светлана долго рыдала у меня на плече, рассказывала, какой я хороший и как ей хотелось бы вернуться ко мне, но уже поздно...

— Поздно, поздно, — целуя меня, шептала она.

Поздно так поздно, я не возражал. Женщинам всегда виднее.

Домой я вернулся в полдень. В квартиру вошел, втянув голову в плечи: что с Кристей? Где Мария?

Впрочем, об этом я тут же и узнал: Кристя спала в кабинете, Мария — в спальне. Сам я еле держался на ногах, так был измотан второй бессонной ночью и разборками со Светланой. Про работу я уже забыл, про Лидию — тоже, но здесь-то мне все напомнили. Только прилег вздремнуть на диван в гостиной — черт возьми, снова звонок!

— Слышь, мужик, не пугайся, это Вован.

— С чего мне пугаться? — возмущенно поинтересовался я.

Вован мой вопрос игнорировал и задал свой:

— Слышь, мужик, это правда, что Лидка у тебя кони двинула?

Я опешил:

— С чего вы взяли, молодой человек?

— Да подруга твоя только что базлала.

— Подруга?

Поскольку в последние дни у меня скопилось изрядное количество подруг, было над чем поломать голову. Вован оказался проницательным парнем, понял мое затруднение и пояснил:

— Да писательша, эта, как ее, Мархалева.

— Она вам рассказала про труп? — поразился я.

— И про труп, и про все остальное.

«Про что «остальное»? — свирепея, подумал я. — Чертова баба, навязалась на мою голову. Увижу — точно убью!»

— Так че, мужик, Лидка взаправду, что ли, у тебя ласты склеила?

— Молодой человек, вас ввели в заблуждение. Понятия не имею, где она склеила... Простите, не знаю, где она умерла, но кто-то действительно притащил ее тело в мою спальню. Причем дважды, даже трижды.

— Мужик, а ты не врешь?

— Никогда не вру, — соврал я.

— И ты точно ее не травил?

— Я не сошел с ума. Зачем мне ее травить? Мы же едва знакомы. А то, что она растрепала про яд, так это была шутка. У меня яда не было. Никогда. Таким образом она перед вами хотела оправдаться, а я ей подыграл.

— Да знаю, Мархалева рассказывала.

— Ну так в чем дело?

Вован призадумался, покрякал, повздыхал и наконец спросил:

— Слышь, мужик, а сейчас там ее нет?

— Где?

— Ну в твоей спальне.

— Нет, сейчас там другая.

— Что, еще один труп? — переполошился Вован.

Я уже плохо соображал, а потому его успокоил:

— Нет, сейчас в моей спальне спит живая женщина, жена моего лучшего друга.

— Да-а, мужик, — подивился Вован, — похоже, ты и вправду никогда не врешь. Слушай, — оживился он, — а ты давно был в своей спальне?

— Да совсем недавно.

— А под кровать заглядывал?

Меня словно током шибануло: под кровать-то я не заглядывал! И уже давно!

В спальню понесся, как ошпаренный. Рухнул на пол, заглянул под кровать — пусто. Не совсем, конечно, пусто: слой пыли имеется, но Лидии нет. Об этом я с радостью сообщил Вовану.

— Правильно, — подтвердил он, — нет и быть не должно, в морге ж она. Что это я? Сам удивляюсь. С такими делами совсем крыша поехала. Ну ладно, мужик, теперь спокойно живи. Говорят, ты дюже мужик хороший.

Я насторожился:

— Кто говорит?

— Да эта ж баба, подруга твоя, Мархалева. Короче, мужик, разберемся. Ясно, ты здесь не при делах. Ну все, мужик, спи спокойно.

«Хоть одна приличная новость — да и та от бандита Вована», — подумал я и, следуя его совету, лег спокойно спать.

Но долго спать мне не пришлось, позвонила Аделина. Снова убеждала, что нам надо встретиться и потолковать. О чем-то важном. Сказала, что много думала обо мне, а теперь, после разговора с подругой Тамары, с госпожой Мархалевой...

— Что-о-о? — взревел я. — Она и до тебя уже добралась? И что наболтала?

— О тебе? Только хорошее, Роберт, только хорошее. Можно, я приеду? Прямо сейчас.

Ответить я не успел: раздался звонок в дверь.

— Деля, извини, ко мне пришли, — сказал я и пошел открывать прямо с трубкой в руке.

На пороге стоял Заславский.

— Чертова Мархалева! — завопил он. — Уже везде побывала! Везде сунула свой нос! Роб, она украла мои документы!

— Воровать она умеет, — компетентно подтвердил я.

— Она тебе их, случайно, не приносила? Две папки, полные бумаг!

— Не приносила ни одной. После разговора с тобой я вообще Мархалеву не видел.

Заславский выругался, что с ним крайне редко бывает, и заявил:

— Твоя Мархалева сведет меня с ума!

— Она всех сведет, — добавил я.

Заметив в моей руке трубку, он спросил:

— С кем разговариваешь?

— С Делей, — ответил я и, вспомнив, что она ждет, пояснил ей: — Деля, это Виктор пришел.

— Позже перезвоню, — сказала она.

— Деля?! — обрадовался Заславский — Дай сюда мобилу!

Но было поздно, в трубке раздавались гудки.

Заславский расстроился и грустно спросил:

— Зачем она звонила? Чего хотела?

— Встретиться.

Он насторожился:

— Зачем вам встречаться?

— Не знаю. Я не хочу, хочет она. Виктор, ты Варвару видел?

— Нет, а почему ты спрашиваешь?

Я замялся:

— Дело в том, что она этой ночью была у меня. И не только она.

Заславский изменился в лице:

— Неужели и Мария?

Я уныло кивнул:

— Да, Мария и сейчас спит в моей спальне.

— Не может быть!

Заславский бросился в спальню. Увидев там спящую Марию, он прикрыл дверь и, убитый, поплелся в прихожую.

— Ты куда? — спросил я.

— К Деле. Здесь мне нельзя оставаться.

Он вдруг пытливо посмотрел мне в глаза и спросил:

— Роб, неужели это произошло между вами? Так быстро?

Я покачал головой:

— Нет, между нами ничего не было. Мария просто спит. Она приняла снотворное.

Заславский отнесся к моим словам с недоверием:

— Роб, ты не обманываешь меня? Почему она спит в твоей спальне?

Я кивнул на диван:

— Потому, что я сплю в гостиной. И вообще, не пойму, чего ты хочешь? Что за паника? Сам же уговаривал меня быть ее другом.

— Другом! Роб! Другом, а не любовником! — горячась, закричал Заславский.

Я тоже взбесился:

— Ну знаешь, это уже слишком! Что за диктат? Ты хочешь спать и с моей женой, и со своей, а я должен становиться монахом.

— Роб, я сплю с твоей бывшей женой, а Мария — жена действующая.

— Это легко исправить, — заверил я. — Без проблем. Поверь моему опыту, настоящие жены легко превращаются в бывших.

Заславский не стерпел и накинулся на меня с кулаками. Мое хваленое миролюбие вмиг покинуло меня — не знаю почему. Может, сказались бессонные ночи, может, Мария была мне так дорога. А может, все дело в Аделине...

Мужчина никогда не может себя понять. Мужчина гонится за миражом. Мужчина хочет постоянного и прочного, но существо его ищет временного и разнообразного. У него все расплывчато, все запутано, не то что у женщины: все разложено по полочкам. Короче, мы с Заславским подрались. Силы были примерно равны, и никто не хотел сдаваться. Расколошматили в прихожей зеркало и телефон, перебрались в коридор, ввалились в кухню: там нам было раздолье. Первым делом вдребезги разнесли китайский сервиз, разбили настольную лампу, перевернули стол, уронили (вы не поверите) холодильник.

Думаю, этим дело не ограничилось бы, но зазвонил мобильный. Рефлексы цивилизации победили животную агрессию: и я, и Заславский бросились искать свои трубки. Оказалось, звонила моя, ее я нашел под тумбочкой в коридоре.

— Ну че, козел, попал? — очень вовремя поинтересовался блатной голос. — Или ще не понял?

— Да понял, понял, — успокоил я его.

Заславский, прислонившись к стене, пытался отдышаться. Под его глазом с удивительной скоростью рос обширный фингал. Испугавшись, я глянул на себя в осколок зеркала: у меня фингала не было. Несколько ссадин на щеке и разорванное ухо — вот и все потери.

— Кто звонил? — с трудом переводя дыхание, спросил Заславский, с ненавистью глядя на меня.

Вместе с его вопросом опять зазвонил мой мобильный.

— Роберт, как твои дела? — бодро поинтересовалась Тамара. — Как тебе нравится моя Мархалева?

— Тома, лучше не спрашивай! — взревел я. — Увижу твою Мархалеву — убью!

Заславский, сообразив о ком идет речь, выхватил из моей руки трубку и заорал:

— Тома, кого ты на нас натравила? Эта мадам куда только свой нос не сунула! Украла мои документы! Представляешь, целый час пытала меня, чем Роб занимается? Что у него за открытие? Какое он место занимает в науке? Какое ей, черт возьми, до этого дело? И почему не спросила у него? Если еще раз ко мне сунется, я ее в бараний рог сверну! Страшно подумать, что я с ней сделаю! Думаешь, она успокоилась? Нет, сказала, что пойдет пытать остальных.

Видимо, Тамара поинтересовалась кого — остальных, потому что Заславский выругался и заорал:

— А черт ее знает! Сказала, что будет пытать, пока не признаются. Угрожала, что все равно докопается. До чего, елки-палки, она собирается докопаться? Может, ты, Тома, знаешь?

Судя по всему, Тамара не знала, потому что Заславский сник:

— То-то и оно.

И передал мне трубку.

— Роберт, — заявила Тамара, — не мешай Соньке работать. Она знает, что делает. Уверяю, Сонька не станет ни с кем зря болтать. Она страшный прагматик.

— Она страшная дура! — завопил я. — Тома, умоляю, уговори ее, пусть она от меня отстанет. С ее появлением в моей жизни наступил жуткий хаос. Я не выдерживаю. Терпение мое на исходе. Уже не помню, когда нормальным голосом говорил: только кричу, ору и ругаюсь.

— Роберт, она выяснила, что хаос в твоей жизни наступил давно. Просто раньше ты этого не замечал. Ничего, не волнуйся, Сонька все по местам расставит, — успокоила меня Тамара. — Положись на нее.

Пока мы разговаривали, Заславский безуспешно пытался привести себя в порядок перед осколком моего зеркала. Фингал ужасно его расстроил. Честное слово, никогда я не видел его таким убитым. Мне стало искренне жалко друга, захотелось его подбодрить.

— Виктор, — сказал я, — ну фингал, ну и фиг с ним, подумаешь. Если что, я согласен всем подтвердить, что ты попал в автокатастрофу.

— Ладно, Роб, — примирительно усмехнулся

Заславский, — выкручусь как-нибудь. — Он глянул на часы: — Мне пора. Так что у вас с Марией?

Я развел руками:

— Ничего. Эту ночь провел у Светланы. Вот только что пришел.

Заславский воспрял духом:

— У Светланы? Роб, ты не врешь?

Я дружески похлопал его по плечу:

— Виктор, когда я тебе врал? Если не веришь, позвони ей. Она же от тебя ничего не скрывает.

Он бросился меня обнимать:

— Молодчина, Роб, молодчина! Так и продолжай.

— Иди ты к черту, — уже шутливо рассердился я. — Ты меня запутал. Вот возьму и уеду в деревню.

Заславский замахал на меня руками:

— Ни в коем случае, Роб. Ты все правильно делаешь. И с Марией ты прав. Это я дурак, сам не знаю, что на меня нашло.

Он начал мне объяснять, что сказываются годы жизни с Марией, что у них общий метаболизм и прочее и прочее. Я был измотан, засыпал на ногах и мечтал лишь об одном: когда он оставит меня в покое. Звонок в дверь я воспринял, как подарок судьбы. Но зря обрадовался: на сей раз меня посетила госпожа Мархалева.

Глава 25

Увидев Мархалеву, Заславский забыл про свои страшные угрозы и, охваченный ужасом, позорно сбежал. Я же повел себя, как настоящий храбрец: сразу начал предъявлять ей претензии.

— Чем вы недовольны? — удивилась Мархалева, прямиком направляясь в мою спальню.

Увидев там спящую Марию, она необъяснимо обрадовалась и сказала:

— Так я и знала. Кристина, надеюсь, в кабинете? Ведь там вы ее прячете.

— Уже давно никого не прячу, — с гордостью заявил я.

— И правильно делаете, — одобрила Мархалева, направляясь в гостиную и без приглашения усаживаясь на диван.

Вообще-то я человек вежливый, но здесь повел себя, как настоящий хам — сдали нервы, потерял терпение.

— Вы зря располагаетесь, — рявкнул я. — И вообще вы пришли без приглашения.

— Разве? — усмехнулась она. — Я не заметила. Собственно, что происходит? Скажите, пожалуйста, какие мы сердитые. С чего это?

— С чего?!!

В этот вопрос я вложил все свое недовольство, но ограничиваться одним вопросом не стал. Разом вывалил Мархалевой все свои беды, в которые она меня вовлекла. Не забыл рассказать про Варвару, точнее про Светлану, которая так некстати ворвалась в мою спальню.

Мархалева (вот нахалка) хохотала, как сумасшедшая. Клянусь, я готов был ее поколотить и поколотил бы, если бы не матушка, которая слишком хорошо меня воспитала. О чем я неустанно жалею.

Пока я жалел, Мархалева все хохотала. Хохотала до тех пор, пока не зазвонил ее мобильный.

— Видите, как я занята, — с важностью изрекла она, поспешно прижимая трубку к уху.

— Тоже не гуляю, — нервно поглядывая на часы, огрызнулся я.

Судя по всему, беседовала Мархалева на очень приятную тему: ахала, охала и даже мурлыкала, томно прикрывая глаза. «Что ты говоришь? Неужели? Какая прелесть!» — ворковала она. Меня чуть не стошнило. Едва она наговорилась, зазвонил мой мобильный.

— Роби, завтра вечером ты свободен? — строго поинтересовалась матушка.

Откуда я мог это знать? Но все же ответил:

— Да, мама.

— Очень хорошо. Позже перезвоню.

Пряча мобильный в карман, я многозначительно глянул на часы и сказал:

— Видите, как я занят.

— Я тоже не гуляю, — парировала Мархалева, извлекая из кармана свой мобильный, который, разумеется, уже звонил.

И снова: «Ах, как чудесно! Ах, как прелестно! Ха-ха-ха! Ха-ха-ха!» — заливалась она счастливым смехом. Смех этот меня бесил, что я всячески демонстрировал, не выходя за рамки приличий.

— Роберт, чем вы недовольны? — насмеявшись вдоволь и пряча трубку в карман, снисходительно поинтересовалась Мархалева.

Я едва не задохнулся от возмущения:

— Чем я недоволен? И вы еще спрашиваете? Разве и так не ясно? Зачем вы украли мои ключи?

— Ради вашей же пользы.

— Да кто вам дал право решать, где моя польза? Вам, мелкой воришке!

Я думал, она обидится и уйдет, но как бы не так.

— Роберт, — спокойно сказала она, — расследование движется со страшной скоростью. Логика меня и на этот раз не подвела. Результаты ошеломляющие. Думаю, вам приятно будет узнать, что Заславские: и Виктор, и Мария — не причастны к убийству Лидии. Мною точно установлено: здесь они чисты.

Я рассмеялся ей прямо в лицо:

— Ха-ха! Это и есть ваш ошеломляющий результат? Страшно рад! Вы трепали нервы моим друзьям и знакомым только для того, чтобы узнать всем известный факт: Мария и Виктор не убийцы! Надо же, чудо из чудес! Только вы, с вашей буйной фантазией, могли предположить обратное!

— Спасибо за комплимент, — любезно улыбнулась она. — Фантазия у меня действительно буйная. Мы, писатели, без буйной фантазии...

Я, конечно, наделал глупостей и показал себя в последние дни не с самой лучшей стороны, но не такой я отпетый дурак, чтобы позволить этой кретинке разглагольствовать и заниматься самолюбованием.

— Послушайте! — гаркнул я. — Мне плевать на вашу фантазию, тем более что я ее жертва. Давайте лучше перейдем к ключу, который вы у меня бессовестно умыкнули, как и бумаги у Заславского.

Брови Мархалевой изумленно взметнулись:

— Он вам об этом сказал?

— А как же. Мы друзья, у нас нет секретов, — торжествуя, сообщил я.

Она равнодушно пожала плечами:

— Ну так знайте, он сам их украл. К этому мы вернемся немного позже, а пока о ключе. Если хотите, могу объяснить, но лучше бы обойтись без этого. Для вашей же пользы.

— Нет уж, — взревел я, — объясните!

— Вы настаиваете?

— Да!!!

— Хорошо, — согласилась Мархалева, — объясню. Знайте, Роберт, я никогда не делаю необдуманных поступков. Более того, каждым своим шагом преследую минимум две цели, но чаще больше. Светлане я дала ключ по трем причинам. Во-первых, мне было необходимо, чтобы она прониклась ко мне доверием. Цель достигнута, мы почти подруги.

Услышав это, я, флегма, едва не задохнулся от бешенства и завопил:

— Ха! Вы стали подругами! Но какой ценой! Почему вы должны становиться подругами за счет меня?

— Успокойтесь, Роберт, — рассердилась она. — Я же для вас стараюсь. Думаете, мне не хватает своих подруг? Если так, ошибаетесь. Я почти раскрыла преступление, остались мелкие детали.

Мне стыдно, но я опять заорал. Как на базаре. Хуже. Не своим голосом.

— Какое преступление? — вопил я. — Вы сумасшедшая! Бездельница! Развлекаетесь за мой счет! Какого черта вы ко мне пристали? У меня нет никаких проблем! Вы — главная моя проблема!

Она усмехнулась:

— Напрасно так думаете, Роберт. Вам же звонит какой-то гоблин...

— Да, звонит, меня развлекает, я ему очень рад. В сравнении с вами, он — ангел небесный. Звонит и звонит — никакого вреда от него.

Мархалева задумчиво покачала головой:

— Возможно, возможно. Но дело не в нем. Роберт, над вами нависла смертельная угроза. Давайте вернемся к Светлане. Во-вторых, из подозреваемых я никого не исключаю. Даже ее. Поэтому, давая ключи, хотела проверить, как она себя поведет. Это очень важно: порой один жест может сказать многое. И третья причина, по которой я дала ей ваш ключ, касается вас непосредственно. Роберт, вы мужчина, и этим сказано все. Вы беспомощны, без женщины вам нельзя. Светлана призналась, что все еще вас любит. Она непрочь к вам вернуться.

Я не поверил своим ушам. Какие проблемы решает эта несчастная Мархалева? Мы с ней едва знакомы, а она уже берется налаживать мою семейную жизнь, будто мало мне родной матери.

— Идите вы к черту! — завопил я.

— Тамара мне говорила, что вы очень хорошо воспитаны, — кротко вставила она.

— Да! Воспитан! Был! До того, как познакомился с вами! Зачем вы сватаете мне Светлану, когда я ее не люблю? Я же говорил вам про девчонку с коленками. Говорил, что люблю только ее одну?

— Говорили, — подтвердила Мархалева.

— Вы же сами вызывали меня на откровенность. Спрашивается, зачем я старался, если вы не собирались учитывать мои откровения в своих планах?

— Учитываю. Но нельзя же клиниться на какой-то девчонке. Девчонки-мальчишки — это все в прошлом. Думаете, вы один такой? У каждого взрослого мужчины есть своя девчонка, которую он вспоминает всю жизнь и к которой примеряет других женщин.

— Спасибо за открытие, — съязвил я.

— Пожалуйста, — усмехнулась она и продолжила: — Это же не мешает мужчинам по-человечески жить. Между прочим, и у каждой женщины есть свой мальчишка. Верный паж, который за ней ходил, вздыхал, по-собачьи в глаза заглядывал, бросал букеты в окно, поджидал у подъезда, ночей не спал, тосковал, убивался. Этого мальчишку каждая женщина не просто бережет в своей памяти. Мы, женщины, очень практичны, поэтому всю жизнь с выгодой используем своих мальчишек: тычем ими мужьям в глаза, чтобы мужья знали, как правильно нас любить, и не задирали нос.

Я был ошеломлен:

— Это правда? Вы используете свою память именно так?

Мархалева замялась:

— Ну-у, не только так. Женщина своего мальчишку вспоминает, когда кто-то ее обидит, когда не складывается личная судьба. Тогда она убивается, что вовремя его любовь не оценила, может даже всплакнуть. И все. И больше ничего. У меня тоже есть свой мальчишка, которого я с нежностью в памяти берегу, но это мне не помешало пять раз побывать замужем. Так есть ли смысл вам, умному и зрелому мужчине, клиниться на какой-то девчонке? Представляете, сколько ей сейчас лет? Она, поди, уже поседела, обрюзгла и растолстела.

— Не ваше дело, — вновь разозлился я. — На ком хочу, на том и клинюсь. И какой смысл учить меня, если я над собой не властен? Разве я виноват, что до сих пор люблю ту девчонку и ищу ее во всех женщинах? Кто знает, может, я ее найду.

— Если вы любите девчонку с коленками, то почему в вашей спальне лежит Заславская? — невозмутимо поинтересовалась Мархалева и ядовито добавила: — Насколько я успела понять, это не она. Девчонка была блондинка, а Мария брюнетка.

— Да, она не девчонка, но очень на нее похожа.

Удивительно, но эта невинная фраза почему-то задела Мархалеву за живое.

— Что? — вмиг лишаясь спокойствия, закричала она. — Заславская похожа на девчонку с коленками? Ну, Роберт, разуйте глаза! Или я вас плохо слушала! У Марии синие раскосые глаза, а у девчонки миндалевидные карие. Кстати, как у меня. А остальные приметы? Нет, вы сказанули! Похожа свинья на ежа! Если уж на то пошло, то на вашу девчонку больше похожа я!

— Вы? — содрогаясь, воскликнул я. — Нет уж, увольте! Если уж перебирать, на кого похожи вы, тогда разумней поискать среди ведьм, фурий, гарпий и мегер!

— Ах вот вы как! — Мархалева вскочила с дивана. — Я желаю вам только добра, взамен же получаю одно хамство. Знаете ли, это уже слишком! Даже моему терпению приходит конец! Прощайте!

Она выбежала из комнаты. Мне показалось, что в глазах у нее блеснули слезы. Но и это не вызвало у меня сочувствия. Когда хлопнула входная дверь, я испытал настоящее облегчение. Я ее никогда не увижу.

Какое счастье!

Глава 26

Как только из моей жизни исчезла эта страшная женщина — госпожа Мархалева, — все пошло, как по маслу. В тот же день позвонил муж Кристины. Он сообщил, что положил на счет жены приличную сумму и оформил дарственную на одну из квартир.

Я был удовлетворен и даже подумал, что если Кристя не станет шиковать, как она это любит, то сможет какое-то время не работать и жить на проценты. Она заверила меня, что денег ей хватит, но переезжать в свою квартиру не пожелала. Я не возражал. Каждый день она получала по корзине цветов, которые, как я заметил, с нетерпением ожидала. Думаю, из-за мармеладных записок.

Что касается Лидии, Вован не обманул: меня никто не беспокоил. Я снова вернулся к работе. В жизни моей наступил порядок, который омрачался лишь звонками дебила (он все еще сообщал мне, что я попал) и попытками матери меня женить. Жанна действительно нашла невесту (богатую, образованную и красивую), на которую я категорически отказывался даже смотреть. Но матушка не отставала, в тайной надежде переупрямить меня.

Немного волновала Аделина. Она часто звонила и утверждала, что нам необходимо встретиться и поговорить. Я был согласен, но всякий раз что-то мешало: то Заславский нежданно прибегал, то приходила Мария, то вдруг сама Деля откладывала нашу встречу.

Все это, разумеется, мешало моей работе. Я рвался в деревню, но Маша умоляла меня остаться. Ей было трудно, я видел, как она страдает. Отношения наши не продвинулись дальше разговоров. Я был этому рад, поскольку понял, как сильно любит жену Заславский. «Когда он уже перебесится? — недоумевал я. — Когда успокоится и вернется в лоно семьи?»

Но, как ни странно, больше всего Мария переживала из-за дочери. Варвара окончательно вышла из повиновения, стала несносной, закатывала родителям скандалы. В семье Заславских наступил хаос; Мария металась между мною, дочерью и мужем. Она прибегала ко мне жаловаться, я ее успокаивал — тем и ограничивались.

Все это грустно, конечно, но зато я получил свободу и целиком отдался работе. Кристина, на удивление, мне не мешала. Более того, она добровольно взяла на себя уборку квартиры и ведение хозяйства. Мне это очень понравилось; моя теория хорошо продвинулась вперед. Наконец-то я был доволен своей жизнью, появились успехи в работе, исчезли проблемы...

И вот в такой благодатный момент позвонила Тамара. Она была взволнована, даже близка к панике.

— Роберт, — нервно спросила она, — ты не знаешь, куда пропала Мархалева?

Я был откровенен:

— Не знаю и знать не хочу.

— Роберт, как ты можешь так говорить? — изумилась Тамара. — А если с ней случилось что-то страшное? А если она попала в беду?

— А я тут при чем? Она сама ходячая беда. По-твоему, я должен о ней заботиться? Жила же Мархалева как-то до меня.

— Да, жила и, между прочим, никуда не пропадала. Пока не связалась с тобой. Роберт, если я волнуюсь, значит, есть причины. В последнее время Сонька твоими делами занималась, следовательно, ты должен знать.

Я опешил:

— Что должен знать?

— Куда она пропала.

— Да мы с ней дней десять не виделись, если не больше.

— Тем более, — рассердилась Тамара. — Роберт, это странно, женщина совершенно бесплатно решает твои проблемы, а ты равнодушен к ее судьбе. Она столько для тебя хорошего сделала.

— Да что она сделала для меня? — поразился я. — Вреда, да, много! Вот что, Тома, я тебя уважаю, поэтому расстраивать не хотел. Но теперь скажу: подруга твоя меня достала. Она несносна. Я ей высказал все, практически послал.

— А она что? — испугалась Тамара.

— Пошла. И с тех пор мы не виделись. Не думаю, что мои дела ее все еще интересуют. Скорей всего, она занята собой.

Тамара отрезала:

— Тогда ты совсем мою Соньку не знаешь. Она не умеет жить для себя. И она очень упрямая: если за что взялась, обязательно доведет до конца.

Не могу сказать, что такое сообщение меня порадовало. После разговора с Тамарой я места себе не находил. Нет, меня не мучила совесть — меня мучил страх. Что-то еще уготовила мне эта Мархалева?

Плохие предчувствия оправдались почти мгновенно. Одно упоминание имени этой страшной женщины разрушило мою тихую жизнь. Едва я поговорил с Тамарой, чередой потянулись неприятности. Сначала мелкие, потом все крупней и крупней. Как обычно, принесли корзину с цветами. Но разносчик был не один: рядом с ним топтался элегантного вида мужчина.

— Эдуард Кросский, художник, — надменно представился он и с напором начал доказывать, что я должен уступить ему эту корзину.

Видите ли, наша корзина приглянулась ему, а таких в магазине больше нет, и, когда подвезут, неизвестно, а ждать он не может. Разносчик отдать ему корзину не решился, побоявшись сорвать заказ постоянных клиентов. Судя по всему, Кросский думал, что я за честь почту уступить ему Кристинину корзину.

Органически не выношу таких нахалов. Поговорка «раздайся море — плывет дерьмо» как раз про них. Мы заспорили. Я никак не хотел ему уступать, ссылаясь на то, что цветы предназначены не мне, а моей сестре. Он намекал, что сестра подождет, а он ждать не может. Я разнервничался, возможно, лишнего наговорил. Он в долгу не остался. Так продолжалось до тех пор, пока на шум не прибежала Кристина. Узнав в чем дело, она разрешила спор.

— Я дарю вам эти цветы, — сказала она, извлекая из корзины свою записку и нежно прижимая ее к груди.

Мужчина ее благородством был сражен, стал рассыпаться в любезностях, но корзину с собой утащил. О деньгах, кстати, даже не пикнул.

Кристина с запиской отправилась на балкон — теперь она там все свободное время проводила, — а я поспешил в кабинет. Вроде, все утряслось, но работать я уже не мог. Сидел, тупо уставившись в экран монитора, и думал о... Мархалевой.

«Вот, пожалуйста, — горевал я, — чем заканчивается одно лишь упоминание ее имени. А что будет, если явится она сама?»

Но вместо Мархалевой явилась Светлана. Она упала ко мне на грудь и с рыданиями сообщила, что в ближайшие дни судьба ее будет решена.

— И что это значит? — недоумевая, поинтересовался я.

— То, что я выхожу замуж, — трагическим тоном сообщила Светлана.

Я уныло посоветовал:

— Если ты не рада этому, не выходи.

— Но он богат, Роберт. Одним махом он решит все проблемы! — воскликнула Светлана, с надеждой заглядывая в мои глаза.

Я не мог решить своих проблем, но уже взялся за проблемы Кристины. Кстати, ее муж тоже очень богат, но что из этого вышло?

— Выходит, тебе повезло, — с кислой миной сообщил я.

— Ах, ты ничего не понимаешь! — выкрикнула Светлана и убежала.

Было очевидно: борьба любви и корысти закончилась победой последней. Как всегда.

Настроение окончательно испортилось. Я даже не пошел в кабинет: уселся перед телевизором в гостиной, ожидая новых неприятностей.

И они не заставили себя ждать. Примчалась Мария. Она была очень странная: безумно горели глаза, руки нервно теребили сумочку.

— Роберт, Варя у тебя?

Я был удивлен и заверил Марию:

— Нет, давно ее не видел. Она мне даже не звонила.

— Роберт, ты не обидишься, если я загляну в твои комнаты?

— Заглядывай, — согласился я, теряясь в догадках.

Мария пробежалась по квартире, заглянула даже на балкон, там наспех поздоровалась с Кристиной и помчалась в прихожую. Уже в дверях она задержалась, как-то растерянно на меня посмотрела и с запинкой спросила:

— Н-н-неужели это правда?

Я опешил:

— Что — правда?

Мария скорбно покачала головой и вздохнула:

— Ничего, Роберт, сейчас я должна разыскать Варю. Остальное — потом.

Когда она ушла, я уже не мог усидеть на месте: заметался по комнате, мучимый плохими предчувствиями. Чертова Мархалева! Несомненно, все беды от нее!

Здесь я немного ошибся, потому что следующей явилась моя матушка. Когда я увидел ее в глазок, меня едва удар не хватил. На цыпочках я помчался на балкон к Кристине и закричал:

— Кристя! Мать наша! Пришла! Что делать?

Сестра мгновенно нашла решение:

— Я спрячусь в шкаф, а ты ее впусти.

— Нет, лучше не надо, — запротестовал я.

— Роберт, — рассердилась Кристина, — если ты не пустишь ее, будет хуже. Она насторожится, начнет тебе досаждать.

«Да-а, второй раз матушка так просто не отстанет», — подумал я и согласился с сестрой.

Глава 27

Едва мать переступила порог квартиры, сразу посыпались упреки.

— Роби, ты слишком долго мне не открывал.

— Мама, я был занят, — оправдывался я.

— Роби, у тебя, как всегда, грязно.

— Мама, несколько часов назад мылись полы, чистились ковры и протиралась от пыли мебель.

— Роби, кто это все делал?

— Мама, я.

— Оно и видно. Роби, хватит тебе жить отшельником.

Тут мне было бы уместно сказать, что от гостей нет отбоя, но я мудро промолчал.

Мать устроилась в гостиной, потребовала кофе и, как только он был готов, сразу оседлала своего конька:

— Роби, ты срочно должен жениться.

— Мама, лучше не начинай! — в отчаянии закричал я.

Она невозмутимо продолжила:

— Роби, тебе несказанно повезло. Она очень занятой человек, но под напором Жанны согласилась завтра освободить для тебя вечерок.

Испугавшись, я завопил:

— Нет! Мама, нет! Даже и не мечтай!

И без того огромные глаза матери приобрели невероятные размеры. Это не сулило ничего хорошего.

— Роби, сколько можно откладывать? Не хитри. Рано или поздно это все равно произойдет.

— Что, мама?

— Ваша встреча. Лучше не откладывай, а решайся. Роби, ты трус?

— Я не трус, мама, но я боюсь.

— Чего ты боишься?

— Боюсь на нее смотреть. Представляю, кого откопала полуслепая Жанна. Нет, я не пойду.

— Роби, уже поздно, — зашипела мать. — В какое ты ставишь меня положение? Жанна уже назначила свидание, ты должен быть. Отправляйся, или я умру. Ты разбиваешь мне сердце.

Я был в ужасе. Хотелось умчаться со страшной скоростью, куда глядят глаза, но, взяв себя в руки, я начал ее умолять:

— Мама, твой сын уже немолодой человек, ему стыдно бегать на свидания с незнакомыми женщинами. Если ты хоть немного меня любишь, не ставь в глупое положение. Кстати, сколько ей лет?

Мать замялась:

— Ну-уу, не знаю, она, конечно, уже не так молода, как хотелось бы...

Я рассвирепел:

— Короче, пенсионерка! Как ты и мечтала!

— Нет, Роби, нет, — испугалась мать. — Она совсем не стара. Поверь, сынок, такие невесты на дороге не валяются. Только представь: умна, красива, богата в конце концов.

— Именно, — прорычал я, — богата! С этого надо было и начинать!

Мать мгновенно встала в позу и заявила:

— Да, богата! И если кто-то мне объяснит, что в этом плохого, я соглашусь, что она тебе не пара.

Я понял, что это никогда не кончится, и пошел на обман:

— Мама, в любом случае завтра я не смогу: у меня ученый совет.

— Хорошо, — обрадовалась она, устремляясь в прихожую. — Перенесем встречу на послезавтра.

«Переносить замаетесь», — подумал я, закрывая за матерью дверь и гадая, какие еще сегодня свалятся на меня неприятности.

И дождался — свалились. Следом за матерью появилась Варвара. Она была мокрая и жалкая.

— Роб, — сказала она, — на улице дождь. Выйди на балкон, посмотри.

Я удивился:

— Зачем?

— Выйди-выйди, — попросила она, — посмотри, что там творится.

Я направился в спальню (только там у меня есть балкон) и столкнулся с испуганной Кристиной.

— Ой, Роби, — закричала она, — я услышала, как ушла мама, и хотела вернуться на балкон, но только глянь, что там творится. Мне страшно, будет гроза!

— Настоящее светопредставление, — стряхивая воду с волос, заявила Варвара.

— Светопреставление, — поправила ее Кристина. — Конец света. Кажется, будет не гроза, а буря!

Я выглянул в окно и удивился. Действительно, зрело нечто ужасное: небо налилось свинцовой тяжестью и опустилось. На улице вмиг потемнело; в квартире пришлось зажечь свет. Ураганный ветер едва ли не до земли гнул деревья, поднимая в воздух тучи пыли. Казалось, еще немного и грянет страшная гроза. Ее ожидание вселяло в душу какой-то пещерный, первобытный страх. С ним невозможно было бороться. Такой страх приходилось только терпеть.

И над всем этим мирно крапал безобидный дождик.

С нехорошим чувством я оторвал взгляд от окна и направился в гостиную, куда забились уже Варвара и Кристина. Нахохлившись, как воробышки, они сидели на диване и обменивались испуганными взглядами.

— Роб, как думаешь, крышу дома не снесет? — спросила Варвара.

— Это не страшно, — пошутил я. — Ты же живешь без крыши.

Варвара рассердилась:

— Роб, нам не до шуток. Мы с Крысей боимся! Боимся! Так что, не снесет крышу?

Я ее успокоил:

— Не должно.

— А если в наш дом попадет молния? — поинтересовалась Кристина.

— Не волнуйся, здесь есть громоотвод, — заверил я.

Варвара успокоилась и начала задумчиво покусывать палец.

— Роб, нам надо поговорить, — глядя на Кристину, сказала она.

Сестра поднялась с дивана и вышла из комнаты. Едва за ней закрылась дверь, Варвара бросилась ко мне на грудь и разрыдалась:

— Роб, я влетела!

— Что это значит? — опешил я.

— А то, что у меня будет ребенок!

Силы небесные! Час от часу не легче!

— Родители знают? — поеживаясь, спросил я.

Варвара, размазывая по щекам тушь и слезы, замотала головой:

— Пока не знают.

Я растерялся:

— Но можно сделать этот, как его...

— Аборт?

— Ну да.

— Поздно, — вздохнула Варвара. — Ребеночек уже заворочался у меня в животе. Поэтому я и пошла к врачу. Думала, что-то с желудком, а оказывается, это ребенок. Поздно, Роб, поздно.

«Как это — поздно? — удивился и разозлился я. — Да что она мне голову морочит?»

— Варя, — приказал я, — прекрати нести чушь! Как это «поздно», когда совсем недавно у тебя были критические дни?

— А вот так! — отталкивая меня, закричала она. — Критические дни шли сквозь ребеночка! Врач сказал, что такое бывает.

Я, неосознанно подражая Заславскому, схватился за голову, и тут меня осенило:

— Но у ребенка же есть отец! Надо его прижать хорошенько и заставить жениться.

Варвара, видимо, тоже подражая отцу, схватилась за голову, осела на пол и простонала:

— Роб, нет никакого отца...

Я оторопел:

— Как — нет отца? Так не бывает. Ты же не Божья Матерь, чтобы зачать без отца.

— Да, — согласилась она, — по-людски и зачала, но кто отец, я не знаю. В то время я была в поиске и с кем только не спала; презервативов на всех не хватало. Роб, согласись: это то же самое, что нет отца.

Я согласился и сник. Сидел совершенно растерянный, не знал, как помочь горю Вари, горю Виктора и Марии. Зато Варвара, как выяснилось, знала. Она вскочила с пола, снова бросилась мне на грудь и закричала:

— Роб, ты должен на мне жениться!

Пока я беспомощно хватал ртом воздух, она виртуозно заполнила паузу:

— Роб, только ты можешь меня спасти. Если я рожу в девках, представь, какой на нашу семью падет позор. Мама не переживет. А ты подходящая кандидатура: выдающийся ученый, совершил какое-то обалденное открытие, от которого скоро содрогнется весь мир.

Ко мне вернулся дар речи, и я тут же этим воспользовался.

— А ты откуда знаешь? — спросил я.

— Отец с матерью шептались, а я подслушала, — не томясь чувством вины, бесхитростно сообщила Варвара. — Роб, ты как друг обязан на мне жениться. У тебя есть квартира, приличное жалованье, и ты еще мужчинка хоть куда. Роб, ты просто красавец. Клянусь, если мы поженимся, все мои подруги умрут от зависти. Вот это настоящее счастье!

Гробить свою жизнь ради смерти ее подруг мне не хотелось, поэтому я закричал:

— Нет! Даже и не мечтай об этом!

— Роб, не выпендривайся. У нас получится. Мы клево заживем. Ты будешь мотаться по загранкомандировкам, по симпозиумам и конференциям, а я буду сопровождать тебя.

Я содрогнулся, представив рядом с собой Варвару, всю в браслетах, в цепях, в коже, насквозь проткнутую многочисленными кольцами, с прической дыбом, фиолетовыми губами, оскаленными зубами, брезгливо жующими жвачку. Я содрогнулся и завопил:

— Нет! Нет! Лучше пристрели, чтобы не мучился!

Варвара снова оттолкнула меня и сообщила:

— Ну не знаю, Роб, в любом случае родители уже не против.

— Ты сказала им, что мы хотим пожениться? — ужаснулся я.

— А зачем скрывать? — удивилась Варвара. — Пускай знают. Роб, ты совсем неплохой жених.

— Ну ты и нахалка! — взревел я. — Вон! Вон из моего дома!

Она струхнула:

— Роб, там же светопредставление...

Я глянул в окно; в природе зрело, зрело нечто ужасное. Казалось, вот-вот начнется гроза, но она все не начиналась.

— Ладно, — остыл я, — оставайся, но не смей мне морочить голову. Сиди и не пикай.

Варвара покорно замолчала, но тут не смог умолчать я. Вспомнив посещение Марии, ее странный вопрос, я завопил:

— Теперь понятно, почему так странно на меня смотрела твоя мать! Удивительно, что она ушла, ни о чем меня не спросив.

Представив, каким подлецом я выгляжу в глазах Марии, я опять пришел в бешенство, схватил Варвару за шиворот и потащил ее вон из квартиры.

— Роб! Я боюсь! Там буря! — вопила она.

Снова глянув в окно, я понял, что вот-вот начнется гроза, и закричал:

— Прекрасно! Тем более поспеши!

— Но я не успею! Роб, я не успею!

Варвара плакала и просила меня, но я был неумолим. Не только в природе зрело, внутри меня тоже зрело нечто страшное. Клянусь, я боялся себя!

Вытащив Варвару в прихожую, я попытался открыть дверь, но на шум прибежала Кристина. Увидев, что я творю, она пришла в ужас, начала причитать:

— Роби, братик, успокойся, это я виновата, это я довела тебя...

— Ты здесь ни при чем! — гаркнул я. — Отправляйся в спальню и не выходи, пока не позову!

Видимо, я был так грозен, что Кристина, ни словом не возразив, убежала в спальню. Я же, придерживая Варвару, исхитрился открыть дверь, и... в этот миг грянул гром. В высоком лестничном окне невероятно ярко сверкнула молния, ослепив меня и Варвару. Испуганные, мы зажмурились, а когда раскрыли глаза — на пороге стояла Мархалева.

Глава 28

На пороге стояла Мархалева.

Явившись под жуткие раскаты грома, она стояла в темном подъезде, зловеще освещаемая огненными вспышками молний, и была похожа на дьяволицу. Мы с Варварой отшатнулись. Мархалева же уверенно прошла в прихожую и, укладывая на столик зонтик, снисходительно поинтересовалась:

— Что здесь происходит?

Варвара завороженно на нее посмотрела, затем перевела взгляд на меня и спросила:

— Роб, кто это?

— Писательница Мархалева, — мрачнея, ответил я.

— Так я и знала, — восхищенно прошептала Варвара и (катастрофа!) сообщила, кивая на меня: — Он не хочет жениться. На коленях его уговариваю.

Варвара действительно стояла на коленях — так уж получилось: она не хотела выходить и все время падала на пол, а я ее тащил.

— Роберт! — изумленно воскликнула Мархалева. — Неужели вы обманули эту бедную крошку?

— Ага, — презрительно рассмеялся я, — когда бы я успел? К тому же, обманул — здесь не тот случай. Сами слышали, как она насиловала меня.

Однако Мархалева продолжила так, будто я и не говорил вовсе.

— Да, Роберт, да, — с осуждением сказала она, — чувствуется, вы и не на такое способны.

Неожиданно за меня вступилась Варвара.

— Вы неправильно поняли, — пояснила она, — Роб — святой, я от другого беременна. Если честно, от кого — не знаю сама. И ребенок уже толкается. Если бы Роб женился на мне, все успокоились бы: и родители, и преподаватели... Но он не хочет на мне жениться, — вдруг зарыдала Варвара.

— И не только на вас, — гладя ее по голове, сообщила Мархалева. — Он уже на половине города не хочет жениться, этот скромник, этот святой.

Она уничтожила меня взглядом. Скажи подобную фразу кто-то другой, по скромности я стерпел бы, но эта Мархалева действовала на меня, как красное на быка.

— В чем вы меня обвиняете? — завопил я. — Чем я опять вам не угодил? И зачем вы пришли?

Мархалева изящным движением подняла Варвару с пола и, увлекая ее в гостиную, воскликнула:

— Никогда бы к вам не пришла, если бы не грозила вам смертельная опасность!

— Какая опасность? — скептически поинтересовался я.

— Какая опасность? — загораясь любопытством, закричала Варвара.

Мархалева многозначительно на нас посмотрела, чтобы потомить, выдержала паузу, раскрыла рот, и... раздался звонок в дверь. Мархалева, забыв про опасность, спросила:

— Кто это?

— Не знаю, — ответил я.

— Так что же вы здесь стоите? Идите узнайте.

Я рассерженно фыркнул, но пошел. Это была Аделина. Растерявшись, я отпрянул от глазка, собираясь неслышно уйти. Мы так долго договаривались о встрече. Возможно, я ждал ее, но встречаться в такой обстановке казалось абсурдом.

Однако, как только я сделал от двери один шаг, Деля меня позвала:

— Роберт... Роберт...

Сам не зная почему, я откликнулся: «Иду».

Пришлось открывать.

Аделина стояла на пороге, красивая и очень смущенная. Она принарядилась и даже слегка подкрасила глаза, чего в юности никогда не делала.

— Роберт, — тихо сказала Аделина, — вот, пришла без приглашения. Знаешь почему?

Я отступил на шаг:

— Почему?

— Потому что поняла: мы никогда не встретимся. Не решимся, старые дураки.

— Ты совсем не старая, — возразил я, — ты очень красивая. Такой красивой ты никогда не была. Я безумно тебе рад, но у меня в гостиной гости.

Аделина насторожилась:

— Виктор?

— Нет, Мархалева и Варя.

— Какая Варя?

Насчет Мархалевой у нее не возникло вопросов. Еще бы, вероятней всего, они уже подруги.

— Варя, это дочь Заславского, — пояснил я, после чего Аделина облегченно вздохнула:

— И слава богу, Роберт, они нам не помеха. Давай пройдем в кухню и все обсудим. Я немного времени у тебя отниму.

— Хорошо.

Мы прошли в кухню, Аделина достала из сумочки портсигар и попросила огня.

— Роберт, — торопливо затягиваясь дымом и явно нервничая, сказала она, — мы нужны друг другу.

Я не возражал. Она до боли была похожа на девчонку с коленками: так же падала на лицо соломенная прядь: губы, пухлые, сочные, накрашенные яркой малиновой помадой. Из-под юбки выглядывали коленки. Не разбитые, но такие же детские, острые, как у девчонки. Той девчонки...

— Роберт, я вчера говорила с... — Она сердито тряхнула головой: — Нет, не то, не то я должна тебе сказать. Роберт, я всю ночь не спала. Все думала, думала, как ты мне нужен. Мы сделали глупость, когда развелись. Я не была счастлива. А ты?

«Но у нее совсем не карие глаза», — мысленно удивился я и ответил:

— Тоже счастлив не был, но кто здесь счастлив? Этот мир не годится для счастья.

Аделина нахмурилась:

— Ну вот, дорогой, опять ты философствуешь, а я серьезно. Мы должны, должны быть вместе. Мы созданы друг для друга.

— А как же Заславский? — удивился я.

Честное слово, не хотелось разбивать ему сердце. Я уже чувствовал, что он несколько преувеличил, когда рассказывал о своем романе. Никакого романа нет.

Пока нет, но Заславский своего добивается и не падает духом. В его богатой интрижками жизни есть прецеденты для этого.

Аделина подтвердила мои подозрения.

— С Заславским мы пока друзья, — равнодушно сказала она. — Друзья, и не больше.

— Но зачем ты его приваживаешь?

Она нервно пожала плечами и жадно затянулась сигаретным дымом.

— Роберт, не знаю. Его надо гнать, а я действительно приваживаю. Почему? Может, потому, что мне не хватает тебя. Когда Заславский внезапно вырос на пороге моего дома, я едва не потеряла сознание: так вы похожи. Столько лет не видела ни тебя, ни его, но ничего не изменилось. Хотя, нет, Заславский сильно постарел.

Аделина мне ласково улыбнулась и с подъемом воскликнула:

— А ты нет! Каким был, таким и остался! Роберт, а я?

— Ты похорошела, я уже говорил.

Она подошла ко мне, взяла за руку и попросила:

— Роберт, пожалуйста, соглашайся.

Я сделал вид, что не понимаю:

— На что?

Аделина опять смутилась:

— Нет, Роберт, жениться на мне я не предлагаю. Давай просто поживем и посмотрим, как у нас все будет. Хорошо?

— Надо подумать. Понимаешь, возраст уже не

тот, чтобы принимать скоропалительные решения.

Аделина обрадовалась:

— Да, Роберт, да, уже не тот возраст.

Она выглянула в окно и мечтательно произнесла:

— А буря мимо пронеслась.

— И ливень закончился, — добавил я.

Аделина ласково посмотрела на меня и попросила:

— Роберт, думай, пожалуйста, быстрей. Думай, а я пока ухожу. Проводишь меня до двери?

— Конечно.

Глава 29

Когда, проводив Аделину, я вернулся в гостиную, вопросом в глазах меня встретила только Варвара. Мархалева, похоже, была в курсе.

Откуда такая осведомленность? Подслушивала? Вряд ли. Не могла она упустить возможности выпытать все у Варвары — уж слишком подходящий представился случай. Варя — находка для шпиона. Сама все расскажет, только слушай. Значит, я не ошибся, Аделина явилась по согласованию с Мархалевой.

— Роб, кто приходил? — спросила Варвара.

— Моя бывшая жена. Ты вряд ли ее помнишь, маленькая еще была.

Отвечая, я смотрел на Мархалеву и заметил, что она осталась удовлетворена. Я сделал замысловатый поклон, помахал воображаемой шляпой и с издевательским пафосом воскликнул:

— Софья Адамовна, чем обязан счастию лицезреть вас в моем доме?

Мархалева заговорщицки посмотрела на Варвару. Та кивнула, притворно зевнула и, поднимаясь с дивана, сказала:

— Ну ладно, Роб, я пошла.

Разумеется, я удивился, но виду не подал и равнодушно бросил ей вслед:

— Иди, ребенок, не провожаю, открывать замок ты уже научилась.

Как только за Варварой захлопнулась входная дверь, Мархалева затараторила:

— Роберт, очень спешу, у нас мало времени, поэтому давайте начистоту. Заславский замыслил вас убить. Знаю, сейчас вы начнете меня убеждать, что он ваш друг и прочее, но не старайтесь. Бесполезно. Разум молчит, когда говорят факты.

Мне стало смешно. Я буду ее убеждать? Эту сумасшедшую? За кого она меня принимает?

— Лучше скажите, зачем вы натравили на меня Аделину? — спросил я и порадовался.

Мархалева оторопела. Она думала, что сейчас развернется диспут на тему «Убийца или не убийца ее заклятый враг Заславский», а я взял и выкинул неожиданный фортель: разоблачил ее и Аделину. Знай наших, мы тоже не лыком шиты.

Однако закалка у этой дамочки оказалась завидной. Мархалева очень быстро сориентировалась и ответила:

— Аделина к вам давно собиралась и без меня, но ее Заславский всячески отговаривал. Он ее запугал, черт-те что болтал о вас. Роберт, к сожалению, не успею вам сообщить, какие Заславский плетет за вашей спиной интриги — времени у нас в обрез, — но знать вы должны: ваш друг что-то замышляет. Скорей всего, он жаждет вашей смерти.

Мне снова стало смешно:

— Вот она, ваша хваленая логика! Заславский интриган — все это знают. У него это в крови. В науке все интригуют, когда не хватает таланта. На этом держится карьера бездарей. Заславский всегда интриговал, но нашей дружбе это не мешало: я жив пока, как видите. Да, он отговаривает от меня Аделину, и что из этого? Поэтому он хочет моей смерти? Странный вывод. В огороде бузина, а в Киеве дядька.

— Но это так, — заверила Мархалева. — Он всеми способами не пускал к вам Делю.

— Конечно, а как еще прикажете ему поступать? Он влюблен в мою бывшую жену и будет всячески уговаривать ее сойтись со мной? Абсурд. Заславский поступал, как мужчина.

— Хорошо, пусть так, — отмахнулась Мархалева, — речь не о том. Роберт, вы должны жениться на Варе. Только это спасет вам жизнь.

Терпение мое лопнуло. Нет, я не завопил и не затопал ногами. Просто достал из кармана мобильный и спокойно набрал номер справочной службы.

— Что вы делаете? — удивилась Мархалева.

— Справочная, добрый день, — с дежурной приветливостью раздалось в трубке.

— Моей гостье нужна скорая психиатрическая помощь, — начал я, но договорить не успел.

Мархалева вырвала из моей руки трубку и закричала:

— Роберт, вы зря тратите время!

Здесь я был абсолютно согласен с ней:

— Конечно, ведь я разговариваю с вами.

Я торжествовал: наконец-то Мархалева пришла в отчаяние.

— Роберт, — заламывая руки, закричала она, — какой вы упрямый! Не знаю, как вам объяснить, но вы должны сделать так, как я рекомендую. Ваша жизнь в опасности!

— Скажите почему? — потребовал я.

— Скажу обязательно, но позже.

— Значит, позже и поговорим.

Я демонстративно поднялся, давая понять, что аудиенция закончена. Мархалева испугалась:

— Роберт, перестаньте, вы же не маленький ребенок. За эти дни я столько узнала, в двух словах не передать. Заславский всеми руководит. Все невольно ему подчиняются. И все вертится вокруг вас. Роберт, вы просто слепой, Заславский объявил на вас охоту. Он расставил флажки и гонит вас, гонит на номера.

Я озабоченно глянул на часы и изрек:

— Сказано очень образно. Теперь вижу, что вы писатель. Спасибо. Восхищен, но вынужден распрощаться. Извините, дела.

Мархалева вскочила с дивана, но не ушла. Она забегала по комнате, приговаривая:

— Что же делать? Что же делать? Он болван, настоящий болван...

— Простите, вы не обо мне? — вежливо осведомился я.

— Конечно, о вас! — закричала Мархалева. — Ваша жизнь висит на волоске, а вы даже слушать меня не хотите. Роберт, если вас убьют, потом не жалуйтесь — я предупреждала.

Сказав это, она схватилась за сердце и запричитала:

— Что я мелю, что я мелю? Нет, я с вами сойду с ума. Точно сойду с ума.

Захотелось ее успокоить. Я сказал:

— Не волнуйтесь, вам это не грозит. Все уже в прошлом.

Она презрительно выплюнула:

— Остряк. — Подумав, с оскорбительной жалостью добавила: — И без пяти минут покойник.

— Слушайте, вы мне надоели, — разъярился я.

— Вы мне тоже, — мгновенно приобретая безмятежность, ответила Мархалева и плюхнулась на диван.

Оказывается, ей всего и было-то нужно довести меня до бешенства.

— Значит, так, Роберт, — деловито сказала она, — с минуту на минуту к вам заявится Заславский. Так вот, вы должны ему сказать, что женитесь на Варе. Не волнуйтесь, он будет возражать.

— А если согласится?

Мархалева задумалась и сообщила:

— Тогда я дура.

«Прекрасно, — подумал я, — мой друг скажет «да» при условии, что Мархалева дура. Если следовать такой логике, Заславский точно согласится».

— Знаете что, Софья Адамовна, — решив быть

разумным и рассудительным, сказал я, — мне это никак не подходит. Подумайте сами, что вы предлагаете...

— Сто раз подумала, — заверила она.

— Тогда как вам такой вариант: я заявляю своему другу, что женюсь на его дочери, он — соглашается, вы — дура, а как быть мне? Прикажете на Варьке жениться? Нет, вот я точно еще не сошел с ума! И заметьте, я должен сотворить эту глупость, сам не зная почему. Вы мне только рекомендуете, а объяснить ничего не хотите.

Мархалева растерялась:

— Да, Роберт, вы правы, и в самом деле как-то не очень получается. Хорошо, я расскажу, что успею, но если не успею, если придет Заславский, обещайте, что сделаете, как я прошу.

Мою рассудительность как волной смыло.

— Опять за рыбу гроши! — закричал я. — Жаль, что вы не мужчина. Были бы из тех, кому проще дать, чем объяснить, что он на фиг не нужен.

Мархалева была шокирована:

— Роберт, вы говорите пошлости? Неужели это я вас довела?

Я оглянулся по сторонам:

— Кроме вас, никого вроде нет здесь.

Она снова пришла в отчаяние:

— Боже! Роберт, о чем мы говорим? Дорога каждая минута!

— Вот именно, — согласился я, — три страницы формул успел бы набросать.

Видимо, мое заявление произвело на Мархалеву самое положительное впечатление, потому что она сказала:

— Хорошо, Роберт, слушайте, для чего я это затеяла. Заславский, узнав, что вы хотите жениться на Варе, придет в бешенство и закричит: «Только через мой труп!»

— Разумеется, — согласился я.

— Вот тогда-то и скажете вы ему, что если не Варя, то Деля. Как, думаете, поведет себя Заславский?

— К черту меня пошлет.

Мархалева была разочарована:

— И всего-то? И это все, на что вы способны? А на Варе-то жениться он даст согласие?

В третий раз мне стало смешно:

— Конечно, не даст. Скорее, он откажется от Дели. Когда в семье Виктора начинаются катаклизмы, ему уже не до любви. Жизнью проверено.

— Очень хорошо! — обрадовалась Мархалева. — Хотите пари?

— Не хочу.

Я действительно не хотел: терпеть не могу пари.

— Ну, Роберт, не упрямьтесь, — с жаром начала уговаривать меня Мархалева, но почему-то вдруг передумала: — Ладно, черт с ним, с пари. Давайте так: если Заславский даст свое отцовское благословение, значит, я права: он убийца. В этом случае вы обещаете делать все, как я скажу.

— С чего я должен давать вам такие обещания? — рассердился я. — Устал объяснять: ваша логика мне не подходит.

— Почему?

— Странная она.

Мархалева глянула на часы и испугалась:

— Ах, ужас какой, времени совсем не осталось! В общем так, Роберт, вы все поняли, да? — заспешила она.

— Ничего я не понял.

Она замерла на миг и... на что-то решилась. Тщательно перекрестившись, выпалила:

— Тогда знайте: Кристина пострадала из-за Заславского. Это он подсунул Максу девицу. Если хотите, могу доказать. Да что там доказывать, Тамаре вы верите?

— Пока да, — растерянно ответил я.

— Так звоните ей и спрашивайте, — потребовала Мархалева. — Она мне девицу помогала раскалывать.

Потрясенный, я позвонил Тамаре, и она сообщила:

— Да, Роберт, да, сама поверить не могу. Макс до сих пор не знает, что его будущая жена — бывшая любовница Заславского.

— Ошибки быть не может? — с надеждой спросил я.

— Без ошибок. Девица окрутила Макса по наущению Заславского. Он все устроил, он их познакомил.

— Зачем?

— Не знаю. У Соньки есть версии, но я не знаю. Ах, Виктор, Виктор, он же твой лучший друг, — запричитала Тамара. — Как он мог? И зачем? Ничего не знаю, ничего не понимаю.

Я был не просто ошеломлен, я впервые посмотрел на Мархалеву другими глазами. Может, и в самом деле она не такая дура, как выглядит?

Почуяв мое настроение, она спросила:

— Роберт, а вам не показалось странным то, что Варю поспешно отправили в деревню?

— Нет. На месте ее родителей я давно бы отправил эту несносную девчонку на Марс или на Луну. Деревня — слишком близко.

— Но раньше ее одну в деревню никогда не отправляли. Кстати, Варя была удивлена, когда узнала, что ее отъезд держится в тайне.

Пришлось признаться:

— Я сам был удивлен.

— То-то и оно! — торжествуя, заявила Мархалева. — Разве это не доказательство заговора? Стали бы вы держать в тайне то, что легко объяснимо? Вряд ли Заславский, задай вы ему вопрос, смог бы дать убедительный ответ. Отсылать юную особу из города в разгар сессии может только безответственный человек. У меня не укладывается в голове, как такое возможно.

Про сессию я как-то забыл и теперь сам был обескуражен. Заславский всегда очень серьезно относился к образованию дочери.

— И чем вы это объясняете? — спросил я.

— Только тем, что Варвара им мешала. Она часто приходила к вам и буквально путалась у родителей под ногами. Совершенно очевидно, им есть что скрывать. Но есть еще один вопрос. Почему Заславские вдруг изменили свои, неизвестные нам планы? Сначала они на вас наседали. Вспомните, Роберт, не проходило и дня, чтобы эта парочка у вас не побывала. И в то же самое время они настойчиво выпроваживали из города Варвару. Девчонка отбивалась из последних сил. И вдруг Заславские оставили и вас и Варю в покое. Мария стала реже к вам приходить, а Варя разгуливает по городу и уже никому не мешает. Не странно ли это?

Я вынужден был признать, что странно. Зная основательность Заславского, странно вдвойне: однажды решив, он не бросит начатого дела, но Варя действительно все еще не в деревне.

— И что из этого следует? — спросил я.

Вопрос мой доставил Мархалевой удовольствие, это было очень заметно: она порозовела и разулыбалась. Но на вопрос не ответила.

— Не знаю, — сказала она. — Тщательно выспросив Варю, я пришла к одному только выводу: планы Заславских разрушил фингал.

Я оторопел:

— Какой фингал?

— Тот, который вы поставили под глазом Заславского, — невозмутимо пояснила Мархалева.

Услышав такую глупость, я рассердился:

— Софья Адамовна, мне казалось, что разговор наш серьезен, вы же, простите, снова из пустяков детектив замешиваете. Пожалуйста, бросьте свои писательские штучки.

— Но это правда, — рассердилась и она. — Все упирается в этот чертов фингал. До фингала события развивались планомерно, хоть и в непонятной мне логике, а после фингала наступила пауза. Все осталось на своих местах. Без всякого развития. Заславский отовсюду исчез, а ведь он был главным двигателем. Посудите сами, все события в вашей жизни начались с него.

Я «посудил» и вынужден был признать, что частично Мархалева права. Заславский действительно не баловал меня своим вниманием в последние дни, как и Мария. И жизнь моя стала спокойней, но есть ли между этими событиями связь?

— Но что такое фингал? — изумленно спросил я. — Какую он может играть роль? Уверяю вас, Софья Адамовна, это простое совпадение.

— Слишком много совпадений, Роберт. Фингал говорит мне о том, что вот-вот должна была наступить развязка. Этим фингалом вы спасли себе жизнь. Судите сами, именно после него все остановилось. А до этого двигалось: то одни события происходили, то другие. И вдруг тишина. Следовательно, Заславский подошел к кульминации. Чем ему мог помешать фингал? Думайте, Роберт! Думайте!

Я был потрясен. За кого она меня принимает? Наговорила глупостей и приглашает меня присоединиться. Больше мне не над чем думать, как над фингалом Заславского.

— Нет уж, Софья Адамовна, увольте, — сказал я. — Фингал — совпадение. И хватит о нем говорить. Тут не о чем думать.

— Если бы не дефицит времени, поведала бы вам и про другие совпадения.

— Так рассказывайте, — попросил я, — рассказывайте все, что успеете, не тратьте время на пустяшный фингал. Вот тогда обещаю следовать вашим рекомендациям.

— Роберт, вы молодец! — обрадовалась Мархалева. — Слушайте и не теряйте сознание...

Едва она это произнесла, раздался звонок в дверь.

— Это он! — закричала Мархалева. — Убийца! Спрячьте меня! Спрячьте!

— Зачем вы орете? — рассердился я. — Он что, идет вас убивать?

— Хуже, — всплеснула руками Мархалева, — вас!

— Что, прямо сейчас?

— Не исключаю.

— Хорошо, убивать будут меня, но вам-то какое дело? Я вам не родственник. Что за ажиотаж?

Мархалева с гордостью заявила:

— В этом я вся! Болею душой за все человечество!

Вздохнув, я сказал:

— Ладно, идите к Кристине в спальню. Она ваша поклонница и будет рада.

Глава 30

Заславский был не один, из-за его спины выглядывала заплаканная Мария. Оба — подчеркнуто вежливые, отстраненные, чужие. Я, делая вид, что не догадываюсь о причине визита, пригласил их в гостиную. Там они одновременно опустились на диван и хором сказали:

— Мы ненадолго.

— Как вам будет угодно, — принимая правила игры, ответил я.

Мария потупилась, Заславский смущенно потер мочку уха.

— Роб, мы тут по щекотливому вопросу, — после затянувшейся паузы сказал он. — Если что не так, ты не обижайся. Не хочется тебя оскорблять, возможно, мы ошибаемся. Когда дело касается этой безмозглой девчонки, все может быть.

Я понял, что речь идет о Варе, и, решив облегчить им задачу, сказал:

— На этот раз она не солгала, мы действительно решили пожениться.

Мария ахнула и залилась слезами. Заславский испуганно вытаращил глаза.

— Роб, надеюсь, ты шутишь? — вибрирующим голосом спросил он.

— Вовсе нет, — твердо ответил я. — У меня нет выхода: Варя беременна.

Заславские испуганно переглянулись и хором закричали:

— От тебя?!

— Разумеется. Аборт делать поздно, поэтому счел своим долгом жениться, — выпалил я и подумал: «Будь что будет. Но если будет плохо, Мархалеву точно прибью».

После моего сообщения Мария схватилась за сердце, закатила глаза и начала сползать с дивана. Заславский бросился к ней и закричал: «Воды!» Я помчался в кухню. Когда вернулся с водой, Мария пришла в себя. Она снова рыдала, теперь уже на плече мужа.

— Роб, — сказал Заславский. — Нам нужно поговорить. По-мужски. С глазу на глаз.

— Хорошо, — ответил я.

Мы пошли в кабинет, рыдающая Мария осталась в гостиной. Заславский, скрывшись от глаз жены, повел себя как обычно. Дружески хлопнув меня по плечу, он усмехнулся и миролюбиво спросил, словно речь шла не о его дочери:

— Роб, зачем тебе это нужно? Она же девчонка, соплячка. В голове один ветер. С ней столько проблем. Роб, ты мне не чужой, как брату тебе говорю: такой жены и врагу не пожелаю.

Я стоял на своем:

— Ребенку нужен отец.

— Отец — не проблема, — успокоил меня Заславский. — Думаешь, я, с моими связями, не найду внуку отца? Конечно, найду. В два счета на Варьке женю, еще очередь женихов соберется. Роб, речь не о ней, речь о тебе. Смотри на вещи проще.

Я удивился:

— Виктор, если ты просто смотришь на жизнь, чем я-то тебя не устраиваю? Не алкоголик, не наркоман, еще молод, полон сил, имею большие перспективы в науке, квартира есть, жену обеспечу. Мы завидная пара. Я надежный, семью не брошу, налево не пойду. Соглашайся.

Заславский махнул рукой:

— Роб, все равно эта свиристелка через год тебя кинет и найдет молодого. Вот увидишь.

— Тем более. Тогда о чем вы переживаете? Жизнь длинная, может, Варя выйдет замуж еще двадцать раз. Разводы нынче в моде. Чем плохо, что я, мудрый и опытный, буду ее первым мужем? Дам девчонке путевку в жизнь.

Заславский не сразу нашел что возразить. Но нашел.

— Роб, я-то как раз не против, ты знаешь меня, — криво усмехаясь, сказал он, — но есть же еще Мария. Она ваш брак не переживет. Она не сможет тебя простить. Ты же был нашим другом.

— Уже «был»? — удивился я.

— И был и остаешься, — рассердился Заславский. — Роб, не придирайся к словам. Маша, наконец, ревнует. Ты же смолоду волочился за ней. Ваш брак с Варей она воспринимает, как измену. Твою измену.

— Можешь успокоить ее. Скажи, что я выбрал Варю только потому, что она на нее похожа.

— Роб, перестань. Варя — копия я. К тому же, для дочери Маша не о таком мечтала муже.

Я усмехнулся, а Заславский зло сплюнул и заключил:

— Все, маразм цветет: «к тому же — муже», уже рифмой говорю. Видишь, Роб, до чего ты меня довел?

— Ты сам себя довел, — не согласился я. — Как ты воспитывал дочь? Дрессировал, как тигра в цирке. Вот и получай третий закон Ньютона: всякое действие вызывает равное противодействие.

Заславский вздохнул:

— Но Варя опровергает этот закон. Мое действие просто тьфу в сравнении с ее противодействием.

— Так у всех родителей, — успокоил я.

— Роб, но мне от этого не легче! — завопил Заславский. — Короче, Варя тебе не пара. Выбрось это из головы, не делай глупостей. Договорились?

— Нет. Ты знаешь меня: если мой локомотив летит — бесполезно передвигать стрелки, — отрезал я, удивляясь образности своего мышления. Видимо, сказалось общение с Мархалевой.

Он изумился:

— Вот как?

— Да, только так.

Заславский задумчиво на меня посмотрел и произнес уже очень спокойно:

— Роб, запомни, никто не даст тебе жениться на Варе. Только через мой труп.

В его спокойствии было слишком много угрозы.

Я повторил про свой локомотив и добавил:

— Впрочем, Виктор, сам выбирай: или Деля, или Варя. В любом случае мне пора жениться.

Заславский вздрогнул и побледнел.

— Ну, Роб, ты даешь! — рявкнул он и вылетел из кабинета.

Мельком заглянув в гостиную, он крикнул жене на ходу:

— Маша, нам пора, — и решительно проследовал в прихожую.

Мария испуганно посмотрела на меня. Не выдержав ее взгляда, я отвел глаза.

— Ах, Роберт, — вздохнула она и поспешила за мужем.

Проводив Заславских, я зашел в спальню: Мархалева и Кристя сидели на балконе и о чем-то оживленно беседовали. Щеки у обеих раскраснелись, веселым блеском горели глаза...

«Им хорошо, — пригорюнился я, — но почему

у меня одни неприятности? С какой ненавистью смотрела на меня Мария. А что она обо мне теперь думает?»

— Роби, — увидев меня, произнесла Кристина. — Посмотри, какое чудо, бури как не бывало.

Действительно, стояла прекрасная погода: небо очистилось, выглянуло солнце, зато собрались тучи в моей душе.

— Вы добились своего, — сказал я Мархалевой. — Теперь я круглый дурак. Вы, кстати, тоже.

— Неужели он сразу согласился? — разволновалась она.

Я развел руками:

— В том-то и дело, что нет. Даже тогда, когда я сказал ему про Делю.

— Еще не вечер, — пролетая мимо меня, сообщила Мархалева. — Согласится, обязательно согласится.

— Куда вы? — закричал я.

Ответила она почему-то Кристине:

— Дорогуша, страшно спешу по делам, но наш разговор мы продолжим, поэтому не прощаюсь.

«Ну и наглость!» — поразился я и напомнил:

— Вы мне что-то хотели рассказать.

— Обязательно, — оптимистично проговорила Мархалева. — Расскажу обязательно. Без этого я не могу. Встретимся позже.

И она убежала. Я был потрясен и действительно чувствовал себя круглым дураком.

— Похоже, меня обвели вокруг пальца, — сообщил я Кристине и, ничего не объясняя, отправился в кабинет.

В тот день Мархалева не пришла. Не явилась

она и через день, и через два... Как ни странно, не тревожили меня и Заславские. Даже Варя куда-то пропала.

Сначала я нервничал, метался, плохо ел, почти не спал, хотел то Заславскому звонить, то Аделине, то Тамаре... Но, слава богу, никому не позвонил. Дня через три успокоился и засел за работу. И наступила благодать: все вошло в свое русло. Хаос сменился порядком; я потерял счет дням.

Работа лечит меня. Все забылось настолько, что можно было бы сказать: я жизнью доволен. Если бы не мать со своей богатой невестой да не звонки дебила, который по-прежнему сообщал, что я попал, меня можно было бы причислить к счастливым. Все шло своим чередом: я работал, Кристина ежедневно получала корзины. Так продолжалось до тех пор, пока не позвонила Тамара. Она снова потеряла свою подругу.

Я сказал, что страшно зол на Мархалеву, что она меня выставила дураком и ничего не объяснила.

— Еще не вечер, — заверила Тамара.

— То же сказала и она. Вы просто одним языком говорите.

— Еще бы, сорок лет знаем друг дружку. Ты, Роберт, не волнуйся. Если Сонька вцепилась во что, ничем ее не отцепишь.

Я задумался, хорошо ли это для меня, Тамара же заверила, что очень хорошо.

— Скоро ты все узнаешь, — пообещала она, после чего я решил: раз на сцену выступила госпожа Мархалева, значит, опять жди неприятностей. Сейчас начнется.

И началось. В тот же день явился муж Кристины. Я думал, что его неожиданный визит касается развода, выяснилось — наоборот.

— Ты должен уговорить Кристю сегодня же со мной помириться, — заявил Максим.

— Тебе, что ли, должен? — скрывая радость, поинтересовался я.

— Кристине, — пояснил он, явно считая себя подарком. — Скажи ей, что все неплохо вышло.

У меня зачесались кулаки, но ради счастья сестры пришлось сдержаться. Только-то и позволил себе сказать:

— Ты-то уж точно неплохо порезвился с молоденькой, но каково было Кристине?

— Зато я понял, как сильно ее люблю. Иди скажи ей, пускай домой собирается. Только осторожно скажи, чтобы она от радости не уписалась.

— Слишком много мнишь о себе, — буркнул я, опасаясь как раз того же.

Однако Кристина удивила меня: она и не собиралась радоваться. Более того, разозлилась и затопала ногами:

— Не хочу с этим мерзавцем даже разговаривать!

Торжествуя, я подумал: «Знай наших!»

— Что, ломается? — усмехнулся Максим, узнав результат моего похода. — Правильно, пусть поломается, ее черед. Зря, что ли, баба страдала? Пусть вволю поквитается. А ты скажи ей, что я подарок принес. Хороший подарок.

«Теперь точно дрогнет Кристинка», — расстроился я и сообщил про подарок.

Сестра даже ухом не повела.

— Плюю на его подарок, — сказала она, но на самом деле не плюнула, а решительно изрекла: — Пусть катится, кобелина.

Я поспешил к Максиму. Дело приняло неожиданный поворот. Не буду скрывать, я чувствовал свою вину и немного разволновался: не переборщил ли с корзинами? С чего Кристя стала смелой такой?

— Вот что, Максим, — шепотом попросил я, — иди сам с ней потолкуй. Что-то Кристина не в духе.

Он пошел, но разговор у супругов сразу не заладился. Я уже так разволновался, что против всех своих правил решил подслушать и... не поверил своим ушам. Это была не моя сестра — совсем другой человек. Она утратила в общении с супругом былую кротость и, говоря языком современным, совершила крутой наезд. Складывалось впечатление, что Кристина не воздает Максиму по заслугам, не наказывает заблудшего мужа, а действительно не собирается мириться. Она так рискованно отчитывала своего Макса, что я струхнул и сбежал в кабинет. Не мог больше слушать. Меня охватила настоящая паника. Что Кристя делает? На что рассчитывает? Начиталась мармеладных записок?

По всему получалось, что виноват я: не пошла сестре впрок моя забота.

Не выдержав неизвестности, я вернулся под дверь и начал подслушивать снова. Максим уже умолял взбунтовавшуюся жену, даже грозил упасть на колени. Бесполезно: Кристина стояла на своем и твердила: «Я тебя уже не люблю».

В растерянности я метался под дверью, не зная, что предпринять. Ругал себя, ругал Кристину. Что я наделал? Что творит она? Сейчас Максим разозлится и точно бросит эту дурочку!

Так и вышло. Сшибая меня с ног, из комнаты вылетел Максим и, рявкнув «да пошла ты!», умчался в прихожую. Я приоткрыл дверь и пытливо посмотрел на Кристину.

— Он ушел? — спросила она.

В прихожей хлопнула дверь.

— Судя по всему, да, — ответил я.

— Какое счастье! — обрадовалась Кристина.

Меня прошиб пот.

Глава 31

Я схватился за голову. Что наделал, дурак! Что наделал! Развалил семью сестры! Мамаша меня убьет!

Если узнает.

— Кристя, зачем ты прогнала мужа? — строго спросил я. — Он же к тебе со всей душой, признал вину, умолял на коленях.

— Надоело быть его рабой, — заявила Кристина и напомнила: — Сам же учил меня, говорил, что надо иметь женское достоинство. Вот и продемонстрировала достоинство ему.

— И очень не вовремя! — рассердился я. — Тебя когда учили? Когда муж тебя бросил. Для чего учили? Чтобы ты меньше убивалась. А теперь-то достоинство тебе понадобилось зачем? Он же умолял тебя вернуться.

— И вернулась бы, если бы не одно «но» и если бы Соня меня не предупредила.

— Соня? Что за Соня?

— Софья Адамовна Мархалева, — с гордостью пояснила Кристина.

Я поразился:

— Так вот как ты уже ее называешь — Соня.

— Да, мы подруги.

— Вы подруги? Ха-ха! Впрочем, чего еще ожидать от этой ненормальной? Всех окрутила. И что же наболтала она тебе?

— Не наболтала, а рассказала, — сердито поджимая губы, поправила меня Кристина.

«И эта уже от Мархалевой без ума. Всех влюбила в себя, хитрая бестия, даже мою сестру», — ревниво подумал я и рявкнул:

— Говори, что ты узнала от этой чокнутой!

— Чокнутой? Зря ты так ее называешь. Она поумней тебя. Соня как-то разведала, что Макс был-таки у врача, — торжествуя, сообщила Кристина, чем привела меня в недоумение.

— Мне не понятно твое «был-таки», — сказал я.

Она пояснила:

— Всю жизнь мы хотели ребенка, и всю жизнь я лечилась. Врачи утверждали, что я почти здорова и надо бы обследовать мужа. У мужчин эта система проще, поэтому обследование всегда начинают с мужей, но Макс даже слышать не хотел про обследование. Твердил: «У меня все в порядке». А теперь выяснилось, что у него бесплодие. А его новая жена беременна. Ха-ха-ха! Как ему не повезло! — рассмеялась Кристина. — Решил стать отцом чужого ребенка.

— Идея неплоха, — заметил я. — Особенно если брать во внимание бесплодие.

— Да, но только если ты на это сознательно идешь, а если считаешь ребенка своим — это трагедия. Пережив эту трагедию, видите ли, Макс понял, что я самая лучшая из всех женщин. Но дудки — это понял не он один.

Кристина достала из лифчика бумажку и с гордостью протянула ее мне:

— Читай.

Смущаясь, я попытался читать, но не смог: слишком уж личное, едва ли не интимное...

Отбросив записку, я разъярился: «Убью! Этого подлеца-разносчика точно убью! Рифмоплет! Как, гаденыш, старается, развивает эпистолярную форму. Если приспичило ему писать, шел бы в поэты, нет же, он морочит голову моей несчастной глупой сестре. Сказано было: букет и записку для поднятия настроения, чтобы уверенность в бедняжку вселить. А он что, мерзавец, делает? Он же ее в жены зовет! Клянется в вечной верности и заверяет, что она женщина его мечты! Какую диверсию мне подстроил. А Кристя, дурочка, поверила и мужа прогнала! Если матушка прознает, мне точно не сдобровать...»

— Кристя, — взмолился я, — сестренка, малышка, не делай глупостей, беги за Максом, верни мужа.

— Его я больше не люблю, — заявила Кристина, поднимая с пола свою драгоценную записку и возвращая ее к себе на грудь (за лифчик).

— Ну что ж, — с угрозой сказал я, — не хотел этого, да придется признаться. Вот что, сестричка, ты лучше присядь — новость будет не из приятных.

Она насторожилась:

— В чем дело, Роби?

— Присядь, малышка, присядь.

Кристина, не сводя с меня пытливых глаз, растерянно присела. Я собрался с духом, вытер со лба пот и решительно начал:

— Кристя, ты меня прости, хотел как лучше, хотел, чтобы ты не убивалась, но я же не подозревал, что ты так доверчива. И уж тем более не догадывался, что из-за каких-то глупых записок ты выставишь родного мужа. Пора развеять твои иллюзии. Знай, дорогая моя сестра, знай: ты прогнала мужа и осталась одна. На самом деле нет у тебя никакого поклонника.

Кристина побледнела, схватилась за сердце и охнула:

— Что с ним случилось?

— С ним не случилось ничего, потому что его нет и никогда не было. Это легенда. Миф. Сказочка про белого бычка. Считай, это я посылал записки. Под нашим балконом цветочный магазин. Оттуда тебе носят корзины, за которые заплатил я.

Сказав это, я вжал голову в плечи: думал, она начнет колотить меня своими маленькими кулачками или (что еще хуже) расплачется. Но Кристина вздохнула с облегчением и рассмеялась:

— Фу-уу, Роби, как ты меня напугал.

— Именно это я и хотел сделать, — не понимая ее радости, сообщил я. — А теперь будь паинькой, беги, догони Макса и скажи, что ты его простила.

Кристина рассердилась и топнула ногой:

— Роби! Хватит! Не такая я дура, чтобы за ним бежать! И перестань болтать глупости! Как ты не поймешь? После того, что рассказала Соня, я Макса возненавидела. Роби, только представь: я столько лет лечилась, скиталась по больницам, мучалась, страдала, и все из-за того, что он к врачу не хотел сходить. Эгоист. Боялся, видишь ли. А как он меня упрекал? Называл бесплодной! Негодяй! Нет, Роби, не проси. Это такая рана! Тебе не понять. Ты никогда не был женщиной.

— И слава богу! — ужаснулся и порадовался я.

— Ты никогда не был женщиной и поэтому не знаешь, о чем просишь. К тому же, Роби, я хочу ребенка. Я счастлива, что так получилось. Оказывается, я могу рожать. Какая я дура, что не изменяла мужу. Раньше бы об этом узнала, Роби, представляешь, у меня уже был бы сын.

— А у меня племянник, — сник я, не отваживаясь и дальше переубеждать Кристину.

«Что ж, она еще молода и совсем недурна, — успокоил я себя. — Максим, конечно, богат, но жить с ним не сахар. Может, Кристя и в самом деле найдет себе хорошего мужа. И ребенка родит...

Племянник — это отлично. Вот бы скорей. Уж очень мальчишку хочется...

Но что скажет Кристя, когда поймет, как ее обманули? Мужа-то нет и пока не предвидится. Его еще поискать придется.

А как разъярится мама, когда узнает, что Кристя бедна, словно церковная мышь?!!

И во всем виноват я, ее сын!!!»

Эта мысль меня отрезвила. Какой новый муж? Какой племянник? Альтернативы нет: надо срочно возвращать Максима!

Для этого надо было немедленно остановить поток корзин. Я помчался в цветочный магазин и категорически потребовал, чтобы корзин больше не приносили. И особенно любовных записок. Продавщица подивилась моей наивности.

— Ваших денег хватило всего на четыре корзины, — усмехнулась она.

Я опешил:

— Кто же платил за остальные?

— Та симпатичная женщина, которая с вами приходила...

Продавщица порылась в квитанциях и добавила:

— Софья Адамовна Мархалева. И записки сочиняла она сама.

Я был потрясен. Госпожа Мархалева?! Снова эта чертова Мархалева?! Рифмоплетка! Ну нет, уж здесь-то эта дамочка хороший получит отпор!

— Вот что, — строго сказал я продавщице, — вы долго еще собираетесь к нам корзины носить?

— Пока будут платить, а платят нам регулярно, — ответила она.

Я возмутился:

— И что же, мы никак не можем отказаться от этих чертовых цветов?

— Почему же, можете возвращать корзины обратно.

— Так считайте, что уже вернул. С этого дня нам корзин не носите. А Мархалевой скажите, что я выбрасываю их с балкона. Прямо в ту яму, которую вырыли у моего дома да никак не закопают.

Продавщица пожала плечами:

— Как вам угодно. Не хотите, носить не будем.

Из магазина я ушел удовлетворенный. Даже хорошо, что Мархалева и сюда свой длинный нос сунула. Вот теперь, если Максим и Кристина не помирятся, виноват буду не я, а эта чокнутая Мархалева.

Насколько она чокнутая, я в тот миг и не подозревал. Об этом чуть позже просветил меня Заславский — мы столкнулись с ним в лифте.

На этот раз Заславский был при полном параде: в новом щегольском пиджаке цвета детской неожиданности, при модном галстуке, в каких-то несуразных туфлях — последний писк моды...

Я подивился: Заславский отличался хорошим вкусом, в одежде был консерватором. Что заставило его изменить привычке? Меня так и подмывало спросить: «Куда ты, дружище, так вырядился?» Но вид у Заславского был такой напыщенный и вместе с тем такой растерянный, что я сдержался. На мой этаж мы поднялись молча, когда же я открыл дверь квартиры, Заславский брякнул:

— Роб, я к тебе.

— А я думал, что ты к соседям, — пошутил я и на всякий случай предупредил, пропуская его вперед: — Вашу Варю давно не видел.

— Знаю, — усмехнулся Заславский, деловито

проходя в гостиную и поскрипывая новыми туфлями, — она дома сидит, арестованная. Маша посадила ее под замок. Роб, я не только по этому делу. Пришел прощения у тебя просить. Маша мне рассказала...

Он присел на диван и смущенно поник головой. Сидел и сопел в новый галстук. Снова загадки? Одни загадки! Я упал в кресло и не знал что подумать, а потому рассердился:

— Виктор, не тяни резину, говори!

— Конечно! — воскликнул он, приходя в оживление. — За этим я и пожаловал. Маша рассказала мне про Кристину. Роб, я потрясен. Я болван и подлец. Но, поверь, не хотел этого.

— Да чего — этого? — теряя терпение, закричал я.

— Чтобы моя любовница и Макс интрижку затеяли! — закричал и Заславский.

Я испуганно покосился на дверь и зашипел:

— Тише ты, услышит Кристина.

— Пойми, Роб, я влетел очень круто, — переходя на шепот, признался Заславский. — Думал немного развлечься со студенточкой, а она охоту на меня объявила: взяла и забеременела.

— Шантажировала тебя, — догадался я.

— Еще как, вот и решил познакомить ее с Максом. Думал, Макс ей богатого жениха найдет. Друзей-то холостых у него много, а вышло все очень скверно. У них же крепкий брак был с Кристиной. Кто мог подумать, что кончится все так нелепо? Я виноват! Я виноват! — начал убиваться Заславский.

Он был смешон в своем молодежном наряде:

этакий мышиный жеребчик, пожилой волокита. Мне стало жалко его.

«Чертова Мархалева, — разозлился я. — Точно чокнутая. Разве нормальный человек будет так мстить? И было бы из-за чего. Ну назвал ее Заславский пару раз дурой, так вроде как уже извинился. Нет же, начала ему мстить. И едва своего не добилась, чуть не посеяла между нами вражду. Каких страхов на меня нагнала, каких детективов накрутила, а ларчик просто открывался. Виктор оказался настоящим другом, пришел и во всем признался. А я уже плохо о нем подумал, чего и добивалась эта сумасшедшая. Будет мне наука. С такими людьми, как Мархалева, надо соблюдать предельную осторожность», — решил я.

— Вот что, Роб, — прервал мои мысли Заславский, — сам я кашу заварил, сам ее и расхлебывать буду. Сейчас пойду к Максу и скажу, что будущий ребенок, которого он считает своим, не от него. Мой, скажу. Будь что будет. Все равно я бодро иду ко дну. Прямо расскажу, как все было, признаюсь, на что я рассчитывал и что в результате получилось. По-мужски посоветую скорей бежать к Кристине да хорошенько просить у нее прощения.

Я был растроган и снова подумал: «Чертова Мархалева, как хитроумно она манипулирует людьми. Очень опасная дамочка».

— Виктор, не надо никуда идти! — радостно воскликнул я. — Макс уже знает, что ребенок не от него. И девицу твою он уже выгнал, и у Кристины прощения попросил...

О дальнейшем я умолчал — зачем расстраивать друга?

Он растерялся:

— Это правда, Роб?

— Чистейшая. Все открылось, кроме того, что ты отец будущего ребенка. Об этом, кажется, Максим не знает.

Заславский возликовал:

— Какой груз ты с меня снял, дружище! Даже не представляешь! Клянусь, места себе не находил. Ты не сердишься?

Я с доброй улыбкой покачал головой. Заславский кинулся меня обнимать.

— Роб, Варька права, ты классный мужик! — кричал он. — Классный!

Я отбивался:

— Да ладно тебе, ладно...

Вдруг он отстранился, серьезно посмотрел на меня, вернулся на диван и сказал:

— Роб, знаешь, что я решил: лучшего мужа ей не найти. Женитесь, как отец я не против.

Это был удар ниже пояса.

Глава 32

Он разрешает мне жениться на Варе?!!

Пока я беспомощно хватал ртом воздух, не представляя, что на это сказать, Заславский энергично продолжил:

— Роб, Мария пока не согласна, но ее я беру на себя. Как-нибудь уговорю. И Варька уговорит. Женитесь, дело хорошее. Ты хочешь сына, а Деля вряд ли захочет рожать. Оставь Аделину мне. Тебе она безразлична, а для меня она много значит. Клянусь, Роб, и в молодости так не влюблялся. На все готов, лишь бы ее сохранить.

Я окончательно растерялся:

— А как же Мария?

Он махнул рукой:

— А что — Мария? Ее я давно не люблю. Она мне, как мать. И куда она денется? Покричит, пошумит и смирится. Варька родит, пеленки пойдут, распашонки. Марии будет не до меня. Вряд ли она заведет мужика. Даже с тобой у нее вышла промашка.

— Но как же так? — поразился я. — Вы столько лет прожили, друг другом пропитались... Сам же говорил про метаболизм.

— Говорил, — согласился Заславский и принялся нервно теребить обручальное кольцо, на поверхности которого были затейливо выгравированы инициалы жены.

Это кольцо когда-то надела ему на палец Мария — я был свидетелем. С тех пор он его никогда не снимал. Двадцать лет.

— Кто знает, может, потом и затоскую по Маше, — вздыхая, сказал он. — Но если вдруг меня к ней потянет, уж Машу всегда уговорю. Как протоптать дорожку к сердцу жены, соображу, вдоль и поперек ее знаю.

Я очень расстроился, но как помочь, как исправить положение, не знал. Семейное дело такое — только руками разводи.

— Вижу, Виктор, ты все хорошо продумал, — мрачнея, сказал я.

Он вдохновился:

— Да, Роб, я долго размышлял и решил сделать сильный ход: предложу Аделине выйти за меня замуж. В ее возрасте женщины нечасто такие предложения получают. Как думаешь, согласится?

Меня волновало другое: что делать с Варей? Не жениться же и в самом деле на ней. Очень хотелось задать этот вопрос Мархалевой, тем более что больше некому было его задавать. Я пожал плечами:

— Не знаю, Виктор, попробуй. Может, Аделина и согласится выйти за тебя замуж.

— А ты, Роб, не против?

— Я же ей не отец.

— Но она рассчитывает от тебя получить предложение.

Я покопался в душе: к Аделине нет уже ничегошеньки. Пустота. Качая головой, сказал:

— Нет, Виктор, Делю я не люблю. И Марию твою никогда не любил. Это ваше общее заблуждение. Любил, конечно, но только как друга. И Светлану как подругу любил. Любимая женщина у меня одна. Видимо, я однолюб.

Разумеется, я имел в виду ту девчонку с коленками. Заславский, конечно же, ничего не понял, да ему и не нужно было понимать. Он обрадовался и, энергично жестикулируя, закричал:

— Роб, дружище, дай я тебя расцелую! Такой груз с меня снял! Сейчас же бегу делать предложение Деле!

Так вот почему он так вырядился. Я перехватил его руку, кивнул на обручальное кольцо и посоветовал:

— Сними. Там же Машины инициалы.

— Рад бы снять, Роб, да как? Оно вросло. Нужно спиливать, а мне страшно, — смущаясь, признался Заславский.

«То-то и оно, — грустно подумал я, — странные мы люди: кольцо вросло в палец — боимся спилить, а душа вросла в душу — не страшно, можно рвать по-живому».

— Неужели так и пойдешь? — спросил я. — Делать новое предложение со старым кольцом?

— Роб, прекрати, — рассердился Заславский, — самому противно, но что я могу поделать? Люди слабы и грешны. Я не исключение.

И он убежал.

А следом пришла Мария. Убитая, несчастная... Она не захотела проходить в квартиру, остановилась в прихожей и так посмотрела в мои глаза, что сердце сжалось и едва не разорвалось. Я чуть не вскрикнул от боли.

— Роберт, — прошептала Мария, — неужели я никому не нужна?

Огромная слеза медленно катилась по ее щеке. Мое молчание выглядело преступлением, но что здесь можно сказать?

— Роберт, неужели Варя права? Я противная? Некрасивая? Глупая? Смешная? Старая?

— Нет, Маша, это не так, — сказал я, понимая, что слова мои звучат неубедительно.

Разве ей нужны слова? Я бережно взял ее под локоть и провел в гостиную, усадил на диван. Сам присел рядом, собираясь объяснить, что совсем не хочу жениться на Варе, что к ее будущему внуку тоже не имею отношения, что это игра, такая глупая игра, не мною придуманная...

Чертова Мархалева! Где она? Пускай придет и сама объяснит!

— Ах, Роберт, — всхлипнула Мария, — ты разбил мне сердце, ты меня уничтожил. Вот и тебя, как моего Виктора, потянуло на молоденьких.

Вдруг лицо ее исказила гримаса ненависти.

— Но, Роберт, знай: ты не получишь Варю, — зло прошипела она. — Пока я жива — не получишь. Сначала убей меня. Убей! Убей!

Мария рассмеялась диким смехом. Это была истерика. Напуганный, я помчался в кухню за водой, и вот тут-то на мой мысленный зов явилась Мархалева. Я успел набрать воды и бежал в гостиную, когда раздался ее звонок. Я открыл дверь. Увидев в моей руке стакан, она деловито спросила:

— Для кого вода?

— Для Марии, — ответил я, с ужасом осознавая, что этим двум женщинам встречаться нельзя. Особенно сейчас, когда одна из них так далека от спокойствия.

— Для Марии? Прекрасно! Интриганка у вас, — обрадовалась Мархалева, решительно направляясь в гостиную.

Я преградил ей путь:

— Нет-нет, вам нельзя общаться. Маша не в лучшей форме, да и вы возбуждены.

— Я всегда возбуждена, — заявила Мархалева, хотя мне она казалась олицетворением спокойствия.

Вот уж кого ничем не проймешь. Разумеется, я не боялся за Мархалеву. Я боялся за Марию.

— Софья Адамовна, не могли бы вы посидеть в другой комнате, пока не уйдет Мария, — с униженной вежливостью попросил я.

Она мгновенно заинтересовалась, дома ли Кристина, и, получив положительный ответ, сказала:

— Хорошо, я к ней и пойду.

Вздохнув с облегчением, я отправился к Марии. Она уже не рыдала, а озабоченно закрывала свою сумочку. Увидев меня со стаканом в руке, вздрогнула и испуганно вскочила с дивана.

— Спасибо, Роберт, мне уже лучше, — воровато пряча глаза, сказала она. — Пойду, не стоило к тебе приходить, уже жалею.

Я проводил ее ошеломленным взглядом. Изумление относилось к состоянию Марии: мне показалось, что она чем-то смущена.

«Разве это не удивительно? — подумал я. — Только что на меня нападала, считала своим врагом, кричала «убей!» и вот уже странно отводит глаза, спешит, смущается...»

Не найдя объяснения, я отправился на поиски Мархалевой. Нашел ее в своем кабинете. Она и Кристина в едином порыве обсуждали нечто, не предназначенное для моих ушей: когда я вошел, обе мгновенно замолчали. Моему приходу явно не обрадовались.

— Роберт, могу я пройти в гостиную? — вскакивая, спросила Мархалева.

— Уже да, — ответил я.

Она не прошла — помчалась. В гостиной повела себя странно: влетела, рухнула на пол, сунула руку под диван, потом туда заглянула, вскочила на ноги, снова рухнула на пол, опять под диван руку сунула, снова туда заглянула и вскочила на ноги. Торжествуя, воскликнула:

— Так я и знала!

Мне не понравилось ее поведение, но от комментариев я воздержался. Мархалева тем временем без всяких причин погрустнела, задумалась и спросила:

— Роберт, вы здесь ничего не брали?

Я усмехнулся:

— Может, и брал, тут все мое.

— Да, вы правы, — согласилась она и задала еще более странный вопрос: — А моего вы ничего не брали?

— Где? У себя? В моем доме?

— Да-да, именно в этой комнате. Так вы не брали кое-что мое?

Я рассердился:

— А поконкретнее можно?

Она вздохнула и обиженно сказала:

— Хорошо, вы не брали мой диктофон? Он лежал под диваном.

На всякий случай я предупредил:

— Только не говорите, что он упал и случайно под диван закатился. Все равно не поверю.

Мархалева с жалостью посмотрела на меня и сообщила:

— Роберт, когда речь идет о вашей жизни, хороши все приемы. Да, я положила под диван диктофон, он включается автоматически от голоса. Надеюсь, ваш разговор с Заславским мне удалось записать. Но где он? Где мой диктофон? Роберт, прекратите шутки. Сейчас же отдайте.

— Я не могу вам отдать то, чего не брал...

И тут меня осенило: Мария! Как она вздрогнула, когда я вошел. Она закрывала сумочку. А как воровато отвела глаза. Но если диктофон попал к ней, то...

— Ка-та-стро-фа! — завопил я. — Что вы наделали, глупая женщина! Все пропало! Все пропало!

— Да что пропало? — удивилась Мархалева.

— Мария только что нашла ваш диктофон, — сообщил я и, подражая Заславскому, схватился за голову. — Она его унесла! Теперь она все узнает!

Я подскочил к Мархалевой, схватил ее за руки и закричал:

— Сейчас же говорите, когда вы подложили под диван диктофон?

Она смутилась:

— Почему я должна вам говорить?

— Потому что я хочу знать, как долго он там лежал.

— Ах вот в чем дело, — сообразила она, — хотите знать, хватит ли пленки на ваш разговор с Заславским. Не волнуйтесь, хватит. Я уверена, что ваш разговор записан.

— Спасибо, вы успокоили меня, — с безысходностью отпуская ее руки, сказал я. — Теперь последним подлецом себя чувствую. Но почему вы так уверены, что пленки хватило? Вас же не было здесь много дней...

И тут я понял в чем дело: Кристина! Уже и сестра против меня! Все пляшут под дудку Мархалевой!

Кристину я нашел в своем кабинете. Втянув голову в плечи, она сидела на диване и была похожа на больную курицу. Все в ней говорило: да, я виновата, поэтому пожалейте меня. Я еще больше разозлился, подлетел к сестре и, потрясая кулаками, заорал:

— Так вот ты какая! Пригрел змею на груди! Как ты посмела?

Мархалева была тут как тут. Она хватала меня за руки и сердобольно причитала:

— Роберт. Успокойтесь. Роберт. Как вам не стыдно.

Кристина с беспомощным удивлением уставилась на нее.

— Я ему ничего не говорила, — заверила ее Мархалева. — Он сам догадался.

— Как тут не догадаться? — завопил я. — Кристя, и ты пошла на это? Подслушивала в моем доме? Все мои разговоры?

— Роби, я не подслушивала, — заплакала сестра, — а всего лишь меняла пленку в диктофоне. Я старалась ради тебя. Ты упрямый, никому не веришь, а тебе грозит опасность.

— И эта опасность стоит перед тобой, — изрек я, указывая на Мархалеву.

— У меня есть аргументы, — невозмутимо сообщила она. — Советую их выслушать.

— Правда, Роби, послушай Соню, — начала уговаривать меня Кристина. — Аргументы неопровержимые. За твоей спиной что-то затевается.

Умоляю, Роби, послушай ради меня, для моего спокойствия.

Конечно же, ради спокойствия сестры я согласился выслушать эту несносную Мархалеву. Она обрадовалась и затараторила:

— Роберт, сейчас вам все объясню. Сейчас все сами поймете. Вас хотят убить, Роберт. Вы, пожалуйста, не сердитесь, а думайте. Думайте, что затеял Заславский? Он вас хочет убить. Зачем ему это понадобилось?

Разве можно спокойно слушать такое? Я взорвался:

— Да почему, черт возьми, вы вбили себе в голову, что меня хотят убить? Лично я опасности не ощущаю.

И вот тут-то Мархалева меня огорошила.

— Почему вас хотят убить? — поинтересовалась она и тут же выдала ответ: — Да потому, что вы больше ни на что не годитесь.

Пока я искал слова возражений, она продолжила:

— Посудите сами. Разве вы человек сговорчивый? Разве вы податливый? Не упрямый? Если бы мне из-под вас какая-нибудь штука понадобилась — решение вопроса одно: бери и убивай. А что делать? С вами добром не получится.

Я возмутился:

— Если вы судите по себе, то ошибаетесь. Мы с Заславским всю жизнь дружим и как-то договаривались. Никогда не ругались.

Мархалева почему-то обрадовалась.

— Уже легче, — сообщила она. — Значит, вся жизнь отпадает. Искать будем в последних месяцах. Собственно, так я и поступила. Роберт, послушайте, что у меня получилось. Заславский работает не покладая рук. Поссорил вас со Светланой.

— Виктор здесь ни при чем, Светлана сама от меня ушла, — уточнил я.

— А вот и нет. Я прижала к стенке жениха Светланы. Он сознался, что за роман с вашей подругой получил от Заславского штуку баксов. Бедняжка Светлана еще не знает, но ее жених гол, как сокол. Он на денежки Заславского бизнесмена из себя корчит. Ну, как вам такой поворотец?

Мархалева торжествовала.

— Зря радуетесь, — сказал я, — все равно вам не верю.

— А Тамаре? Ее орлы помогали колоть жениха Светланы. Звоните, — она кивнула на телефон. — Звоните Тамаре, она подтвердит.

Я понял, что бесполезно звонить Тамаре: она действительно подтвердит. Подтвердит, как подтвердила с любовницей Макса, а что из этого вышло? Заславский полностью оправдался передо мной. Так будет и сейчас. Наверняка найдется разумное объяснение всем его поступкам, ведь эта Мархалева — мастерица ставить все с ног на голову. Я отмахнулся:

— Даже если это и так — не впечатляет. Подсунул Светлане жениха и подсунул. Наверняка Заславский действовал с благими намерениями.

Тут в разговор встряла уже Кристина.

— Роби! — воскликнула она. — Всем известна прижимистость Заславского. Стал бы он тысячу долларов на ветер выбрасывать? Кто такая для него Светлана, чтобы так для нее стараться?

Я пожал плечами:

— Не знаю, но уверен, что есть логичное объяснение, и оно безобидно.

Мархалева надменно усмехнулась:

— Говорила же, что вы упрямец. Ладно, поехали дальше. Про Макса вы знаете, перейдем к Деле. Заславский, узнав, что она вас хочет видеть, уже несколько месяцев пытается затеять с ней роман, а к вам ее не пускает.

— Это тоже знаю, — напомнил я.

Мархалева не сдавалась и не теряла оптимизма.

— Ладно, поехали дальше, — деловито продолжила она. — Этот парень с парижской конференции, который выступил с вашим открытием раньше вас...

Я усмехнулся:

— Его вам тоже удалось расколоть?

— В том-то и дело, что нет, — нахмурилась Мархалева, — но косвенно — да. Он из Питера. Я там была и многое узнала. Сейчас поделюсь. Во-первых, все удивлены. Он не мог совершить вашего открытия...

— Правильно, — согласился я. — Он совершил свое. Так в науке бывает: работают многие, а лавры достаются одному. Тому, кто первым пришел к финишу. Своеобразные скачки.

Мархалева приняла важную позу: гордо задрала подбородок, сплела на груди руки, из чего я сделал заключение: сейчас снова меня огорошит. И она огорошила. Правда, чуть позже.

— Роберт, — ласково сказала она, — но у этого

юноши пусто в мозгах. Он над вашей темой не работал. У него есть своя, близкая, но очень далекая. Он два года топчется на одном месте и никуда не продвинулся, а тут такой прорыв. Прорыв прорывом, но, кроме вывода, у него ничего нет. Видели бы вы, как вспыхнул юнец, когда я у него черновики и расчеты попросила. Зарделся, как красна девица.

Мне стало смешно. Какие черновики? Кто сейчас с бумагой работает? Только такие динозавры, как я.

— Компьютер, — сказал я, кивая на стол, где стоял мой компьютер. — Вы слыхали о такой штуковине? Разве тот парнишка, мой конкурент, вам не говорил?

— Говорил, — усмехнулась она, — но как он краснел при этом. Любому стало бы ясно, что он врет. Парнишка бездарь, он не делал никакого открытия.

Пришлось возразить:

— Он выступал на конференции, все слышали это, все видели его расчеты. Он сделал блестящий вывод.

Мархалева посмотрела на меня, как мудрая мать смотрит на свою неразумную дитятю.

— Роберт, — с необъяснимой жалостью произнесла она, — я не дура, как бы вам этого ни хотелось. У меня проницательность, помноженная на опыт. Ученые несносны, когда речь заходит об их работе. Если, не дай бог, вас с вашей теорией затронуть, остановить будет невозможно: до утра станете говорить. Расскажете, как одна мысль к вам пришла, как другая, как осенило вас на то да на се... Поверьте, с парнишкой все было так же, когда я коснулась его темы: строчил, как из пулемета — сто слов в секунду. Чувствовал себя гением. А вот когда спросила про открытие, он изменился: то молчал, то мычал. Знаете почему?

— Почему?

— Потому что не открывал он ничего. У него только выводы. Ваши выводы. Он готовые расчеты получил. Вопрос: от кого? Ответ сами знаете. Подумайте, Роберт, покопайтесь в мозгах, в душе.

— Подумай, Роби, — попросила и Кристина.

Я и без просьб уже задумался. В общем-то, Мархалева говорила о том, над чем я и сам ломал голову. Как ни крути, складывалось впечатление, что парнишка получил готовые расчеты. Не мог он к моей мысли прийти. Потому что до этого шел совсем другим путем, ошибочным, я узнавал.

Тогда в чем дело? Кто ему помог? Заславский? Доступ к моим бумагам и компьютеру есть только у него. Но как в это поверить? Зачем Виктору меня топить? Зависть? Ну да, он завидует мне, чего не скрывает, но это совсем другое дело. Здесь пахнет подлостью.

Мархалева полезла в сумочку.

— Роберт, — сказала она, доставая какие-то бумаги, — чтобы вы слишком не мучились, прочтите-ка вот это.

С удивлением я обнаружил, что она где-то раздобыла мои записи.

— Где вы это взяли? — поразился я.

— Выкрала у Заславского. Помните, он вам говорил, что бумаги у него пропали. Так он не лгал, я действительно их украла.

— Вы украли? — удивился я.

— Я украла, — сообщила Мархалева и с гордостью добавила: — Да-да, Роберт, вы уже знаете: я подслушиваю, подворовываю, подсматриваю. Все хорошо, что полезно для дела. И не надо читать мораль. Мои поступки нельзя оценивать с позиций нравственности, они из области бдительности. Лучше поясните, о чем эти формулы. Имеют они отношение к вашему открытию?

Пришлось подтвердить:

— Да, имеют и именно к той части, которая была освещена на конференции юнцом.

Мархалева радостно захлопала в ладоши:

— Ха-ха, Роберт! Так я и знала! Отпали последние сомнения. Заславский передал ваше открытие сопляку, мальчишке. Почему? Почему он совершил эту подлость?

Я задумался. Подлость и Заславский. Может быть. На себе не испытывал, но в ученых кругах поговаривают о нем, как об интригане. Порой Виктор действительно увлекается, стремясь к своей цели. Порой так спешит, что не успевает оценить качество своих поступков.

Но в любом его действии имеется логика. Какая же логика в том, что он выкрал мой труд и передал его парнишке? Может, тот его внебрачный ребенок? Таким образом Виктор старается устроить карьеру сына. Да, это похоже на правду. Я мог бы простить ему такой поступок.

От моей версии Мархалева долго смеялась, подмигивала Кристине — было ясно, что я дал ей сильный повод считать себя на несколько голов выше.

— Роберт, — наконец сказала она, — если вы не знаете, какой эгоист ваш Заславский, то вы святой. Он не способен думать о ком-то, и не потому, что сволочь, а потому, что страшно занят. В это время он думает о себе. Только о себе. И вот поэтому он сволочь. Вы правы в одном: парнишку он выбрал не случайно. Видимо, тот обладает подходящими качествами. Согласитесь, Роберт, не каждый захочет присвоить чужой труд. Но парнишка меня не интересует, с ним все ясно. Тайна — Заславский. Если он передал парнишке ваши материалы, значит, у него была цель. Какая? Думайте, Роберт! Думайте!

Я разозлился:

— А что тут думать? Давайте спросим у него.

Я сказал элементарную вещь, понятную даже ребенку, но как развеселила она и Мархалеву, и даже Кристину.

— Роби, — с улыбкой произнесла сестра, — после всего услышанного так рассуждать можешь только ты. Неужели не ясно, Виктор правды не скажет. Он выкрутится.

— И правильно сделает, — одобрил я, — потому что Заславский глупостями не занимается. Раз взял бумаги, значит, они ему были нужны. Но он не подлец, он же не присвоил мой труд себе. Кстати, это невозможно. Во всем мире над этой темой трудится не так много ученых, и их теории всем известны. Да, моя теория самая доказательная, да, я вырвался вперед, но самое главное держу в секрете. До поры до времени.

Мархалева презрительно хмыкнула:

— Не удивлюсь, если Заславскому уже известен этот ваш страшный секрет.

Я вышел из себя. Эти женщины всех подозревают без разбору, не понимая, что есть вещи, которые выше подозрений. Они так очевидны, что подозрения не имеют смысла.

— Черт возьми! — закричал я. — Не может Заславский воспользоваться моим трудом! Это почти то же самое, Софья Адамовна, как вы или Кристина взяли бы мое открытие и рассказали бы всем, что оно ваше. Насмешили бы весь ученый мир, да и только-то. Заславский всю жизнь в другой области работал. Он вообще не теоретик. Откуда в его мозгах моему открытию взяться?

Мархалева сказала «да?» и задумалась. Похоже, она была огорчена: рассыпалась ее «гениальная» версия. Представляю, что она вообразила: Заславский зверски убивает меня и присваивает мою теорию. Вот уж посмеялся бы доктор Робертсон, узнав, что автор моей теории господин Заславский. С Робертсоном мы регулярно переписываемся, и он ждет не дождется, когда я обнародую свою теорию. Кстати, об этом прекрасно знает Заславский. Он еще не выжил из ума, чтобы таким смешным образом добиваться бессмертия в науке. Моя теория...

Но пора бы уже прекратить болтать и заняться делом: я забросил работу.

— Вы неубедительны, — сказал я, усаживаясь за стол к своему компьютеру. — Даже если Заславский украдет все мои мысли, он не сможет ими воспользоваться. В научном мире его никто не воспримет. Слишком глубоко я пустил корни. Все знают, что он мой друг. Все скажут, что теорию он украл у меня.

Мархалева, похоже, была потрясена.

— Вы правы, — сказала она и сомнамбулой вышла из кабинета.

Кристина, ничего не понимая, удрученно поплелась за ней.

Едва я остался один, желание работать мгновенно исчезло. Нахлынули мысли. Если Мархалева не врет, а похоже, что не врет, тогда действительно возникают вопросы. Зачем Заславский разрушил наши отношения со Светланой, да еще и выложил за это тысячу долларов? Случай с Кристиной он объяснил, но теперь уже его объяснения не вызывали у меня доверия. А разве не кажется странным его возня вокруг Дели? Влюбился? Да нет, Мархалева права, он всеми способами стремится помешать нашему с Делей воссоединению, даже согласился на мой брак с Варварой, своей дочерью. И это в то время, когда Мария сходит с ума от одной мысли, что я стану ее зятем.

Я вспомнил конференцию в Париже, вспомнил свой позорный провал и возненавидел Заславского. Сколько боли он мне принес. Ради чего? Ради своей выгоды? Конечно, ради выгоды. За так Заславский не пошевелит и пальцем. И годы нашей дружбы ему не помешали. Подлец! Мерзавец! Скотина! Ох, как чешутся кулаки! Я убью его! Убью!

Убью? Да нет, это глупо. Чего не скажешь сгоряча. И он не хочет моей смерти. Он далеко не смельчак, чтобы отважиться на такой рискованный поступок. Да и зачем моя смерть ему? Здесь Мархалева перемудрила.

Едва я так подумал, дверь кабинета открылась, на пороге показалась Мархалева и в такт моим мыслям сказала:

— Роберт, как хотите, но Заславский вас хочет убить. Пока не могу объяснить почему, в голове еще не сложилось, но будьте уверены, моя логика меня не подведет. Ответ я найду.

Не знаю почему, но я вдруг поверил: да, Заславский хочет меня убить. Все и во мне об этом говорило. Холодок пробежал по спине.

— Так думайте поскорей, пока я жив еще, — сказал я и уткнулся в монитор.

Чтобы не сойти с ума, решительно собирался работать. Но в тот день поработать так и не удалось. Мархалева не успела выйти из кабинета, как зазвонил мой мобильный.

— Ну, че, козел, попал? — поинтересовался блатной голос и в трубке раздались гудки.

Я покачал головой, чертыхнулся. Не замечая вопроса в глазах Мархалевой, собрался отправить трубку в карман, но не успел: раздался новый звонок.

Не забыв про случай с Тамарой, я не стал кричать: «Да, попал!», а вежливо сказал: «Алло» — и подождал ответа. Ждать пришлось долго: я раз пять повторил «алло» прежде, чем услышал:

— Роберт, срочно приезжай, я на даче, — глухим голосом попросила Мария и заплакала.

— Что случилось? — испугался я.

Мария истерично закричала:

— Роберт! Ни о чем не спрашивай! Срочно

приезжай! Или будет поздно! Я наложу на себя руки!

Я растерянно посмотрел на Мархалеву и сказал:

— Надо ехать...

— Куда? — насторожилась она.

— На дачу к Заславским, у них что-то стряслось.

Мархалева запротестовала:

— Ни в коем случае, Роберт, это ловушка.

— Какая ловушка, — рассердился я, вылетая из кресла и устремляясь в прихожую. — Случилась беда! Еду немедленно!

Мархалева бежала за мной и кричала:

— Роберт, поеду с вами. Поеду с вами.

— Только попробуйте, очень пожалеете, — пригрозил я.

— А что вы мне сделаете? — рассмеялась она.

— Не пущу на порог своего дома.

Удивительно, но такая безобидная угроза ее остановила. Мархалева от меня отстала. Лишь крикнула вслед:

— Не теряйте бдительности, Роберт, и, если что, звоните. Мы с Кристиной будем ждать.

— Хорошо, — пообещал я и помчался к Марии.

* * *

Дача Заславских по нынешним меркам расположена близко от города. Сорок километров я отмахал на одном дыхании. За мыслями совершенно утратил чувство времени: словно по мановению волшебной палочки, перенесся из своей квартиры на перекресток, одна из дорог которого вела к дому Заславских. Да и там очнулся лишь потому, что на безлюдной автобусной остановке меня поджидала Мария. Она сидела на разбитой скамейке и плакала. Заметила меня лишь тогда, когда я притормозил автомобиль и громко ее окликнул.

— Роберт! Роберт! — закричала она, заливаясь слезами. — Произошло нечто ужасное!

Я удивился:

— Почему ты ждешь меня здесь?

— Так надо, Роберт. Дальше ехать нельзя. Надо спрятать машину, — сказала она и начала как-то странно икать.

Я понял, что у Марии тихая истерика. Она хваталась за голову, перебирала волосы, отстраненно трогала свое лицо, вскрикивала и поскуливала. Выяснять, что случилось, было бесполезно.

Я закатил автомобиль в ближайшие кусты, взял Марию за руку и поспешил к ее дому.

Пока дошли, чего только не передумал. Остановился на такой версии: Заславский с Делей на даче. Мария их застукала и решила привлечь в свидетели меня. Свидетелем быть мне совсем не хотелось; я лихорадочно искал причину, которая помогла бы поскорей увезти Марию в город.

С этой мыслью я к дому и подошел. Увидев во дворе автомобиль Заславского, остановился, испуганно оглянулся на Марию и спросил:

— Он там?

Она кивнула:

— Да.

— Один?

— Один, — сказала она, проходя вперед и распахивая дверь ногой.

Глава 34

Тому, кто считает жизнь прекрасной, скажу: так будет не всегда. Когда видишь перед собой бездыханное тело человека, близкого и нужного как воздух, человека, к которому привык, — жизнь кажется невыносимой. Вот когда реальность превращается в пытку: еще недавно хмурились эти брови, еще недавно пристально смотрели эти насмешливые глаза, и губы шевелились, выплевывая безжалостные фразы... и вот перед тобой труп. С незнакомым лицом. С деревянными руками и ногами.

Труп!!! Безжизненное тело, равнодушное и чужое... Только что оно по-дружески ненавидело тебя, а теперь лежит безразличное и немое. И карой небесной именно в этот момент осознаешь то, чего не понимал раньше: тело это... Да-да, тело — человек, разве это не одно и то же? Это тело всегда было (было!) родным. Легкое подрагивание бровей, кривая улыбочка, нервные движения длинных и тонких пальцев, падающая на лоб прядь волос — все, на что я так безучастно взирал совсем недавно, сейчас, в эту трагическую минуту, составляет для меня наивысшую потребность. Разум сатанеет от горя, сердце заходится от боли, от жестокого осознания безобразной истины: губ этих и бровей не увижу уже никогда.

Никогда!!! Никогда... Невозможно вдохнуть в бездыханное тело жизнь.

Но есть истина и пострашней: виной тому я сам... Я, смирный, ленивый, законопослушный...

Уму непостижимо, как со мной могло такое случиться? Совсем недавно жил (как все) обычной скучной жизнью: ел, спал, работал, изредка веселился, искал удовольствий, мог предсказать каждый свой шаг, лениво строил планы...

Планы. Планы, планы, планы... Воистину золотые слова: расскажи господу о своих планах, пусть всевышний посмеется... Час назад я ненавидел Заславского и сам готов был его убить, а теперь он мертв, и мир стал пуст. Мгновенно выяснилось, как много его во мне: куда ни глянь, везде Заславский. С первых шагов моей жизни. Везде. Везде.

Виктор лежал у камина. Лежал вниз разбитым лицом. В своем новом щегольском пиджаке цвета детской неожиданности, в модных туфлях... Казалось, прилег отдохнуть. Но почему на пол? И почему такая неудобная поза? Одна рука подогнута и спрятана под живот, вторая вывернута, словно тянется к каминным щипцам. С ужасом я увидел на его окровавленном пальце обручальное кольцо с инициалами Марии, все то же кольцо. Он тянулся к щипцам. Нет, он тянулся не к щипцам. Щипцами Мария его убила. К чему же он тянулся?

— Маша, — спросил я, — как это произошло?

Она покачала головой:

— Не знаю, не знаю, как это получилось. Он хотел меня ударить. Он обманывал меня. Он хотел уйти к другой, я его убила. Случайно. Он все равно для меня умер. Он сказал, что любит ее.

Мария не смогла произнести вслух имени моей первой жены. Она покосилась на кресло, стоящее у камина. В кресле лежал диктофон. Я понял, куда тянулся Виктор. Я понял все, что произошло. Мария вышла из моей квартиры и сразу прослушала диктофонную запись. Взбешенная, она позвонила мужу и вызвала его на дачу. В квартире выяснять отношения было невозможно, там под арестом сидела Варвара. Мария что-то такое сказала Виктору, что он мигом примчался на дачу. Ему нельзя было ехать...

Мария слишком много пережила в эти последние дни. Виктора она теряла и хорошо понимала это. Я видел, как она металась, страдала...

Добили ее мы с Варей. И здесь не обошлось без Мархалевой. Это она подговорила меня, дурака, устроить фарс с женитьбой. Этого делать было нельзя, ведь именно у меня Мария искала защиты. Я предал ее. Конфликт с мужем, с дочерью, предательство друга... Все в один миг. Кто сможет пережить такое? Чей разум не помутится? В смерти Виктора виноват я — не Мария. Бедная, затравленная жизнью женщина, беспомощная и растерянная — какой с нее спрос?

Я глянул на Марию. Она была спокойна, но как раз это спокойствие и пугало меня.

— Роберт, — ровным голосом сказала она, — тебе здесь долго быть нельзя. Тебя не должны тут видеть. Я позвала тебя посоветоваться, но перед этим хочу, чтобы ты знал. Роберт, я действительно всю жизнь жалела, что вышла замуж не за тебя. Я не была с Виктором счастлива. Он эгоист. Он себялюбец. Он всегда думал только о себе. Я всегда страдала. А рядом был ты, такой добрый, чистый, хороший... И одинокий.

Мария махнула рукой, словно все отбрасывая.

— Но это в прошлом, — твердо сказала она. — Роберт, как думаешь, надо милиционерам показать диктофон? Есть шанс убедить суд, что я убила его в состоянии аффекта?

— Да ты жила в состоянии аффекта! — воскликнул я. — Виктор мой друг, и о покойниках плохо не говорят, но я готов подтвердить, что он над тобой издевался. По-другому не скажешь: одна интрижка за другой. Разве может нормальный человек жить в таких условиях? Я бы не смог.

— И я не смогла, — сказала Мария. — Хочу, чтобы ты знал: я убила его и совсем не жалею. Мне нравится, что он мертв. Пусть теперь полежит.

Она подошла к мужу и пнула его ногой. Я понял, что она все еще не в себе, и закричал:

— Маша, умоляю, только не вздумай никому об этом говорить!

— Да, конечно, я скажу, что была в состоянии аффекта. И еще, Роберт, хочу тебя попросить: обязательно женись на Варе. Лучшего мужа ей не найти. Да, ты старше ее, но достаточно молод, чтобы вырастить ребенка. Чужого ребенка. Ты очень благородный человек, Роберт. Я восхищена тобой.

— Так ты знаешь? — удивился я.

— Да, оказывается, Варя призналась Виктору.

Зачем-то он скрывал от меня, но сегодня, когда мы ругались, он упрекнул, что Варя вся в меня: такая же шлюшка, вешается на шею всем подряд. Ах, Роберт, как обидно, как он меня оскорблял.

— Лучшая защита — это нападение, — со вздохом сказал я.

— Я тоже защищалась. Видишь сам, что из этого вышло. Очень тебя прошу, не бросай Варю. Не знаю, сколько мне дадут, но на свободу вряд ли уже выйду. Так что, Роберт, прощай и не держи на меня зла.

Мария подошла ко мне вплотную, долгим пристальным взглядом посмотрела в мои глаза, встала на цыпочки и мягко чмокнула меня в губы.

— А теперь иди, — прошептала она.

Я растерялся:

— Маша, как же ты будешь...

— Иди, Роберт, — подтолкнула она меня к двери, — иди, тебя не должны здесь видеть. ...А вот теперь я звоню в милицию.

Она снова меня подтолкнула, на этот раз решительно. Я послушно побрел. Боковым зрением увидел, как Мария достала из сумочки трубку и медленно задвигала пальцем по кнопкам.

С ужасом я осознал, что уйти не могу. Не могу оставить ее. Она ничего не соображает. Она ни в чем не виновата.

Я вернулся, вырвал трубку из ее руки и закричал:

— Маша, что ты делаешь? Опомнись!

Она вздрогнула и осела на пол. Слезы брызнули из ее раскосых глаз.

— Витя-я-я, Витенька-аа мо-ой, — раскачиваясь из стороны в сторону, завыла Мария. — Как же я убила-а тебя? Как теперь без тебя-я-я буду-уу? Почему ты меня не уби-и-ил?

От меня требовались решительные действия. Я глянул на часы: вот-вот из города посыпятся дачники. Здесь станет людно. Времени в обрез.

— Сиди в доме, не вздумай никуда звонить, — сказал я Марии и потащил тело Виктора в его машину.

Уложив друга на заднее сиденье, я выпотрошил его бумажник и пустым бросил на пол. Автомобиль спрятал в соседней рощице. Пешком вернулся в дом. Мария сидела в кресле возле камина, держала в руках диктофон и плакала. Я нашел тряпку, ведро и начисто отмыл пол. Проверив, не осталось ли подозрительных следов, взял под руку Марию и отправился к автобусной остановке, туда, где спрятал в кустах свою машину. Она послушно брела за мной, ни о чем не спрашивая. Я отвез ее в пустую квартиру Кристины, долго отпаивал лекарствами и уговаривал не звонить в милицию.

— Виктора не вернешь, — твердил я, — зачем оставлять сиротой Варвару?

В конце концов она согласилась сделать все так, как я просил. Через несколько дней в рощице нашли Виктора. Мы с Марией его опознали. Мария была в шоке, не могла говорить. Она все время молчала, своим молчанием помогая и мне и себе. Я как друг семьи рассказал следователю, что семья Заславских образцово-показательная, что Мария — прекрасная хозяйка, а Виктор — нежный муж и любящий отец. Он не имел врагов, зато вез в бумажнике довольно крупную сумму денег, собирался менять мебель в квартире.

Позже я узнал, что и моих соседей, и соседей Марии подробно опрашивали. Видимо, отклики о нас были самые положительные. Следствие склонилось к версии «Ограбление». Виктора похоронили.

* * *

Шли дни, я пытался вернуться к работе. В целом теория была готова, но требовала тщательного оформления — долгий кропотливый труд, который потихоньку давал плоды. Моя теория начала приобретать изящество и легкость.

В другое время я был бы счастлив, но Заславский своей смертью разрушил мою привычную жизнь. Все мне было не так, все не радовало. Мне сильно не хватало Виктора. Я часто ловил себя на том, что жду его звонка. Казалось, вот-вот он придет в мой дом, сядет на диван в гостиной, закинет ногу на ногу и с кривой ухмылочкой начнет подтрунивать надо мной, злить, критиковать...

Лишь потеряв его, я понял, как часто опирался на его плечо. Он был мне как старший брат, более разумный, более опытный, более умелый в бытовых вопросах.

Теперь я чувствовал себя беспомощным. Рыдает Варя, рыдает Мария, я куда-то бегу, делаю какие-то дела и все не так, все плохо. Сколько раз я себе говорил: «Роберт, ты неумеха, у Виктора это получилось бы гораздо лучше». В одном я себя не упрекал: в том, что скрыл причину его смерти.

Виктор смотрел на жизнь очень трезвым глазом, он понял бы меня.

За всем этим переполохом на задний план отошла Кристина. Я не мог оставить Марию одну, редко бывал дома, а если бывал, то сидел у компьютера. Кристина бродила по квартире незаметной тенью. Она чувствовала свою вину. Она была причастна к трагедии, она скооперировалась с Мархалевой, помогала ей подслушивать, меняла пленку в диктофоне...

Если бы не диктофон...

Мархалева исчезла. К ее же благу. Я ненавидел ее с яростной злобой. Не знаю, что было бы, появись она в моем доме. Эта бездельница, ветреная дамочка, которая вовлекла меня в глупую авантюру, закончившуюся трагедией, могла бы серьезно пострадать от моей руки. Во всяком случае, я был в этом уверен.

Моя сестра чувствовала мое настроение и не промолвила о Мархалевой ни полслова. Другое событие напомнило о ней: снова принесли корзину с цветами. Ее получила сама Кристина. Довольная, она читала любовную записку, когда я вошел в гостиную и обнаружил подарок. Я пришел в бешенство, и вот тут-то Кристина меня просветила, что корзины продолжают систематически поступать в нашу квартиру.

Я ворвался в цветочный магазин и набросился на продавщицу. Она была удивлена и клятвенно меня заверила, что отменила заказ. Я понял, что Мархалева меня перехитрила: она заказала цветы в другом месте.

«Ну я ей покажу, чокнутой рифмоплетке!» —

подумал я, охваченный желанием сделать это сейчас же.

И тут я понял, что даже не знаю, где искать эту сумасшедшую. Где она живет? Какой номер ее телефона?

Вернувшись домой, я бросился звонить Тамаре. Я был разъярен, говорил с напором и лишь в середине своей обличительной речи с удивлением обнаружил, что Тамара не перебивает меня. Молчит.

Я осторожно поинтересовался:

— Что случилось?

— Роберт, — всхлипывая, сказала Тамара, — Мархалевой больше нет.

— Как — нет? — опешил я. — То путается под ногами, а как только понадобилась, так сразу нет?

— Роберт, Соня погибла. Попала под колеса грузовика и получила травмы, несовместимые с жизнью.

Я где стоял, там и сел — в прихожей на пол.

Глава 35

Видимо, моя нервная система была изрядно подорвана: сообщение об этой чокнутой Мархалевой я принял очень близко к сердцу. Был потрясен. Разум никак не мог согласиться с тем, что молодая, красивая, полная жизненных сил женщина погибла. Казалось, что Мархалева бессмертна — столько в ней было энергии и оптимизма. И вот она мертва.

— Жалко, — сказал я. — Такие люди не должны уходить молодыми из жизни. Вокруг таких только все и вертится.

— Роберт, — прорыдала Тамара, — Сонька была моей лучшей подругой. Не знаю, что мне делать, как пережить. Куда ни гляну, везде она.

О, как я понимал Тамару! Не то ли и сам переживал в связи со смертью Виктора?

Я поехал ее утешать. Мы долго говорили о Мархалевой. Тамара мне все рассказала. Оказывается, Мархалева была прекрасным человеком.

— Роберт, — рыдала на моем плече Тамара, — Сонька никогда для себя не жила: все для кого-то старалась. И не жалела для людей ни здоровья, ни времени, ни сил. Даже своих денег не жалела.

— О да, — согласился я, вспоминая, как много она для меня сделала.

Так мы устроены, люди: оценим человека только тогда, когда его потеряем. Кто Мархалевой моя Кристина? Даже не подруга. А она из сочувствия к моей сестре посылает ей эти чертовы корзины. Которые, между прочим, недешево стоят. А сколько времени потратила она на Максима, прежде чем истину вызнала. Ведь если бы не Мархалева, он женился бы на любовнице Виктора и воспитывал чужого ребенка. А теперь, даст бог, Кристина помирится с мужем и все вернется на круги своя.

А как она выручила меня с покойной Лидией. Уж не знаю, каким образом ей удалось договорится с Вованом, но он не обманул: меня никто не беспокоит.

А эта история с парнишкой из Питера. Я чувствовал себя бездарем после той злополучной конференции, а теперь воспрял духом, поверил в себя, в свою теорию, и все потому, что Мархалева докопалась до истины: парнишка украл мой труд. Я — первый!

Возможно, она переусердствовала с Заславским, но и здесь ее можно понять. Он обидел ее, был с ней груб. Женщины такого не прощают. Конечно, она имеет и недостатки, но в целом Мархалева удивительная женщина. Это я быстро признал.

Слезы Тамары разбередили мою, еще не зажившую рану. Убитый горем, я отправился к Марии. И она и Варвара сразу заметили, что я подавлен. Пришлось им сообщить:

— Мархалева погибла.

Варвара схватилась за сердце и закричала:

— Я пропала!

Тут же выяснилось: Мархалева и здесь помогала. Она пообещала Варе осуществить мечту всех женщин. Варя уверена была, что ее жених, с которым она в ссоре, «сам приползет на коленях и будет униженно просить прощения». Именно так она и сказала.

Узнав об этом, я, поеживаясь, заверил:

— Если Мархалева обещала, значит, так и было бы.

Варя залилась слезами:

— Кто теперь найдет отца моему ребенку?

А Мария задумчиво произнесла:

— Какая была душевная женщина, эта Мархалева. Зря мы с Витей на нее ополчились.

Совесть едва не загрызла меня. Если они ополчились, то что сделал я? Я же поедом ел эту добрую женщину!

В таком мрачном настроении я вернулся домой. Там ждало меня странное известие. Кристина протянула запечатанный конверт и сообщила:

— Не знаю, кто принес. Позвонили в дверь. Когда я открыла, никого не было. На пороге лежало это. Роби, здесь твое имя.

Я взял конверт и отправился в кабинет. Там его распечатал и с удивлением прочитал. Содержание выглядело загадочным: «Многоуважаемый Роберт, если вам небезразлична ваша судьба, возьмите с собой паспорт и отправляйтесь...»

Далее были указаны адрес и фамилия женщины, которую я в своих интересах должен разыскать. Неизвестный автор, опять же ссылаясь на мои интересы, агитировал меня соблюдать осторожность и всеми способами стараться избежать слежки.

Я был так заинтригован, что не стал это дело откладывать в долгий ящик, а сразу поехал.

И... приехал в больницу.

«Что за шутки?» — рассердился я, но все же назвал в регистратуре женское имя, упомянутое в письме.

Мне сказали:

— Ожидайте.

Минут пять спустя ко мне подошла миниатюрная женщина в белом халате и спросила:

— Паспорт с вами?

Я протянул ей паспорт, она внимательно его изучила, затем вернула мне и сказала:

— Следуйте за мной, Роберт.

«Что за чудеса?» — удивился я, но, не задавая вопросов, пошел за женщиной.

Мы поднялись на шестой этаж, потом долго петляли длинными коридорами и остановились у металлической двери. Женщина постучала — выглянул охранник и с подозрением уставился на меня.

— Он со мной, — сказала она и пояснила: — В пятую палату.

Охранник многозначительно кивнул головой и сделал шаг в сторону, пропуская нас в отделение. Мы снова шли длинным коридором и наконец остановились у двери с номером пять.

Все это происходило в полном молчании. Моя суровая спутница не располагала к вопросам и разговорам. Я терялся в догадках.

На секунду мы задержались у порога палаты. Женщина пристально посмотрела на меня изучающим взглядом, открыла дверь и сказала:

— Входите.

Я вошел в тамбур, дверь сразу за мной закрылась. Женщина осталась по ту сторону, а впереди была еще одна дверь.

Толкнув ее, я увидел... Софью Адамовну Мархалеву!!!

Она лежала на кровати. Вся в бинтах. Ноги и руки загипсованы и зафиксированы системой противовесов в определенном положении...

В общем, зрелище ужасающее. Но я был рад. Как бы там ни было, она все же жива.

— Вот, Роберт, что со мной приключилось, — с грустной улыбкой произнесла Мархалева. — Не правда ли, изрядно досталось. Но не волнуйтесь, грузовику я тоже неплохо помяла бока.

«Неисправимая оптимистка», — едва ли не с нежностью подумал я и спросил:

— Софья Адамовна, как же так? Тамара мне сказала, что вы погибли.

— Увы, не могу вас порадовать. Как видите, Роберт, я осталась жива. И как вам это ни противно, но в моем спасении ваше счастье. Садитесь рядом и слушайте. Мне нужна ваша помощь.

— Сделаю все, что смогу, — заверил я, устремляясь к ней и преисполняясь желанием отплатить добром за все ее хлопоты.

Она вздохнула и пожаловалась:

— Ах, Роберт, как тяжело без жестикуляции говорить. Понимаете, разговаривая, я привыкла помогать себе руками, а теперь приходится соблюдать неподвижность.

Закатив глаза, она воскликнула:

— Это не для меня! Вот где настоящие страдания! Лежу тут, как мумия, ну да ладно, Роберт. Давайте перейдем к делу. Кстати, о том, что я жива, даже Тамара не знает. Надеюсь, вы ей не проболтались?

Я удивился:

— Разве с моей стороны это было возможно? Сам минуту назад об этом узнал.

Мархалева смущенно хмыкнула:

— Хм... Вот видите, Роберт, как пострадала моя голова. Э-хе-хе, — вздохнула она, — ничего, будем думать тем, что осталось. Только вы Тамаре о нашей встрече не рассказывайте.

— Конечно, — заверил я, — об этом мы уже договорились.

— Да что вы? — удивилась Мархалева. — Когда?

— Да только что.

— Очень хорошо, — одобрила она. — И никому не говорите. Даже Кристине. Кстати, Тамара особенно знать не должна. Она дружна с Марией... Роберт, Мария особенно знать не должна! Надеюсь, вы ей не разболтали?

«Бедная женщина, — подумал я. — У нее и раньше наблюдалась небольшая чудинка, как же теперь голова ее будет работать?»

Я терпеливо заверил Мархалеву, что никому не говорил о нашей встрече и не мог сказать, поскольку сам узнал о ней лишь сейчас.

— Клянитесь, Роберт, что никому не проболтаетесь, — потребовала она.

Разумеется, я поклялся. Она успокоилась и пояснила:

— На меня покушались. Я в безопасности до тех пор, пока покуситель думает, что я умерла. Теперь, Роберт, дайте мне слово, что в точности будете выполнять все, что я попрошу.

Разумеется, я дал слово. Она обрадовалась:

— Вы будете моими руками и ногами?

— Конечно, буду.

— Значит, пока я буду лежать, наши дела пойдут.

— Конечно, пойдут, — согласился я с состраданием.

И вот тут-то Мархалева меня огорошила:

— Роберт, раз уж я беспомощна, вам самим

придется себя спасать. Теперь я точно знаю: Заславский вас хочет убить!

Что поделаешь? Мне осталось лишь разводить руками.

— Софья Адамовна, — стараясь сохранять спокойствие, сказал я, — опять вы за свое. Нельзя же быть такой упрямой. Заславского нет.

— В каком смысле?

— Давно похоронен уже Заславский.

Глаза ее превратились в блюдца:

— Да вы что? Это правда? Вы сами это видели?

— Не просто видел, сам хоронил.

— Рассказывайте, как и когда это произошло, — потребовала она.

Я рассказал версию про ограбление, чем привел Мархалеву в радостное оживление. Некоторое время она, шепча себе под нос, что-то подсчитывала, а потом закричала: «Все сходится!» — и возликовала: закрутила забинтованной головой, задергала руками и ногами. Я испугался:

— Софья Адамовна, вам нельзя двигаться! Вы вторично себя покалечите!

— Ах, Роберт, — пожаловалась она, — расцеловала бы вас, да не могу. Лежу, как мумия. Вы даже не знаете, доказательства чему только что привели!

— Чему?

— Моему гениальному уму! Сейчас на ваших глазах произошло важное событие: я раскрыла преступление! Роберт, поздравляю вас! Вы спасены! Теперь я все знаю!

Отчаяние охватило меня: снова она за старое.

И на этот раз взялась крепко, переломы и гипс ей уже не помеха.

Заметив мое состояние, Мархалева сказала:

— Но это правда, Роберт, я раскрыла заговор Заславских, слушайте и восхищайтесь.

— Чем?

— Моим умом.

Глава 36

«Бедная женщина, — в который раз подумал я, — как сильно помутился ее разум».

— Роберт, как движется ваша теория? — неожиданно поинтересовалась Мархалева.

Услышав от нее хоть что-то осмысленное, я обрадовался и сообщил:

— Теория близка к завершению. Остались мелкие штрихи.

— А Мария интересуется ходом вашей работы?

— Конечно, — подтвердил я.

Мархалева злорадно усмехнулась и спросила:

— А раньше она вашей теорией интересовалась?

— Раньше она интересовалась работой своего мужа. Нет ничего удивительного, что, потеряв его, несчастная женщина переключила свое внимание на меня, давнего друга. Маша привыкла опекать, подбадривать, поддерживать близких. Без этого ей уже трудно обойтись.

— Сейчас вы измените свое мнение, — пообещала Мархалева. — Следите за ходом моей мысли. Заславский передает часть вашего открытия юнцу. Зачем? У меня есть ответ. Хотите послушать?

Я вяло согласился:

— Хочу.

— Чтобы юнец выступил раньше вас, осветив часть вашей теории. Заславскому нужно было, чтобы вы расстроились и уехали с конференции. Он не хотел, чтобы вы выступали там со своей теорией. Юнец обнародовал часть вашего открытия, чем привел вас в отчаяние и сомнения. Роберт, вы очень предсказуемы, а Заславский вас хорошо знает.

Спокойствие начало меня покидать. Мархалева, конечно, больна, но это еще не причина трепать доброе имя моего покойного друга.

— Дорогая Софья Адамовна, — со всей возможной вежливостью сказал я, — очень прошу вас не поминать недобрым словом моего покойного друга.

Она рассмеялась:

— Да с чего вы взяли, что он покойный? Не для этого он все затеял, чтобы умирать. Если бы не Лидия, которая действительно покойная, быть бы вам на том свете, дружок — не приведи господи.

— А Лидия здесь при чем? — изумился я.

— Благодаря Лидии я раскусила вашего подлого друга. Судите сами: Заславский помогал прятать ее труп. Зачем он так рисковал? Почему не побоялся впутаться в эту историю? Он, карьерист и эгоист, так возлюбил своего друга? Так возлюбил, что ради него готов пойти на преступление?

Я был сам удивлен, но Заславский действительно оказался славным парнем: не испугался, не бросил меня в беде, поддержал в трудную минуту и словом и делом.

— Хорошо, — сказал я, — давайте вашу версию.

Мархалева важно изрекла:

— Лидия спутала Заславскому все карты. Он трудился не покладая рук. Развел с мужем Кристину. Отсоединил от вас Светлану. Не подпускал к вам Аделину. Натравил на вас Марию. Помешал вам встретиться с господином Штерном. Знаете такого?

— Еще бы, его знает весь научный мир. Он спонсирует многие научные исследования.

— А вы в курсе, что господин Штерн очень интересуется вашей теорией? Более того, он был намерен прилететь к закрытию конференции и кое-что вам предложить. Думаете, я вру? Роберт, это легко проверить. Звоните ему.

Я был растерян, изумлен и не нашел, что сказать. Проницательная Мархалева догадалась:

— Что? Не знаете, куда звонить?

Я признался:

— Понятия не имею.

— Ну конечно. Но ведь вы получили от Штерна очень выгодное предложение. Он пришел в восторг от вашей теории.

Мархалева не врала. Чувствовалось, она знает то, чего не знаю я.

— Штерн пришел в восторг от моей теории? — удивился я. — Но как он о ней узнал?

— Вы сами ему сообщили. Год назад вы послали в его секретариат общий принцип своего открытия. Видимо, оно действительно гениально, раз Штерн так заинтересовался теорией. Вы уже год ведете с ним тайные переговоры. Штерн настойчиво зовет вас переехать в США, сулит фантастическое жалование, дает лабораторию.

Я был потрясен. Какую лабораторию? Зачем она мне? Я теоретик. Я работаю с формулами. Я не умею работать с людьми. Мое дело — идеи. Испытания пускай проводят другие.

Разумеется, все эти доводы я привел Мархалевой. Не забыл сказать и о том, что ее буйная писательская фантазия сослужила ей плохую службу: я незнаком со Штерном. Даже не видел его никогда. И он меня не видел.

— Заблуждаетесь! — воскликнула она, кивая на прикроватную тумбочку. — Откройте дверцу и возьмите с верхней полки письмо. Надеюсь, вы читаете по-английски.

— Читаю, — буркнул я и полез за письмом.

Судя по всему, оно было настоящим. И, если верить обратному адресу, пришло действительно от Штерна. Пришло на номерной почтовый ящик.

Я разволновался, когда же начал читать письмо, и вовсе не знал, что подумать. Содержание меня сразило. Господин Штерн настойчиво звал меня (да-да, в строках письма я нашел свое имя) в США. Он действительно предлагал мне приличное жалование. Он предлагал мне возглавить лабораторию, обещал щедрое финансирование какого-то проекта...

Я растерянно уставился на Мархалеву:

— Софья Адамовна, что это значит? Я не собираюсь торговать своей теорией. Тем более не собираюсь продавать ее в Америку. Где вы взяли это письмо?

— Украла у Заславского, — невозмутимо сообщила она. — Он за вашей спиной от вашего имени вел переговоры со Штерном.

— Зачем?

Она таинственно усмехнулась:

— Неужели не догадываетесь?

Я отрицательно покачал головой.

— Какой вы несообразительный, Роберт, — удивилась она. — После всего, что я вам рассказала, разгадка сама выплыла на поверхность.

Я начал сердиться:

— Но в чем она? В чем?

— Заславский решил завладеть вашим открытием. Да, вы теоретик. Да, вам лаборатория не нужна. Да, вы не хотите управлять людьми. Но он-то практик. Ему нужна лаборатория, он жаждет власти, денег, славы. Все это ему даст ваша теория. Точнее Штерн, которому теория почему-то позарез понадобилась.

Мне стало смешно:

— Штерн даст Заславскому лабораторию под мою теорию? Каким образом все это произойдет?

Мархалева вздохнула.

— Как жалко, что я не могу стоять, — пожаловалась она. — У меня есть очень эффектная поза, но придется обойтись без нее. Слушайте, Роберт, и удивляйтесь моему гениальному уму, моей сверхчеловеческой логике...

Я был шокирован и попросил:

— Софья Адамовна, нельзя ли быть скромней? Понимаете ли, уши режет.

— Поскромней? Ха! Мне, умнице и красавице, скромность ни к чему, — горделиво сообщила Мархалева. — Меня скромность может только испортить. Сейчас поймете сами и согласитесь со мной. Узнав о вашем открытии, Заславский сначала едва не умер от зависти, а потом решил воспользоваться вашими лаврами. Переписку со Штерном вы видели. Штерн его, то есть вас, торопил. Заславский спешил. Вы же тянули. Уверена, Заславский поругивал вас, подгонял, заставлял без устали работать над теорией. Уже над его теорией. Он ее считал своей.

Вовсе нет. Точнее, да, Заславский действительно подгонял меня, но это не значит, что он хотел завладеть теорией. Обычная забота старого друга, которому небезразлична моя судьба. Однако я не стал убеждать Мархалеву. Разве она поймет?

— Когда Заславский получил от Штерна гарантии, он начал действовать, — продолжила Мархалева. — Ему мешала Светлана. О ваших отношениях знали все. Светлана распространяла слухи, что дело движется к свадьбе. Следуя этой логике, вы не оставили бы Светлану в России. Во всяком случае, уж она-то не упустила бы шанса перебраться в Америку. Я с ней беседовала, Роберт, она уже живет в Америке — слепо чтит традиции американского обывателя: лопает гамбургеры, спит в наушниках, говорит «о’кей»...

— И что из этого? Я-то не собираюсь ехать в

Америку! Я там ничего не забыл. Мне здесь хорошо.

— При чем тут вы? В Америку собрался ехать Заславский. Под вашим именем и с вашей теорией. Почему бы и нет? Ведь вы так похожи. Вы заметили, как он подражает вам? Взять хотя бы вашу привычку хвататься за голову в минуты крайнего потрясения.

— Он подражает мне? Глупости, это я подражаю ему.

Мархалева усмехнулась:

— Возможно. Теперь трудно установить, кто кому подражает. Я склонна считать, что он вам.

— Почему?

— Вы более независимы, мало придаете значения внешнему. Но речь не о том. Заславский решил воспользоваться сходством с вами. Легкая пластическая операция, и мать родная не поймет где он, а где вы.

— Мать, возможно, и не поймет. С ней общаюсь только по телефону и стараюсь, чтобы общение это не затягивалось, но есть подруга.

— Именно, — обрадовалась Мархалева. — Наконец-то вы начали прозревать. Теперь представляете, как мешала Заславскому ваша Светлана. Она вцепилась в вас, как кошка в жирный кусок мяса.

Я поморщился от такого сравнения. Но Мархалеву моя реакция не волновала. Она продолжила с вдохновением:

— Разругать вас было сложно, поэтому Заславский и подыскал Светлане выгодного жениха. Точнее, инсценировал, не поскупился. Впрочем, штука баксов не так уж много. Лично я ровно столько, если не больше, вытряхнула бы из него в первую же ночь.

Ужаснувшись такому цинизму, я воскликнул:

— Софья Адамовна, вы понимаете, что вы говорите?

Она меня успокоила:

— Конечно, Роберт, это вы меня неправильно поняли: я заставила бы этого бизнесмена пожертвовать деньги детскому дому.

Я вздохнул с облегчением, а она продолжила:

— Но не все у Заславского шло гладко. Не успел он решить вопрос со Светланой, а тут, как назло, Аделина любовью к вам воспылала. Совсем недавно она пережила развод. Куда бедной женщине податься? Конечно же, к бывшему мужу, благо он свободен и близок к славе и почету.

Я рассердился: и это все обо мне? В таких неприглядных красках?

— Софья Адамовна, — спросил я, — за что вы меня ненавидите?

— Не вас, Роберт, — сказала она и, не давая пояснений, продолжила: — Хитрая Аделина сама вышла на Заславского, предполагая подобраться к вам через него. Представляете, как испугался Заславский? Против Аделины Светлана просто овца. Заславскому изрядно добавилось работы. Пришлось обезвреживать и Аделину. Знаете сами, умную Аделину он никому доверить не мог, ее он взял на себя.

Меня едва не стошнило от такого цинизма, о чем я не преминул сообщить.

— Это не цинизм, — парировала она.

— А что же это? — изумился я.

— Это жизнь.

— В таком случае вы не любите женщин.

— А кто их любит? — рассмеялась Мархалева. — Они сами себя раз в год любят, чем и пользуетесь вы, мужчины. Роберт, вы сбиваете меня своими неразумными комментариями. Давайте к делу вернемся.

— Давайте, — согласился я в надежде, что это скоро закончится.

Мархалева продолжила:

— Про Кристину уже сто раз говорила, не буду повторяться.

— Нет уж, — запротестовал я, — тогда скажите, зачем понадобилось Заславскому разводить с Максимом Кристину?

Мархалева с необъяснимой жалостью посмотрела на меня и сказала:

— Роберт, это же просто. Ответьте на вопрос: если Кристина разведется с мужем, сможет она полететь к братцу в Америку? Полететь сама и оплатить дорогу своей мамочке?

Я вынужден был признать, что в рассуждениях Мархалевой есть резон. Без богатого мужа у Кристины средства найдутся только на метро.

— Следовательно, Заславский мог смело выдавать себя за вас, — подытожила Мархалева. — Родственнички не нагрянут и не разоблачат. Думаю, теперь вам ясно, почему крутилась вокруг вас Мария.

Здесь я не мог оставаться спокойным, а потому закричал:

— Марию не трогайте. Она святая. Если Заславский что и замышлял, Мария об этом не подозревала.

Мархалева с жалостью уставилась на меня.

— Значит, Заславский поручил вас своей святой, — заключила она. — Так даже верней. Как порядочный человек, к святости вы особо чувствительны. Мария со всей своей святостью тащила вас в постель, а заодно присматривала, чтобы вы не завели себе новой пассии и не сбежали в деревню. Заславский потратился на Светлану и не хотел новых трат. Представьте, в какой он пришел ужас, обнаружив на вашей кровати труп Лидии. Все его замыслы рушились. Пропадало столько труда. Если вас отправят в тюрьму, пиши пропало. Не можете же вы одновременно сидеть в российской тюрьме и возглавлять лабораторию в США. Вот почему эгоистичный Заславский принял так близко к сердцу ваши проблемы, вот почему он пошел на риск, вот почему сам начал вывозить этот труп.

И на этот раз я вынужден был признать, что в рассуждениях Мархалевой есть логика. Во всяком случае, таким образом она дала ответы на все вопросы. Почти на все.

— Если вы так хорошо разобрались в этой загадке, — сказал я, — то, может, знаете, кто возвращал в мою спальню тело Лидии?

— Знаю, — гордо сообщила Мархалева. — Заславский и возвращал.

— Но вы же сами говорили, что он испугался, увидев труп.

— Сначала испугался, а потом подумал, что

труп будет ему полезен. Если честно, я не сразу догадалась об этом. Заславский Лидию не убивал. Это я точно узнала из разговора с Вованом. У нее были враги. Вован об этом подозревал и всерьез беспокоился за жизнь любовницы. Когда Лидия разболтала про отравление, кто-то воспользовался этим, чтобы повесить убийство на вас. Так бы оно и было, можете не сомневаться. Если бы не Вован, который решил разобраться с убийцей своими методами, вас бы по органам затаскали.

— Если бы не вы, — уточнил я. — Вряд ли я смог бы найти путь к сердцу Вована. Ведь благодаря вам он взял меня под свою защиту. Софья Адамовна, — в пароксизме справедливости воскликнул я, — пользуясь случаем, приношу вам свою благодарность!

И в следующий миг я понял, что поступил опрометчиво: то-то она порадуется, то-то потешится. Сам дал ей повод, теперь развернется по полной программе: и мою несообразительность помянет, и свою гениальность...

Но я ошибся. Мархалева лишь зарделась от удовольствия и, скромно потупившись, сказала:

— Спасибо.

Я подумал: «Она не права. Скромность ее украшает».

— Однако продолжим, — сказала Мархалева и вернулась к Заславскому.

После ее подробных описаний, полных психологических терминов, я так и не понял, зачем Заславский возвращал в мою спальню труп. Она еще и еще раз туманно мне объяснила, наконец я разозлился и попросил ее прямо сказать.

— Да чтобы вас приучить к неблаговидным поступкам! — взорвалась Мархалева. — Господи, Роберт, какой вы бестолковый! Что здесь можно не понимать? С каким чувством вы первый раз труп возили?

Я молчал, не зная, как нормальному человеку вообще на такой вопрос отвечать. Мархалева ответила за меня:

— С чувством брезгливости и страха. Если бы не Заславский, вы вряд ли вообще додумались вывозить тело. Вы слишком порядочны. Скорей всего обратились бы в милицию.

— Ну, в общем да, — согласился я, стараясь не вспоминать свои первоначальные намерения, те, которые касались еще живой Лидии.

В конце концов, Мархалева не преувеличивает, наделяя меня порядочностью. Да, были у меня кое-какие плохие мысли, но у кого их не бывает? Главное не мысли, а дела человека.

— Роберт, вы где? — позвала меня Мархалева.

— Здесь, — откликнулся я.

— Тогда, пожалуйста, слушайте. Я не сумасшедшая, чтобы с собой разговаривать.

— Конечно, — согласился я. — Внимательно слушаю.

— Вряд ли вы помните, как это происходило, — продолжила Мархалева и тут же пояснила: — Имею в виду труп. Точнее то, как вы его вывозили. Вы, Роберт, были в шоке. Второй раз вы делали это увереннней. В третий, я свидетель, уже привычно. Таким образом Заславский приучал вас к определенным действиям. Наверняка его труп вы вывезли с дачи уже весьма профессионально.

Меня словно обухом по голове хватили. Прекрасно понимал, что надо ей решительно возразить, но ничего не мог с собой поделать: лишь таращил глаза и беззвучно шевелил губами.

— Вижу, я угадала, — удовлетворенно констатировала Мархалева. — Так все и было. Заславский и здесь не просчитался: заставил-таки вас принять участие в этом спектакле. Знаете, в чем-то мне даже симпатичен этот подлец — умеет обращать в плюсы минусы. У него была самая главная проблема: заставить вас опознать себя, якобы Марией убитого. Он уверен был, что вы не бросите в беде Марию. Думаю, с этой задачей вы справились на пять баллов.

Я начал прозревать, куда она клонит, и закричал:

— Постойте, не хотите ли вы сказать, что Заславский жив?

— Только об этом вам и говорю, — со вздохом крайней усталости сообщила Мархалева. — Он жив. Он настолько жив, что страстно мечтает...

— О чем?

— Поскорей убить вас.

Глава 37

Я вспомнил тот страшный день: лежащего у камина Виктора, убитую горем Марию...

— Софья Адамовна, — воскликнул я, — то, о чем вы рассказываете, невероятно. Послушайте меня и сами поймете, как вы не правы.

И я передал ей разговор, который произошел у нас с Заславским в тот роковой день. Подробно описал, как он выглядел, во что был одет, не забыл упомянуть и кольцо, которое не снималось с пальца. Я пытался ее убедить, но она рассмеялась:

— Роберт, вы прелесть. Потрясающе доверчивы и наивны. Знаете, почему Заславский для опознания тела выбрал именно вас?

— Почему?

— Да потому, что вы слишком сосредоточены на науке. Вы не способны воспринимать внешний мир. Вы невнимательны, рассеянны, замечаете лишь из ряда вон выходящие события и предметы. Заславский нарочно надел новый пиджак, броские туфли и привлек ваше внимание к обручальному кольцу. Уверена, поза убитого тоже выбрана с умыслом. Ему было важно, чтобы, кроме Марии, его опознали именно вы. К сожалению, я невольно им подыграла. Если бы Мария не нашла диктофон с записью вашего разговора с Заславским, сцена убийства не выглядела бы так убедительно. Им повезло: по закону подлости Мария нашла диктофон очень вовремя. Представляю ее радость.

Если это так, Мария — гениальная актриса. Но я был убежден, что Мархалева сочиняет. Я ей не верил, я мотал головой и твердил «нет-нет». Мархалева утомленно вздохнула:

— Роберт, чтобы вы зря не сомневались, откройте тумбочку и возьмите с нижней полки пакет.

В пакете лежала вырезка из газеты и квитанция. Я ничего не понял и вопросительно уставился на Мархалеву.

— Читайте, Роберт, читайте, — сказала она. — Сразу все поймете.

Я признался:

— Ничего не понял, хоть и прочитал. Какое-то объявление, набор в театральную студию.

— Вот именно, в театральную студию. Объявление год назад оплатил Заславский. Сами знаете, у него нет театральной студии. Как по-вашему, зачем он давал объявление?

Разумеется, я не знал.

— Ему нужен был мужчина, очень похожий на него самого, — сообщила мне Мархалева.

Я наконец все понял и ужаснулся:

— Софья Адамовна, не хотите ли вы сказать, что Заславский убил человека?

Она подтвердила:

— Да, именно это я и хочу сказать. Он убийца. Уже убийца и готовится к следующему преступлению. Роберт, на очереди вы.

— А как же Мария? — растерялся я. — Ладно, вы невысокого мнения о моей наблюдательности: невнимательный, рассеянный — возможно, все так. Кстати, справедливости ради добавлю: еще и подслеповатый. Но Маша-то не могла не заметить подмены. Уж она-то отличит своего мужа от какого-то статиста.

— Конечно, — согласилась Мархалева, — обязательно отличит. Ваша Маша прекрасно знала, что на полу лежит не Заславский. Ваша Маша его сообщница. Чему вы удивляетесь, Роберт? Она тоже любит деньги и славу. Кто их не любит?

Разве что только я. Но речь не обо мне, хотя здесь как раз и есть почва для развития темы. Такие люди, как я, а, замечу, их очень мало...

Мархалева с жаром говорила, но я ее не слушал. Я был потрясен. Мария и Виктор — хладнокровные убийцы? Я не мог поверить. Вспоминая тот день, горе Марии, ее отношение ко мне...

Да-да, ее отношение ко мне было самым сильным алиби. Если верить словам Мархалевой, Маша знала о планах мужа, а он собирался убить меня. Ведь только таким образом можно занять мое место в науке, в этом мире. И Маша знала? Следовательно, и она желала моей смерти...

— Нет-нет, Софья Адамовна, — воскликнул я, — с Машей вы перемудрили! Поверить в это не могу.

И вот тут-то она взорвалась и закричала:

— Черт возьми! Роберт, нельзя же быть таким тупым! Вы, как обманутый муж из анекдота, заглядываете в замочную скважину, видите раздевающихся догола жену и ее любовника, но упрямо твердите: «Опять эта чертова неизвестность». Вы сводите меня с ума. Я не знаю, как еще доказать вам, а времени у нас не осталось. Заславский шутить не будет. Он страшный человек. Знаете, почему я оказалась на больничной койке?

Слава богу, хоть это я знал и без запинки выпалил:

— Потому что угодили под грузовик.

— Ура, Роберт, — издевательски рассмеялась Мархалева, — вы делаете успехи. А кто помог мне туда угодить? Кто толкнул меня под грузовик? Знаю, вы начнете сейчас твердить про мое писательское воображение, но от этого истина не изменится. Под грузовик меня толкнул ваш Заславский. И сделал он это как раз в тот момент, когда вы помчались на зов Марии.

— Так вы преследовали меня? — прозрел я. — Как вы посмели следить за мной?

— Вы болван, Роберт, я вас спасала. Как дура, побежала за вами, и вот она, благодарность: убийца Мария — святая, а я, жизнью рисковавшая ради вас, — воровка, сплетница и циник. Как вы не поймете, Роберт? Заславский давно хотел убить меня.

— Что же ему мешало? — ядовито поинтересовался я.

— Никак поймать не мог, — с гордостью пояснила Мархалева. — Всем известна скорость моего передвижения. Заславский прекрасно понимал, что номер с опознанием не пройдет до тех пор, пока я буду жива. Уж я-то нашла бы способ побывать в морге и полюбоваться на труп: он это или не он. Меня-то пиджаком и туфлями не собьешь с панталыку. Мой гениальный ум, моя логика, мое упрямство его пугали. Но Заславский не учел моей живучести. Что такое грузовик против меня? Тьфу, да и только!

Широко раскрытыми глазами я смотрел на Мархалеву и чувствовал себя круглым дураком. «Боже мой, — думал я, — эта женщина сумасшедшая. А я тут сижу и ее слушаю. Она собрала в кучу факты и перетасовала их таким образом, что они стали выглядеть убедительными, но сама-то она явно не в своем уме. Разве станет нормальный человек говорить о себе в такой превосходной степени?»

— Роберт, — отвечая на мой мысленный вопрос, воскликнула Мархалева, — я не сумасшедшая, а всего лишь говорю правду. Да, я говорю то, что думаю. Разве это плохо? Вы тоже считаете себя гением, но скромно помалкиваете. Мне же скромности не досталось. Качество редкое, на всех не хватает, что же мне делать теперь? Всю жизнь голову пеплом посыпать? Скажите, паспорт у вас пропадал?

Вопрос прозвучал неожиданно. Я растерялся и спросил:

— Какое отношение к вашей скромности имеет мой паспорт?

— Никакого, — отрезала Мархалева. — Так пропадал он или не пропадал?

— Да, пропал в прошлом году, — подтвердил я.

— Чудесно, значит, оперируется Заславский под вашим именем, — обрадовалась Мархалева и задумалась.

Минуту спустя она попросила меня набрать номер своей подруги.

— Это Юлька, — пояснила Мархалева, — это она отбила у меня Женьку, моего мужа.

— Зачем же вы ей звоните? — поразился я.

— Потому что умею прощать. И Юлька и Женька по-прежнему мои друзья. К тому же Юлька делала пластические операции. Она знает, как долго заживает лицо.

Я набрал названный номер и поднес трубку к торчащему из бинтов уху Мархалевой. Разговор длился бесконечно; рука моя затекла. Но это было лишь началом испытаний: после разговора с Юлькой она долго беседовала с Розой, напоминала о какой-то просьбе. Судя по всему, Роза пообещала позвонить, потому что Мархалева успокоилась и сообщила:

— Все, Роберт, ждем звонка, а потом действуем.

Из этого я сделал вывод, что действовать буду я один, раз Мархалева прикована к постели в самом прямом смысле этого слова.

Действовать мне совсем не хотелось. Я искал причину, чтобы оставить эту бедную женщину: наверняка в ее положении вредно волноваться и надо больше отдыхать. Я готов уже был признать, что общение со мной — тяжкий труд.

— Софья Адамовна, — робко спросил я, — вы не устали? Наверное, я замучил вас разговорами.

— Да что вы, Роберт, — удивилась она. — Вы же молчите. Говорю я сама, а этим замучить меня невозможно. Больше того, я наслаждаюсь общением с вами. Не глупите, лучше послушайте, как я гениальна. Знаете, как я эту загадку разгадала?

Я не знал и не хотел знать, я испугался, но, не желая ее расстраивать, промямлил:

— Хочу.

— Помните случай с Варей? Мария скрыла от вас, что они отправили ее в деревню. Если вы друзья, зачем это надо скрывать? Это был первый сигнал к тому, что Заславский начинает действовать. И он начал, но вдруг остановился. Помните, Мария перестала вам надоедать, и Заславский исчез. Знаете почему?

Разумеется, я не знал.

— Фингал. Вы подрались, и Заславский заработал фингал. Из-за этого-то фингала вы, Роберт, и живы. Заславский вынужден был отложить операцию, а я получила время на то, чтобы помешать его замыслам. Если бы он с самого начала знал, что в это дело ввяжусь я...

Закончить свою мысль она не успела — зазвонил телефон. Я, радуясь освобождению, поспешно приложил к ее уху трубку; Мархалева закричала:

— Да ты что?!

И минут пять молчала, тараща глаза и шумно вдыхая в себя воздух. Я испугался, не знал что делать: продолжать прижимать трубку к уху Мархалевой или бросить это занятие и бежать за врачом? Мои сомнения разрешила она сама.

— Ты их видела? — оживая, спросила она, разумеется, не у меня, а у своей собеседницы. — И она там сидит, эта сучка?! Как удачно все сложилось!

Мархалева победоносно взглянула на меня и воскликнула:

— Ну, Роберт, сейчас я вам докажу! Спускайтесь вниз, там ждет вас мой Женька, бывший муж, и Юлька, его жена. Они отвезут вас кое-куда.

— Куда?

— Туда, куда им сказала Роза, — уклончиво пояснила Мархалева.

Я удивился:

— А при чем здесь Роза? Кто она?

— Роза — моя подруга. Она гинеколог, она все знает, но всегда занята, поэтому рассчитывать я могу только на Юльку. Не кобеньтесь, поезжайте.

— Но почему с вашим мужем? — с непонятным мне самому раздражением спросил я.

— Да потому, что никому другому я вас, наивного человека, доверить не могу. В конце концов, мой Женька бывший десантник. Он в обиду вас не даст. Кто знает, до какой наглости может дойти Заславский?

— А Юлька мне ваша зачем?

— А Юлька все проконтролирует. Должна же я знать, как это будет выглядеть. Вот Юлька мне и расскажет. Роберт, умоляю, хватит вопросов, поезжайте быстрей, пока она еще там.

— Хорошо, — сказал я, — поеду, но, Софья Адамовна, остался последний вопрос: кто регулярно звонит мне и сообщает, что я козел?

— Ах, Роберт, ясное дело кто, какой-то козел, но не забывайте, что он спас вас. Ведь благодаря его звонкам Тамарка забила тревогу. Дело в том, что этот номер принадлежал бизнесмену. Он отказался от него как раз из-за этих самых звонков. Советую вам, вы тоже номер смените, но сейчас сделайте то, что обещали. Идите, Роберт, идите, я сгораю от нетерпения!

Уже вскочив со стула, я вдруг вспомнил про Кристину и закричал:

— Софья Адамовна, я пойду, но вы мне пообещайте, что оставите в покое мою Кристину. Хватит записок и этих дурацких корзин. Нельзя так жестоко вводить в заблуждение несчастную женщину.

Мархалева рассмеялась:

— Бог с вам, Роберт, скоро месяц, как я в больнице лежу. Какие записки? Какие корзины? Считаете, мне до них? Роберт, пожалуйста, поскорей поезжайте, а то не успеете. Она уйдет.

Я не верил ни одному слову Мархалевой, но все же поехал. Меня привезли в больницу и провели в палату. Я вошел и увидел Марию. Человек, сидящий на кровати, был очень похож на меня, но это был Заславский.

* * *

Прошло полгода. Я был доволен своей жизнью. Заладилась работа с теорией. Нашла свое счастье сестра Кристина. По воле случая я узнал об этом именно в тот день, когда потерял своих друзей: Виктора и Марию. Тогда я вернулся домой совершенно убитый. Мархалева во всем была права: Заславский пустился в жуткую авантюру, которая должна была закончиться моей смертью. Открытие меня потрясло. Пережить это было тяжело.

Я вернулся домой, с тоской посмотрел на Кристину и сказал:

— Кристя, сейчас же отправляйся к Максиму.

— Зачем? — удивилась она.

— Ты должна помириться с мужем. Эти корзины, эти записки...

Кристина улыбнулась и оборвала меня:

— Не надо, Роби. Я так благодарна тебе, я очень тебя люблю, но записки настоящие. Ты коечего не знаешь. Именно об этом я и хотела с тобой поговорить. Пойдем, он ждет в кабинете.

И она повела меня в кабинет. Там на моем диване сидел тот нахальный художник, которому Кристина когда-то уступила свою корзину. На этот раз он был смущен. Увидев меня, вскочил и, заикаясь, представился:

— К-кросский Эдуард, художник.

Ничего не понимая, я сказал:

— Это нам уже известно, а в чем, собственно, дело?

И он залепетал:

— Понимаете, когда я увидел вашу сестру, я понял — это она. О такой женщине я мечтал всю жизнь. Я начал о ней расспрашивать...

— Все ясно, — сказал я, — не продолжайте. Значит, это вы посылали корзины.

— Роби, — вмешалась Кристина, — мы с Эдиком решили пожениться. Мархалева так образно описала ему мою трагедию, что он проникся сочувствием и влюбился. Я тоже влюбилась в него. Роби, я счастлива.

— Мы счастливы! — воскликнул Кросский.

— Спасибо Мархалевой, — закончил я.

Так решилась эта проблема. Позже со своим женихом явилась ко мне и Варвара.

— Роб, — сказала она, — ты был прав. Мархалева исполнила обещание и нас помирила. У моего ребенка будет отец. Клевая тетка, Мархалева! Я так ей благодарна, а ты?

Разумеется, я тоже был благодарен Софье Адамовне — она спасла мне жизнь. Стараясь отплатить за добро, я часто навещал ее в больнице, ухаживал за ней, учил ее ходить на костылях. Порой она бывала несносна, но мы подружились. Однажды я ее спросил:

— Софья Адамовна, скажите, зачем вы ради меня рисковали? Мы же с вами были едва знакомы.

— Ах, Роберт, — ответила она, — вам этого не понять.

— И все же, попытайтесь объяснить, — попросил я.

Она согласилась:

— Пожалуй. Когда я увидела, Роберт, какая вокруг вас чехарда, во что вы превратили свою жизнь, то сказала себе: «Это подходящий экземпляр». Дело в том, что мы, женщины, с рождения и до конца своих дней лелеем в себе надежду познать вас, мужчин. Чтобы было образней и понятней, привяжусь к временам года. Самая мучительная и сладостная — весенняя форма надежды. Организм девушки просыпается и расцветает, с этим расцветает и надежда найти и познать ЕГО, самого лучшего, умного, сильного, смелого и верного — ее мужчину. С приобретением опыта весенняя форма надежды превращается в летнюю. Женщина кое-что уже знает, кое о чем догадывается, кое с чем смирилась, но все никак не может понять, почему мужчина такой несовершенный? Почему так сложно его приручить? Почему он все время хочет того, что вредно и опасно для его жизни? От теории женщина давно перешла к практике, она смело ставит опыты, пускается в эксперименты. Это самое плодотворное время, которое неизбежно переходит в осеннюю форму надежды. Женщина доживает до такого возраста, когда она уже поняла, что понять мужчину невозможно, но еще не может с этим смириться. Она все еще надеется что-то такое про него узнать, что сделает ее счастливой. Объектом изучения становятся внуки. Которые вырастают, превращаясь все в тех же мужчин, про которых женщина ничегошеньки не поняла. И тогда женщина входит в зимнюю пору надежды. «Да, я ничего не поняла, — говорит она себе, — я жила ради мужчины, но он приносил мне только боль. Возможно, я умру, так и не разобравшись, что это за существо, живущее рядом? Но, возможно, это сделает моя внучка?» Такова зимняя форма надежды.

Мархалева озорно на меня взглянула и сказала:

— Так вот, Роберт, я переживаю летнюю форму надежды, самую любопытную. Пока еще я пытаюсь понять, что за фрукт этот мужчина. Способен ли он сам узнать, чего хочет, или я должна ему объяснить, и так далее и тому подобное.

Я вспомнил, как метался от Светланы к Марии, от Марии к Аделине, как не мог разобраться в своих чувствах, желаниях и потребностях... Вспомнил и подумал: «Да-а-а, здесь есть что изучать».

— Софья Адамовна, — со всей серьезностью сказал я, — надеюсь, результатами вы со мною поделитесь.

— Непременно! — с оптимизмом воскликнула она и с пессимизмом добавила: — Если они будут.

* * *

Наша дружба продолжалась до тех пор, пока я не покинул Москву. О том, как я в действительности отношусь к Мархалевой, можно сказать, узнал совсем случайно: когда уехал в Париж на конференцию. Там я вдруг обнаружил, что скучаю без нее. Все ее глупости, которые так меня раздражали, сразу показались милыми и забавными. Думаете, я бросился ей звонить и объясняться в любви?

Вовсе нет. Мой богатый жизненный опыт говорил: Роберт, все женщины — чудовища, вспомни Марию. Все женщины — предательницы, вспомни Светлану. Они — перебежчицы, вспомни Кристину.

Ты не такой, Роберт, ты хранишь верность своей девчонке. Только ее любишь ты, свою девчонку с разбитыми коленками. И когда-нибудь ты ее найдешь.

Сказав себе это, я решил, что нам с Мархалевой не стоит больше встречаться. Я знал, на что иду. Да, какое-то время будет мучительно, но потом все забудется и наступит облегчение.

Назло Мархалевой (пусть она об этом никогда и не узнает) я стал чаще думать о своей бесшабашной озорной девчонке. Я представлял, какая она теперь, чем занимается, так ли разбиты ее коленки?

Вернувшись домой, я почти не вспоминал про Мархалеву. Похоже, она тоже забыла меня.

И вот...

Однажды поздним вечером я сидел в своем кабинете и увлеченно работал. Вдруг раздался телефонный звонок. Я поднял трубку и услышал категоричное:

— Роберт, срочно выйдите на балкон.

Это была Мархалева.

Сломя голову я помчался в спальню, ведь балкон у меня только там. Глянул вниз и ничего не увидел. Шел дождь, луну затянуло тучами, фонарь не горел; я хотел вернуться в квартиру, но услышал ее голос.

— Роберт! Черт возьми! Спуститесь ко мне! Я свалилась в траншею!

— Катастрофа!

Я схватился за голову:

— Как же это случилось? Софья Адамовна, вы же знали, что здесь все разрыли, у моего дома.

— Знала, но столько времени прошло, могли бы уже и закопать эту чертову яму.

— Меня поражает ваша наивность, Софья Адамовна, в нашей стране...

— Роберт! — взвизгнула она. — Вы стоите на сухом балконе, а я мокну в грязи под дождем. Давайте отложим политическую лекцию до лучших времен.

— Давайте, — согласился я и поспешил вниз.

Найти ее было легко, она, не стесняясь, ругалась. Поскольку фонарь не горел, я остановился, вглядываясь в темноту.

— Роберт, почему вы стоите? — нетерпеливо спросила она. — Дайте мне свою руку!

— Я не вижу вашей руки.

— Да вот она, вот!

Я поймал ее руку, она была мокрая и холодная.

— Вы замерзли! — сострадая, воскликнул я.

— Да, Роберт, по вашей вине, тяните меня, скорей тяните!

Я осторожно потянул ее на себя, земля от дождя раскисла, подо мной все пришло в движение, все поползло, я не устоял и... угодил в траншею.

— Так я и знала! — победоносно воскликнула Мархалева. — Роберт, порой вы душка, но чаще наоборот. Ни о чем вас нельзя попросить.

Я разозлился:

— Ну, Софья Адамовна!

Ничего хорошего ей сказать я не собирался, но, к счастью, зазвонил ее мобильный.

— Видите, как я занята, — сказала Мархалева, доставая из кармана трубку.

— Я тоже не гуляю, — буркнул я.

Едва она закончила разговор, как зазвонил мой мобильный.

— Видите, как я занят, — торжествуя, сообщил я.

— Я тоже не гуляю, — парировала Мархалева.

Я плюнул и полез в карман куртки. В этот самый момент из-за туч показалась луна. Луна осветило лицо Мархалевой, и случилось чудо. В ее мокром, залепленном волосами лице я узнал свою девчонку. Да-да, это была она. Вот я дурак! Это же сразу было очевидно!

— Софья Адамовна, — спросил я, — у вас бывают ссадины на коленках?

— Постоянно, — ответила она. — А уж сегодня их сколько хотите. Вам показать?

— Как же я их увижу? — удивился я, имея в виду потемки.

Но она по-своему поняла:

— Действительно, вы же слепой. Совсем как тот мальчишка, который в юности таскался за мной. Проходу мне не давал, очкарик. Стоял под окнами, прятался за деревьями, подсматривал, следил, но так ни разу и не подошел ко мне. Трус подлый. Испортил мне всю жизнь. Даже имени его не знаю, а ведь могла бы быть счастлива с ним до сих пор.

Все было именно так, я действительно в детстве носил очки и не смог набраться смелости к ней подойти. Даже имени ее не знал, только прозвище.

— Ципа! Родная! Неужели это ты?!

Мархалева удивилась:

— Ципа? Откуда вы знаете мое школьное прозвище?

Я не стал отвечать, телефон надрывался. Это была мать.

— Роби, — категорически заявила она, — если ты и на этот раз меня обманешь, не знаю, что с тобой сделаю. Больше откладывать встречи я не могу. Как хочешь, но Жанна назначила ваше свидание на завтрашний день.

— Хорошо, — ответил я, чтобы поскорей прекратить разговор. — На завтра так на завтра.

Не успел я спрятать телефон в карман куртки, как раздался новый звонок.

— Это мой, — сказала Мархалева и поспешно прижала трубку к уху: — Ну не знаю, Жанна, скоро уже год, как ты морочишь мне голову... Завтра? Ладно, согласна, так и быть: завтра так завтра. Отбуду наказание.

Она посмотрела на меня и пояснила:

— Это Жанна звонила, моя старая знакомая. Хочет свести меня с каким-то дундуком. Знаете, с тех пор, как я развелась с мужем, мне не дают покоя. Всем хочется сделать меня несчастной, то есть выдать замуж.

И тут меня осенило: вот какую невесту подыскала мне мать. Не успел я сказать и слова, как снова зазвонил телефон.

— Роби, прости, что я звоню так поздно, —

уже ласково начала мать, — но завтра ты должен решиться. Понимаешь, Роби, это такая женщина, это необычная женщина. Она писательница. Ты должен сразу ей сделать предложение. Чтобы она в первые же секунды не отвергла тебя, а заинтересовалась и присмотрелась. Роберт, чем черт не шутит. Она умна, но вдруг в тебе, глупом, что-то найдет?

Я радостно заорал:

— Мама! Я, как послушный сын, сделаю ей предложение прямо сейчас!

* * *

Прошел месяц. В новом костюме я тревожно топчусь под дверью спальни: там наряжается к церемонии бракосочетания она, моя Ципа! Моя Сонька! Моя Софья! Моя Мархалева! Моя невеста! Моя умница! Моя красавица! Моя гениальная!

Хм, что это я? Куда подевалась моя скромность? Простите.

Так вот, я стою под дверью спальни. Наши друзья (оказывается, у нас много общих) собрались в гостиной. Ждут, шумят, волнуются. Все пришли. Запаздывает только Тамара.

Я счастлив, о чем тут говорить: нашел ту, которую искал всю жизнь!

Правда, нашла она меня сама. Удивительней всего то, что моя девчонка жила совсем рядом. Но почему она так долго возится? Мы же опоздаем во дворец!

Я приоткрываю дверь и слышу:

— Тома, куда ты запропастилась, черт возьми?

Приезжай и своими глазами посмотри, что это свершилось. Ципа выиграла пари. Ципа его на себе женила. И не смей говорить, что он мне не пара!

Испуганно прикрывая дверь, я прозреваю: «А я-то, дурак, думал, что этого счастья добился сам.

Ценой неве-ро-ят-ных усилий!»

Впрочем, услышанное не очень огорчило меня. Моя Ципа — очень упрямая девчонка.

Я стучу в дверь спальни:

— Сонечка, мы не опоздаем?

— Иду, дорогой, — отвечает она и выходит.

Все восторгаются. Я бросаюсь к ней с цветами, но звонит мой мобильный.

— Ну, че, дельфин, попал? — лениво интересуется мой старый знакомый.

— А почему «дельфин»? — удивляюсь я. — Раньше вы «козел» говорили.

— С некоторых пор я слово «козел» не употребляю, — нахально раздается мне в ответ.

«Хорошенькое у нас начало», — думаю я, протягивая букет своей обожаемой невесте.

— Ах, Роберт, кто так подает цветы? — сердится Софья. — Это же не веник.

Свадебная процессия движется к Дворцу бракосочетаний, но почему ко мне привязалась эта дурацкая песенка: «Дельфин и русалка, дельфин и русалка не пара, не пара, не пара...»

Почему?

Литературно-художественное издание

Милевская Людмила Ивановна

**ЖЕНИХ СО ЗНАКОМ КАЧЕСТВА,
ИЛИ ЛЕТНЯЯ ФОРМА НАДЕЖДЫ**

Ответственный редактор *О. Рубис*
Редактор *Т. Другова*
Художественный редактор *В. Щербаков*
Компьютерная обработка *И. Дякина*
Технический редактор *Н. Носова*
Компьютерная верстка *В. Азизбаев*
Корректор *Г. Титова*

Подписано в печать с оригинал-макета 11.10.2002
Формат 84×108 $^{1}/_{32}$. Гарнитура «Таймс». Печать офсетная.
Бум. газ. Усл. печ. л. 20,16. Уч.-изд. л. 13,6.
Тираж 15 000 экз. Заказ № 0213180.

ООО «Издательство «Эксмо».
107078, Москва, Орликов пер., д. 6.
Интернет/Home page — www.eksmo.ru
Электронная почта (E-mail) — info@ eksmo.ru

Отпечатано на MBS в полном соответствии
с качеством предоставленного оригинал-макета
в ОАО «Ярославский полиграфкомбинат»
150049, Ярославль, ул. Свободы, 97.